Microsoft 365
Office 2021/2019/2016
完全対応

いちばん詳しい Excel 関数大事典

増補改訂版

国本温子

本書に関するお問い合わせ

この度は小社書籍をご購入いただき誠にありがとうございます。小社では本書の内容に関するご質問を受け付けております。本書を読み進めていただきます中でご不明な箇所がございましたらお問い合わせください。なお、お問い合わせに関しましては下記のガイドラインを設けております。恐れ入りますが、ご質問の際は最初に下記ガイドラインをご確認ください。

ご質問の前に

小社 Web サイトで「正誤表」をご確認ください。最新の正誤情報をサポートページに掲載しております。

- 本書サポートページ URL
  https://isbn2.sbcr.jp/17547/

ご質問の際の注意点

- ご質問はメール、または郵便など、必ず文書にてお願いいたします。お電話では承っておりません。
- ご質問は本書の記述に関することのみとさせていただいております。従いまして、○○ページの○○行目というように記述箇所をはっきりお書き添えください。記述箇所が明記されていない場合、ご質問を承れないことがございます。
- 小社出版物の著作権は著者に帰属いたします。従いまして、ご質問に関する回答も基本的に著者に確認の上回答いたしております。これに伴い返信は数日ないしそれ以上かかる場合がございます。あらかじめご了承ください。

ご質問送付先

ご質問については下記のいずれかの方法をご利用ください。

▶ Web ページより

上記のサポートページ内にある「この商品に関する問い合わせはこちら」をクリックすると、メールフォームが開きます。要綱に従って質問内容を記入の上、送信ボタンを押してください。

▶郵送

郵送の場合は下記までお願いいたします。

〒106-0032
東京都港区六本木 2-4-5
SB クリエイティブ　読者サポート係

■本書内に記載されている会社名、商品名、製品名などは一般に各社の登録商標または商標です。本書中では®、™マークは明記しておりません。

©2023 Atsuko Kunimoto　本書の内容は著作権法上の保護を受けています。著作権者・出版権者の文書による許諾を得ずに、本書の一部または全部を無断で複写・複製・転載することは禁じられております。

はじめに

Excelは、業種を問わず多くの現場で日常的に使われている表計算ソフトです。表作成機能や計算機能、データ分析・集計機能など豊富な機能が用意されていますが、中でも計算機能として480を超える関数が用意されています。

本書は、Excel関数事典として全ての関数を網羅しています。関数の機能や使い方を、必要に応じて使用例を挙げながらわかりやすく解説しています。特に使用頻度が高い関数は、使用例を複数用意し、他の関数との組み合わせ例も含めた活用法を紹介しています。使用例にはサンプルファイルを用意しているので、実際に関数を使いながら理解を深めていただけることと思います。

さらに、関数に関連する知識をコラムやヒントで解説しているので、わかりづらい用語や内容の理解に役立てていただけることでしょう。

また、関数だけでなく、関数を使用する上で必要となる基礎知識をまとめています。そのため、初心者の方でもスムーズに関数をお使いいただけると思います。

加えて、関数を便利に使うための少し高度なテクニックも紹介しています。関数を使う上で知っておくと便利な機能や関数を活用して使う方法などをいくつかピックアップしていますので、参考にしてください。

本書では、分類別、アルファベット順、目的別の3種類の索引を用意していますので、関数を探すときに活用してください。

本書が、Excelを使用する全ての方のスキルアップや仕事の効率化にお役立ていただければ幸いです。

末筆になりますが、本書作成にあたり、ご協力くださいました全ての皆様に心から感謝申し上げます。

2023年5月　国本　温子

本書の使い方

- 本書は大まかに以下のように構成されています。

目次
関数の解説
基礎知識
便利テクニック
キーワード索引
目的別関数索引
関数索引(アルファベット順)

- 本書は次の使い方を押さえておくとより便利に本書を活用できます。

目次・・・Excel 関数の性質・用途に応じたカテゴリ別にすばやく調べられます。

関数の解説・・・次ページのページ構成サンプルをご確認ください。

基礎知識・・・Excel 関数を使う上で知っておきたい知識を掲載しています。Excel 関数の解説と併せてご利用ください。

便利テクニック・・・Excel 関数を使用する業務をより効率的にできる便利テクニックを厳選して掲載しています。
業務の目的に合わせてご利用ください。

キーワード検索・・・キーワードから目的のページを索引できます。

目的別関数索引・・・Excel 関数を使用用途から索引できます。

関数索引(アルファベット順)・・・Excel 関数をアルファベット順で索引できます。

- サンプルファイルのダウンロード

本書で紹介している Excel 関数の使用例は次の URL からダウンロードできます。ぜひご活用ください。

https://isbn2.sbcr.jp/17547/

• 本書のページ構成サンプルです。

なお、本書ではExcel関数の使用頻度や使用難易度によって、解説ボリュームが異なります。予めご了承ください。

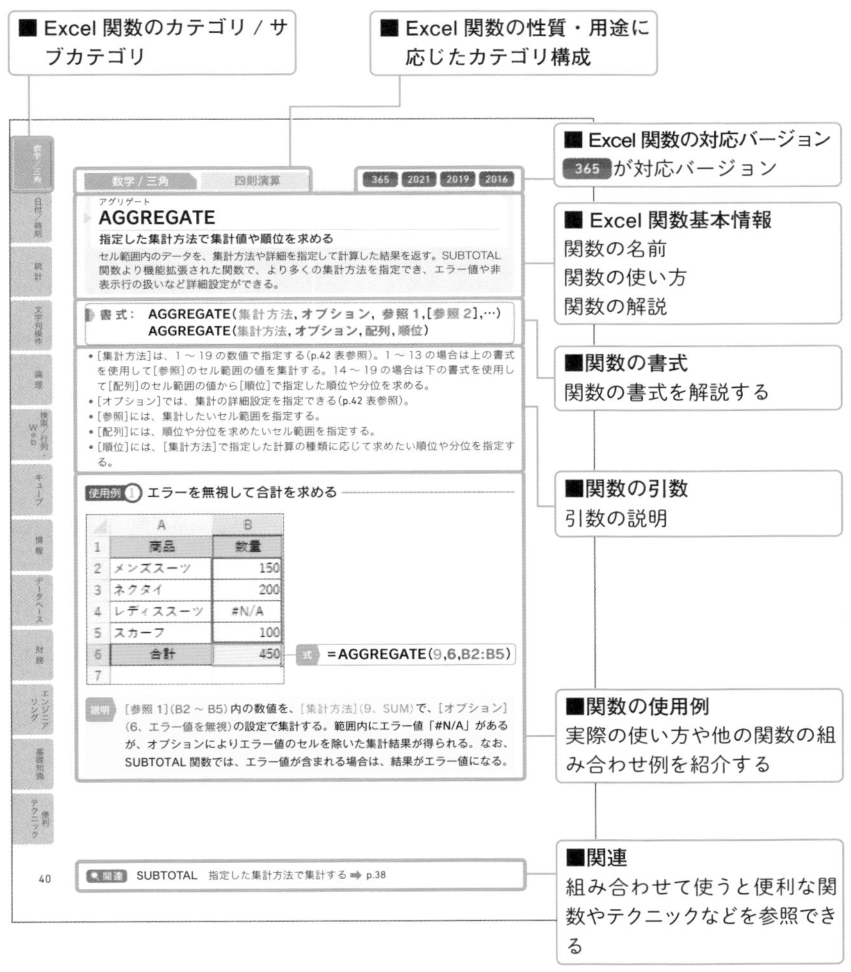

CONTENTS

検索 / 行列・Web 関数 217

キューブ関数 253

便利テクニック 389

互換性関数 420

数学 / 三角関数

数学 / 三角関数は、合計や個数など、加減乗除をしたり、四捨五入、切り捨て、切り上げなど数値を丸めるといった基本的な計算を主とする関数と、指数、対数、三角関数など高度な数学の計算を行う関数が用意されています。

数学 / 三角　四則演算　365　2021　2019　2016

サム
SUM

数値を合計する

引数で指定した数値やセル範囲内の数値を合計する。

書式： SUM (数値 1,[数値 2],…)

- [数値]の合計を求める。数値 2 以降を指定する場合は、「,」(カンマ)で区切り、[数値 1]、[数値 2]、…の合計を返す。
- [数値]では、合計したい数値を指定する。セル範囲を指定した場合、範囲内の数値のみが計算対象となり、文字列や空白は無視される。数値、セル参照、セル範囲を組み合わせて合計できる。例えば、「=SUM(10,A1,B2:C2)」とした場合、10、セル A1 の数値、セル範囲 B2 ～ C2 の数値の合計が求められる。

使用例 1 セル範囲を合計する

	A	B	C	D	E
1	1月	2月	3月	合計	
2	150	200	250	600	
3					

式 ＝SUM(A2:C2)

説明 セル範囲 A2 ～ C2 に含まれる数値の合計を求める。

使用例 2 離れたセルを合計する

	A	B	C	D	E	F
1	1-3月合計		4-6月合計		上半期計	
2	600		400		1,000	
3						

式 ＝SUM(A2,C2)

説明 セル A2 とセル C2 の数値の合計を求める。

関連 AGGREGATE　指定した集計方法で集計値や順位を求める ➡ p.40

使用例 3 複数のセル範囲を合計する

	A	B	C	D	E	F
1	7月	8月	9月		下半期計	
2	200	160	140		900	
3						
4	10月	11月	12月			
5	100	120	180			

式 =SUM(A2:C2,A5:C5)

説明 セル範囲 A2 ～ C2 とセル範囲 A5 ～ C5 の数値の合計を求める。

使用例 4 累計を求める

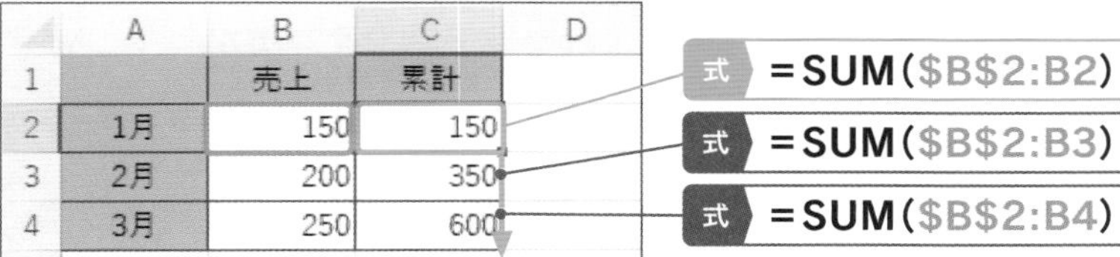

	A	B	C	D
1		売上	累計	
2	1月	150	150	
3	2月	200	350	
4	3月	250	600	

説明 セル B2 の始点を絶対参照にして固定し、終点を相対参照にして関数をオートフィルでコピーすると、合計範囲が 1 行ずつ増えて、累計が求められる。

使用例 5 列全体を合計する

	A	B	C	D
1	売上合計		720	
2				
3	日付	金額		
4	2月1日	150		
5	2月2日	200		
6	2月3日	250		
7	2月4日	120		
8				

式 =SUM(B:B)

説明 B 列全体に含まれる数値の合計を求める。文字列や空白セルは合計対象から省かれ、数値のみ合計されるため、金額が入力される列全体を合計範囲にすれば日々増加する表の数値の合計を求めるのに便利。

関連 SUMIF 条件を満たす数値を合計する ➡ p.32

サム・イフ

SUMIF

条件を満たす数値を合計する

列内の値が検索条件に一致するかどうか調べ、一致する値と同じ行にある数値の合計を求める。例えば、[店舗]列の値が「新宿」の場合だけ [数量]列の数値の合計を求められる。

書 式：　SUMIF(範囲, 検索条件,[合計範囲])

- [範囲]内で、[検索条件]に一致する値を探し、見つかった行の[合計範囲]の値を合計する。
- [範囲]では、検索の対象となる列のセル範囲を指定する。
- [検索条件]では、[範囲]の中から合計を求めたい値の条件を指定する。条件を数値とセル範囲以外で指定する場合は「"」(ダブルクォーテーション)で囲む。また、比較演算子、ワイルドカード文字を使用した条件を設定できる(下表参照)。
- [合計範囲]では、合計を求める値が入力されている列のセル範囲を指定する。省略時は、[範囲]にある数値が合計される。

検索条件の設定例

検索条件	意味
100	数値の 100 と等しい
F2	セル F2 の値と等しい
"<>100"	「100」ではない
">=30000"	「30,000」以上
"<2020/11/01"	「2020/11/1」より前
">="&F2	セル F2 の値以上
" チョコ *"	「チョコ」で始まる
"* 缶 "	「缶」で終わる
"* マカロン *"	「マカロン」を含む
"*"&F2&"*"	セル F2 の値を含む
"<>*"&F2&"*"	セル F2 の値を含まない

使用例1 店舗が「新宿」の数量を合計する

	A	B	C	D	E	F
1	日付	店舗	数量		新宿の数量	
2	10月1日	新宿	10		35	
3	10月2日	青山	20			
4	10月3日	原宿	15			
5	11月1日	青山	10			
6	11月2日	新宿	25			
7	11月3日	原宿	30			

式 =SUMIF(B2:B7,"新宿",C2:C7)

説明 [範囲](B2 ～ B7)内で [検索条件](新宿)を探し、見つかった行の [合計範囲](C2 ～ C7)の値を合計する。

SUMIF 関数の指定方法

=SUMIF(B2:B7," 新宿 ",C2:C7)

範囲 「店舗」列 ／ 検索条件 新宿 ／ 合計範囲 「数量」列

「店舗」列が「新宿」を満たす行にある「数量」列のセルを合計

使用例2 店舗別に数量を合計する

	A	B	C	D	E	F
1	日付	店舗	数量		店舗	数量合計
2	10月1日	新宿	10		新宿	35
3	10月2日	青山	20		青山	30
4	10月3日	原宿	15		原宿	45
5	11月1日	青山	10			
6	11月2日	新宿	25			
7	11月3日	原宿	30			
8						

式 =SUMIF($B$2:$B$7,E2,$C$2:$C$7)

説明 [範囲]($B$2 ～ $B$7)内で [検索条件](E2)を探し、見つかった行の [合計範囲]($C$2 ～ $C$7)の値を合計する。[範囲] と [合計範囲] を絶対参照にすることで、オートフィルにより式をコピーしても参照がずれないようにしている。

関連 絶対参照 ➡ p.367

数学／三角
日付／時刻
統計
文字列操作
論理
検索／行列・Web
キューブ
情報
データベース
財務
エンジニアリング
基礎知識
便利テクニック

使用例 ③ 月別に数量を合計する

	A	B	C	D	E	F	G	H
1	日付	店舗	数量	月		月	数量合計	
2	10月1日	新宿	10	10		10	45	
3	10月2日	青山	20	10		11	65	
4	10月3日	原宿	15	10				
5	11月1日	青山	10	11				
6	11月2日	新宿	25	11				
7	11月3日	原宿	30	11				
8								

式 =MONTH(A2)

式 =SUMIF($D$2:$D$7,F2,$C$2:$C$7)

説明 [範囲]($D$2 ~ $D$7)内で［検索条件］(F2)を探し、見つかった行の［合計範囲］($C$2 ~ $C$7)の値を合計する。月を判断するのに、補助列としてD列に［月］列を追加し、MONTH関数を使ってA列の日付から月数を取得。F列の月数を［検索条件］にすることで月ごとに集計している。

使用例 ④ セルF2の値を含む商品を集計する

	A	B	C	D	E	F	G	H
1	日付	種別	商品	金額		商品	売上金額	
2	10月1日	100	チョコセット	45,000		マカロン	40,000	
3	10月2日	200	マカロン詰め合わせ	20,000				
4	10月3日	100	チョコケーキ	35,000		日付以降	売上金額	
5	11月1日	200	期間限定マカロン	20,000		11月1日	75,000	
6	11月2日	300	クッキー缶	25,000				
7	11月3日	100	キャンデーセット	30,000				

式 =SUMIF(C2:C7,"*"&F2&"*",D2:D7)

説明 [範囲](C2 ~ C7)内で［検索条件］("*"&F2&"*"、F2を含む文字列)を探し、見つかった行の［合計範囲］(D2 ~ D7)の値を合計する。ワイルドカード文字「*」とセルF2の参照と組み合わせて「"*"&F2&"*"」と記述することで「セルF2の値を含む文字列」という意味の検索条件になる。

関連

SUMIFS　複数の条件を満たす数値を合計する ➡ p.35
MONTH　日付から月を求める ➡ p.79

数学 / 三角　四則演算　365　2021　2019　2016

サム・イフス
SUMIFS

複数の条件を満たす数値を合計する

複数の列に検索条件を設定し、すべての条件に一致する値と同じ行にある数値の合計を求める。例えば、[店舗]列が「原宿」で[分類]列が「100」である場合の[金額]列の数値の合計を求められる。

書 式：　SUMIFS(合計範囲, 条件範囲 1, 条件 1,[条件範囲 2, 条件 2],…)

- [条件範囲]内で、[条件]に一致する値を探し、見つかった行の[合計範囲]にある値を合計する。[条件範囲]と[条件]は必ずセットで指定する。[条件範囲]と[条件]のセットを増やした場合、すべての条件を満たした場合のみ合計される。
- [合計範囲]では、合計を求める値が入力されている列のセル範囲を指定する。
- [条件範囲]では、検索の対象となる列のセル範囲を指定する。
- [条件]では、[条件範囲]の中から合計を求めたい値の条件を指定する。数値、文字列、セル範囲、比較演算子やワイルドカード文字を使って指定でき、数値とセル範囲以外で指定する場合は、「"」で囲む(p.32 表参照)。

使用例 1 店舗が「原宿」で種別が「100」の売上合計を求める

	A	B	C	D	E	F	G	H
1	日付	店舗	種別	商品	金額		原宿で100の売上合計	
2	10月1日	原宿	300	クッキー缶	45,000		65,000	
3	10月2日	青山	200	マカロン詰め合わせ	20,000			
4	10月3日	原宿	100	チョコケーキ	35,000			
5	11月1日	青山	200	期間限定マカロン	20,000			
6	11月2日	新宿	300	クッキー缶	25,000			
7	11月3日	原宿	100	キャンデー缶	30,000			

式　=SUMIFS(E2:E7,B2:B7,"原宿",C2:C7,100)

説明　[条件範囲 1](B2 ～ B7)内で [条件 1](原宿)、[条件範囲 2](C2 ～ C7)内で [条件 2](100)を探して、両方が見つかった行の [合計範囲](E2 ～ E7)の値を合計する。

SUMIFS 関数の指定方法

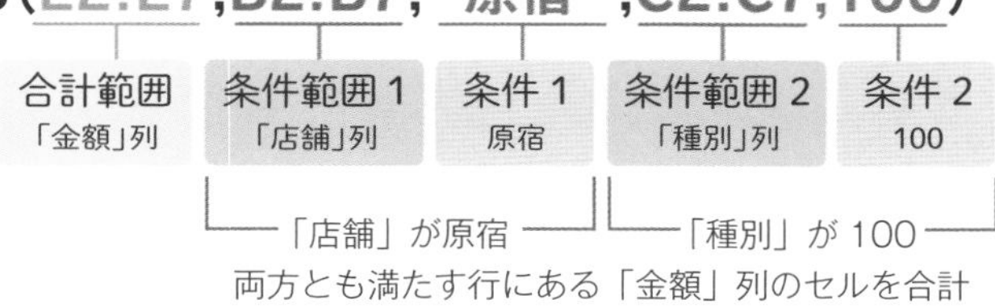

使用例 2 商品の種類別に平日の数量合計を求める

	A	B	C	D	E	F	G	H
1	日付	商品	数量	曜日		種類	平日	
2	12月1日(木)	期間限定マカロン	10	4		マカロン	65	
3	12月2日(金)	チョコセット	15	5		チョコ	45	
4	12月3日(土)	マカロン詰め合わせ	20	6				
5	12月4日(日)	生チョコケーキ	15	7				
6	12月5日(月)	期間限定マカロン	15	1				
7	12月6日(火)	マカロン詰め合わせ	40	2				
8	12月7日(水)	生チョコケーキ	30	3				
9								

式 =WEEKDAY(A2,2)

式 =SUMIFS($C$2:$C$8,$B$2:$B$8,"*"&F2&"*",$D$2:$D$8,"<6")

説明 [条件範囲 1]($B$2 ～ $B$8)内で [条件 1]("*"&F2&"*"、マカロンを含む)と、[条件範囲 2]($D$2 ～ $D$8)内で [条件 2]("<6"、曜日番号が 6 未満)を探して、両方見つかった行の [合計範囲]($C$2 ～ $C$8)の値を合計する。[条件範囲] と [合計範囲] を絶対参照にすることで、オートフィルによる式をコピーしても参照がずれないようにしている。
また、曜日を判断するのに、補助列として D 列に [曜日] 列を追加し、WEEKDAY 関数を使って A 列の日付から曜日番号(月～日：1 ～ 7)を表示し、D 列の曜日番号で「6 未満が平日」になることを利用して検索条件にしている。

数学 / 三角　四則演算　365　2021　2019　2016

プロダクト

PRODUCT

数値の積を計算する

引数で指定した数値やセル範囲に含まれる数値の積(掛け算)を計算する。

書 式： PRODUCT(数値 1,[数値 2],…)

- [数値]の積を求める。数値 2 以降を指定する場合は、「,」(カンマ)で区切り、[数値 1]、[数値 2]、…の積を返す。
- [数値]には、数値やセル範囲を指定できる。セル範囲を指定した場合、範囲内の数値のみが計算対象となり、文字列や空白は無視される。

関連

SUMIF　条件を満たす数値を合計する ➡ p.32
WEEKDAY　日付の曜日番号を求める ➡ p.92

使用例 1 出荷金額を求める

	A	B	C	D	E
1	製品番号	単価	卸率	数量	出荷金額
2	C1001	2,000	80%	100	160,000
3	C1002	4,000	60%	100	240,000
4					

式 =PRODUCT(B2:D2)

説明 [数値 1](B2 ~ D2)の中にある数値の掛け算した結果を求める。単価×卸率×数量の計算をすることで出荷金額が求められる。

数学 / 三角　四則演算　365 2021 2019 2016

サム・プロダクト

SUMPRODUCT

配列要素の積を合計する

引数で指定した配列に対応する要素同士を掛け合わせ、それらの合計を求める。

書 式: SUMPRODUCT(配列 1,[配列 2],…)

[配列]には、セル範囲や配列定数を指定できる。各配列は、行数と列数を同じサイズにする。サイズが異なる場合はエラーになる。

使用例 1 出荷金額の総額を求める

	A	B	C	D
1	製品番号	単価	卸率	数量
2	C1001	2,000	80%	100
3	C1002	4,000	60%	100
4				
5	出荷総額	400,000		
6				

式 =SUMPRODUCT(B2:B3,C2:C3,D2:D3)

説明 [配列 1](B2 ~ B3)、[配列 2](C2 ~ C3)、[配列 3](D2 ~ C3)で同じ行にある各セルを掛け算し、それらの結果を合計する。ここでは、「2000 × 80% × 100」と「4000 × 60% × 100」の合計が求められる。

数学 / 三角　四則演算　365　2021　2019　2016

サブトータル
SUBTOTAL

指定した集計方法で集計する

セル範囲内のデータを、合計や平均など指定した集計方法で計算した結果を返す。

書 式： SUBTOTAL(集計方法, 参照 1,[参照 2],…)

- [参照]のセル範囲の値を、指定した[集計方法]で集計する。［参照]のセル範囲内にSUBTOTAL 関数や AGGREGATE 関数が使われていれば、そのセルを除外して集計する。
- [集計方法]は、1 ～ 11、101 ～ 111 の数値で指定する(下表参照)。
- [参照]には、集計対象となるセル範囲を指定する。列のデータ(縦方向に並んでいるデータ)を指定した場合、[集計方法]を 101 ～ 111 にすると非表示の値を含めずに集計する。なお、フィルターにより折りたたまれている場合は、[集計方法]にかかわらず常に表示されているデータで集計される。また、行のデータ(横方向に並んでいるデータ)を指定した場合、常に非表示の値も含めて集計される。

集計方法

集計方法		該当する関数		参照
1	101	AVERAGE	平均値	p.110
2	102	COUNT	数値の個数	p.98
3	103	COUNTA	データの個数	p.99
4	104	MAX	最大値	p.108
5	105	MIN	最小値	p.106
6	106	PRODUCT	積	p.36
7	107	STDEV.S	不偏標準偏差	p.125
8	108	STDEV.P	標準偏差	p.124
9	109	SUM	合計	p.30
10	110	VAR.S	不偏分散	p.123
11	111	VAR.P	分散	p.122

使用例1 小計のある表を集計する

	A	B	C
1	商品	数量	
2	メンズスーツ	150	
3	ネクタイ	200	
4	小計	350	
5	レディススーツ	250	
6	スカーフ	150	
7	小計	400	
8	合計	750	
9			

式 =SUBTOTAL(9,B2:B3)

式 =SUBTOTAL(9,B5:B6)

式 =SUBTOTAL(9,B2:B7)

説明 セルB8では［参照1］(B2～B7)内の数値を、［集計方法］(9、SUM)で集計する。範囲内にSUBTOTAL関数を使った小計(セルB4、B7)が含まれるが、このセルは含めずに集計されるので範囲指定が容易。

使用例2 セル範囲の最大値や平均値を求める

	A	B	C
1	選手名	飛距離	
2	村田　玄樹	43	
3	川村　雄太	28	
4	宮崎　俊介	63	
5	最大値	63	
6	平均値	44.7	
7			

式 =SUBTOTAL(4,B2:B4)

式 =SUBTOTAL(1,B2:B4)

説明 セルB5では、セル範囲B2～B4に含まれる数値の最大値(4)を求める。セルB6では、セル範囲B2～B4に含まれる数値の平均値(1)を求めている。集計方法の数字を変更するだけで集計結果を簡単に変えられる。

関連 AGGREGATE 指定した集計方法で集計値や順位を求める ➡ p.40

アグリゲート
AGGREGATE

指定した集計方法で集計値や順位を求める

セル範囲内のデータを、集計方法や詳細を指定して計算した結果を返す。SUBTOTAL関数より機能拡張された関数で、より多くの集計方法を指定でき、エラー値や非表示行の扱いなど詳細設定ができる。

書式： AGGREGATE(集計方法, オプション, 参照 1,[参照 2],…)
AGGREGATE(集計方法, オプション, 配列, 順位)

- [集計方法]は、1 ～ 19 の数値で指定する(p.42 表参照)。1 ～ 13 の場合は上の書式を使用して[参照]のセル範囲の値を集計する。14 ～ 19 の場合は下の書式を使用して[配列]のセル範囲の値から[順位]で指定した順位や分位を求める。
- [オプション]では、集計の詳細設定を指定できる(p.42 表参照)。
- [参照]には、集計したいセル範囲を指定する。
- [配列]には、順位や分位を求めたいセル範囲を指定する。
- [順位]には、[集計方法]で指定した計算の種類に応じて求めたい順位や分位を指定する。

使用例 1 エラーを無視して合計を求める

	A	B
1	商品	数量
2	メンズスーツ	150
3	ネクタイ	200
4	レディススーツ	#N/A
5	スカーフ	100
6	合計	450
7		

式 =AGGREGATE(9,6,B2:B5)

説明 [参照 1](B2 ～ B5)内の数値を、[集計方法](9、SUM)で、[オプション](6、エラー値を無視)の設定で集計する。範囲内にエラー値「#N/A」があるが、オプションによりエラー値のセルを除いた集計結果が得られる。なお、SUBTOTAL 関数では、エラー値が含まれる場合は、結果がエラー値になる。

関連 SUBTOTAL 指定した集計方法で集計する ➡ p.38

使用例 2 エラーを無視して小計のある表を集計する

	A	B
1	商品	数量
2	メンズスーツ	150
3	ネクタイ	200
4	小計	350
5	レディススーツ	#N/A
6	スカーフ	150
7	小計	150
8	合計	500
9		

式 =AGGREGATE(9,2,B2:B3)

式 =AGGREGATE(9,2,B5:B6)

式 =AGGREGATE(9,2,B2:B7)

説明 [参照 1](B2 ～ B6)内の数値を、[集計方法](9、SUM)で集計する。[オプション](2、エラー値かつ、入れ子になっている SUBTOTAL 関数、AGGREGATE 関数を無視)の設定で集計する。範囲内のエラー値「#N/A」を無視し、範囲内に AGGREGATE 関数を使った小計(セル B4、B7)が含まれるが、このセルは含めずに集計される。

使用例 3 2 番目に小さい値を求める

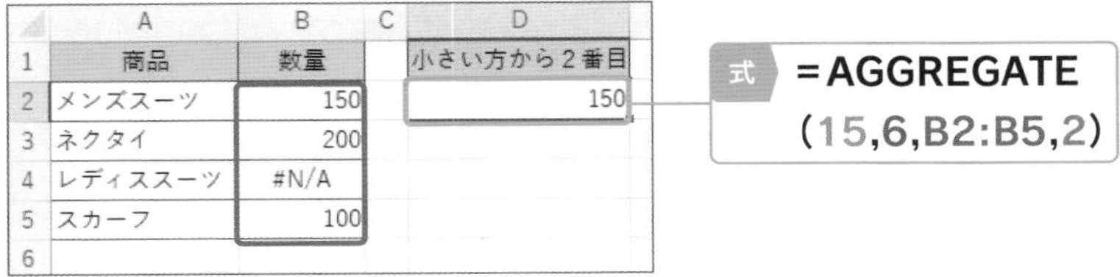

	A	B	C	D
1	商品	数量		小さい方から 2 番目
2	メンズスーツ	150		150
3	ネクタイ	200		
4	レディススーツ	#N/A		
5	スカーフ	100		
6				

式 =AGGREGATE(15,6,B2:B5,2)

説明 [配列](B2 ～ B5)内の数値を、[集計方法](15、SMALL)、[順位](2)にして、[オプション](6、エラー値を無視)の設定で集計する。範囲内のエラー値「#N/A」を無視し、小さい順で 2 番目の値が求められる。

集計方法

集計方法	該当する関数		参照
1	AVERAGE	平均値	p.110
2	COUNT	数値の個数	p.98
3	COUNTA	データの個数	p.99
4	MAX	最大値	p.108
5	MIN	最小値	p.106
6	PRODUCT	積	p.36
7	STDEV.S	不偏標準偏差	p.125
8	STDEV.P	標準偏差	p.124
9	SUM	合計	p.30
10	VAR.S	不偏分散	p.123
11	VAR.P	分散	p.122
12	MEDIAN	中央値	p.105
13	MODE.SNGL	最頻値	p.104
14	LARGE	降順の順位	p.118
15	SMALL	昇順の順位	p.118
16	PERCENTILE.INC	百分位数	p.120
17	QUARTILE.INC	四分位数	p.121
18	PERCENTILE.EXC	0％と100％を除いた百分位数	p.120
19	QUARTILE.EXC	0％と100％を除いた四分位数	p.121

オプション

値	内容
0または省略	セル範囲内に含まれるSUBTOTAL関数、AGGREGATE関数のセルの値を省く
1	0の指定に加えて、非表示の行を無視
2	0の指定に加えて、エラー値を無視
3	0の指定に加えて、非表示の行、エラー値を無視
4	何も無視しない
5	非表示の行を無視
6	エラー値を無視
7	非表示の行とエラー値を無視

数学 / 三角　四則演算　365　2021　2019　2016

サム・スクエア

SUMSQ

平方和を求める

引数で指定した数値を２乗し、それぞれの結果を合計する。

書 式：　SUMSQ(数値 1,[数値 2],…)

[数値]は、平方和を求めたい数値、数値を含む配列、名前、セル参照を指定できる。例えば、「=SUMSQ(2,3)」とした場合、それぞれを２乗した値「4」と「9」の合計「13」を返す。

使用例 1 平方和を求める

	A	B	C	D
1	平方和(2乗の合計)			
2	数値1	数値2	平方和	
3	4	6	52	

式 =SUMSQ(A3:B3)

説明　[数値](A3 ～ B3)の各数値を２乗した合計を求める。

数学 / 三角　四則演算　365　2021　2019　2016

サム・オブ・エックス・スクエアエド・マイナス・ワイ・スクエアド

SUMX2MY2

配列要素の平方差を合計する

２つの配列内で同じ位置の要素を２乗して引いた値(平方差)を求め、合計する。数式では、「$\Sigma(x^2-y^2)$」と表される。

書 式：　SUMX2MY2(配列 1, 配列 2)

[配列 1]、[配列 2]は、数値を含むセル範囲または配列定数を指定する。行数×列数は同じ大きさにする。

数学／三角
日付／時刻
統計
文字列操作
論理
検索／行列・Web
キューブ
情報
データベース
財務
エンジニアリング
基礎知識
便利テクニック

数学 / 三角　四則演算　365　2021　2019　2016

サム・オブ・エックス・スクエアエド・プラス・ワイ・スクエアド

SUMX2PY2

配列要素の平方和を合計する

2つの配列内で同じ位置の要素を2乗して足した値(平方和)を求め、合計する。数式では、「$\Sigma(x^2+y^2)$」と表される。

書式： SUMX2PY2(配列 1, 配列 2)

[配列 1]、[配列 2]は、数値を含むセル範囲または配列定数を指定する。行数 × 列数は同じ大きさにする。

数学 / 三角　四則演算　365　2021　2019　2016

サム・オブ・エックス・マイナス・ワイ・スクエアド

SUMXMY2

配列要素の差の平方和を求める

2つの配列内で同じ位置の要素同士を引いて2乗した値の合計(平方和)を求める。数式では、「$\Sigma(x-y)^2$」と表される。

書式： SUMXMY2(配列 1, 配列 2)

[配列 1]、[配列 2]は、数値を含むセル範囲または配列定数を指定する。行数 × 列数は同じ大きさにする。

使用例 1 配列の要素の平方差・平方和・差の平方和を求める

	A	B	C	D	E
1	配列1	配列2	平方差	平方和	差の2乗
2	3	2	5	13	1
3	4	2	12	20	4
4			平方差の合計	平方和の合計	差の2乗の合計
5			17	33	5
6					

式 =SUMX2PY2(A2：A3, B2：B3)

式 =SUMXMY2(A2：A3, B2：B3)

式 =SUMX2MY2(A2：A3,B2：B3)

説明　セル C5 では、SUMX2MY2 関数を使って配列 1(A2 ～ A3)と配列 2(B2 ～ B3)で位置が同じ要素の2乗を引いた値を合計する。セル D5 では、SUMX2PY2 関数を使って同様に、位置が同じ要素の2乗を足した値を合計する。セル E5 では、SUMXMY2 関数を使って同様に、位置が同じ要素を引いて2乗して合計する。

関連

SUMX2MY2　配列要素の平方差を合計する ➡ p.43

ラウンド
ROUND

数値を指定した桁数になるように四捨五入する

数値を指定した桁数になるように四捨五入した結果を返す。小数点以下を四捨五入して整数に変換することができる。

書 式：　ROUND (数値, 桁数)

- [数値]には、処理する数値を指定する。
- [桁数]には、四捨五入後の結果の桁数を指定する。正の数の場合は小数部分、負の数の場合は整数部分で四捨五入が行われる。例えば 1 の場合は、小数点第 2 位で四捨五入して小数点第 1 位にする。-1 の場合、一の位で 0 の場合は、小数点第 1 位で四捨五入し整数にする。

使用例 1 値引き額が整数値になるように四捨五入する

	A	B	C	D	E
1	商品名	価格	値引率	値引額	値引額 (整数)
2	加湿器	12,845	35%	4,495.75	4,496
3	空気清浄機	54,336	43%	23,364.48	23,364
4					

式 =ROUND(D2,0)

説明 セル D2 の値引額の数値を、1 円単位になるように小数点第 1 位を四捨五入して整数値にして値引き額を求める。

使用例 2 値引き額が 10 円単位になるように四捨五入する

	A	B	C	D	E
1	商品名	価格	値引率	値引額	値引額 (10円単位)
2	加湿器	12,845	35%	4,495.75	4,500
3	空気清浄機	54,336	43%	23,364.48	23,360
4					

式 =ROUND(D2,-1)

説明 セル D2 の値引額が 10 円単位になるように一の位で四捨五入して、十の位の数値にする。

数学 / 三角　整数演算(切り捨て)　365　2021　2019　2016

ラウンドダウン

ROUNDDOWN

数値を指定した桁数になるように切り捨てる

数値を指定した桁数になるように切り捨てた結果を返す。

書 式： ROUNDDOWN(数値, 桁数)

- [数値]には、処理する数値を指定する。
- [桁数]には、切り捨てた結果の桁数を指定する。正の数は小数部分、「0」は小数点位置、負の数は整数部分でそれぞれ行われる。

数学 / 三角　整数演算(切り上げ)　365　2021　2019　2016

ラウンドアップ

ROUNDUP

数値を指定した桁数になるように切り上げる

数値を指定した桁数になるように切り上げた結果を返す。

書 式： ROUNDUP(数値, 桁数)

- [数値]には、処理する数値を指定する。
- [桁数]には、切り上げた結果の桁数を指定する。正の数は小数部分、「0」は小数点位置、負の数は整数部分でそれぞれ行われる。

COLUMN

ROUND 関数、ROUNDDOWN 関数、ROUNDUP 関数の比較

四捨五入する ROUND 関数、切り捨てる ROUNDDOWN 関数、切り上げる ROUNDUP 関数について、[数値] が「456.789」、「-456.789」で [桁数] を変更した結果は下図のとおり。[数値] が負の場合、数値の絶対値に対して計算をし、マイナスの符号が付いた結果を返す。

	A	B	C	D	E	F	G	H
1	関数	数値	桁数					
2			2	1	0	-1	-2	
3	四捨五入	456.789	456.79	456.8	457	460	500	
4	=ROUND(数値,桁数)	-456.789	-456.79	-456.8	-457	-460	-500	
5	切り捨て	456.789	456.78	456.7	456	450	400	
6	=ROUNDDOWN(数値,桁数)	-456.789	-456.78	-456.7	-456	-450	-400	
7	切り上げ	456.789	456.79	456.8	457	460	500	
8	=ROUNDUP(数値,桁数)	-456.789	-456.79	-456.8	-457	-460	-500	
9								

数学 / 三角　整数演算（丸め）　365　2021　2019　2016

ラウンド・トゥ・マルチプル

MROUND

指定した値の倍数になるように四捨五入する

数値を指定した倍数で割った余りが、その倍数の半分以上の場合は切り上げ、半分未満の場合は切り捨てた結果を返す。例えば、「=MROUND(25,3)」とした場合、「25÷3」は「8」で余りが「1」となり、3の半分未満となるため、「24」を返す。

書 式： MROUND（数値, 倍数）

- [数値]には、処理する数値を指定する。
- [倍数]には、丸めの基準となる数値を指定する。

Hint [数値]と[倍数]の正負が異なる場合は、エラー値「# NUM」を返す。切り上げは、CEILING.PRECISE 関数、切り捨ては、FLOOR.PRECISE 関数と同じ結果になる。

数学 / 三角　整数演算（奇数切り上げ）　365　2021　2019　2016

オッド

ODD

数値を奇数に切り上げる

数値を切り上げて、最も近い奇数を返す。 数値の正負に関係なく、切り上げた結果の絶対値は、数値より大きくなる。例えば、「=ODD(2.4)」の場合は「3」を返し、「=ODD(-2.4)」の場合は「-3」を返す。

書 式： =ODD（数値）

[数値]には、処理する数値を指定する。

数学 / 三角　整数演算（偶数切り上げ）　365　2021　2019　2016

イーブン

EVEN

数値を偶数に切り上げる

数値を切り上げて最も近い偶数を返す。 数値の正負に関係なく、切り上げた結果の絶対値は、数値より大きくなる。例えば、「=EVEN(2.4)」の場合は「4」を返し、「=EVEN(-2.4)」の場合は「-4」を返す。

書 式： =EVEN（数値）

[数値]には、処理する数値を指定する。

数学 / 三角 整数演算(切り上げ) 365 2021 2019 2016

アイ・エス・オー・シーリング
ISO.CEILING

数値を基準値の倍数に切り上げる

数値を指定した基準値の倍数で最も近い整数に切り上げた値を返す。[数値]は正負に関係なく、数学上で大きい側に切り上げられる。「=ISO.CEILING(23, 4)」の場合「24」を返す。「=ISO.CEILING(-23, 4)」の場合は「-20」を返す。

書 式: ISO.CEILING(数値,[基準値])

- [数値]には、処理する数値を指定する。
- [基準値]には、切り上げの基準となる数値を指定する。省略時は、「1」とみなされる。
- [数値]または[基準値]が「0」の場合は「0」を返す。

Hint この関数は関数ライブラリから選択することはできないため、数式を手入力する必要がある。また、ISO.CEILING 関数は CEILING.PRECISE 関数と同じ結果を返す。

数学 / 三角 整数演算(切り上げ) 365 2021 2019 2016

シーリング・プリサイス
CEILING.PRECISE

数値を基準値の倍数に切り上げる

数値を指定した基準値の倍数で最も近い整数に切り上げた値を返す。数値は正負に関係なく、数学上で大きい側に切り上げられる。「=CEILING.PRECISE(23, 4)」の場合「24」を返し、「=CEILING.PRECISE(-23, 4)」の場合は「-20」を返す。

書 式: CEILING.PRECISE(数値,[基準値])

- [数値]には、処理する数値を指定する。
- [基準値]には、切り上げの基準となる数値を指定する。省略時は、「1」とみなされる。

Hint この関数は関数ライブラリから選択することはできないため、数式を手入力する必要がある。また、CEILING.PRECISE 関数は ISO.CEILING 関数と同じ結果を返す。

関連

CEILING 互換性関数 ➡ p.420
FLOOR.PRECISE 数値を基準値の倍数に切り捨てる ➡ p.50

シーリング・マス
CEILING.MATH

指定した方法で数値を基準値の倍数に切り上げる

数値を、指定した基準値の倍数で最も近い整数に切り上げた値を返す。切り上げの方法を数学上大きい側に切り上げるか、絶対値の大きい側に切り上げるかを指定できる。

書式：　CEILING.MATH(数値,[基準値],[モード])

- [数値]を[モード]で指定した方法で[基準値]の倍数で最も近い整数に切り上げた値を返す。
- [数値]には、処理する数値を指定する。
- [基準値]には、切り上げの基準となる数値を指定する。省略時は、「1」とみなされる。
- [モード]には、切り上げの方法を「0」か「0 以外の数値」で指定する（下表参照）。省略時は、「0」とみなされる。

モードの種類

モード	説明
0 または省略	数学上で大きい側に切り上げられる
0 以外	切り上げた結果の絶対値は、[数値] より大きくなる

使用例 1 指定した方法で数値を基準値の倍数に切り上げる

	A	B	C	D	E
1	数値	基準値	モード	結果	
2	30	4	0	32	
3	-30	4	0	-28	
4	30	4	1	32	
5	-30	4	1	-32	
6					

式 =CEILING.MATH(A2,B2,C2)

説明 セル A2(30) の値を、セル C2(0) で指定した方法で、セル B2(4) の倍数で最も近い値に切り上げる。[数値] が正の場合はモードに関係なく同じ結果を返す。[数値] が負の場合はモードが 0 の場合は 0 に近い方、0 以外の場合は 0 より遠い方の結果を返す。

関連 FLOOR.MATH 数値を指定した基準値の倍数に切り捨てる ➡ p.51

フロア・プリサイス

FLOOR.PRECISE

数値を基準値の倍数に切り捨てる

数値を、指定した基準値の倍数で最も近い整数に切り捨てた結果を返す。数値は正負に関係なく、数学上で小さい側に切り捨てられる。例えば、「=FLOOR.PRECISE(23, 4)」の場合は「20」を返し、「=FLOOR.PRECISE(-23, 4)」の場合は「-24」を返す。

書 式: FLOOR.PRECISE(数値,[基準値])

- [数値]には、処理する数値を指定する。
- [基準値]には、切り捨ての基準となる数値を指定する。省略時は、「1」とみなされる。
- [数値]または[基準値]が「0」の場合は「0」を返す。

Hint この関数は関数ライブラリから選択することはできないため、数式を手入力する必要がある。

使用例 1 数値を基準値の倍数に切り捨てる

	A	B	C	D
1	数値	基準値	結果	
2	23	4	20	
3	-23	4	-24	
4				

式 =FLOOR.PRECISE(A2,B2)

説明 セルA2の値(23)を、セルB2(4)の倍数で最も近い整数に切り捨てる。[数値]の正負に関係なく、数学上で小さい側に切り捨てられる値を返すことに注意。

関連

CEILING.PRECISE　数値を基準値の倍数に切り上げる ➡ p.48
FLOOR　互換性関数 ➡ p.420

365　2021　2019　2016

フロア・マス

FLOOR.MATH

指定した方法で数値を基準値の倍数に切り捨てる

数値を、指定した基準値の倍数で最も近い整数に切り捨てた値を返す。切り捨ての方法を数学上小さい側に切り捨てるか、絶対値の小さい側に切り捨てるかを指定できる。

書式：　FLOOR.MATH(数値,[基準値],[モード])

- [数値]を[モード]で指定した方法で[基準値]の倍数で最も近い整数に切り捨てた値を返す。
- [数値]には、処理する数値を指定する。
- [基準値]には、切り捨ての基準となる数値を指定する。省略時は、「1」とみなされる。
- [モード]には、切り捨ての方法を「0」か「0 以外の数値」で指定する(下表参照)。省略時は、「0」とみなされる。

モードの種類

0 または省略	数学上で小さい側に切り捨てられる
0 以外	切り捨てた結果の絶対値は、[数値]より小さくなる

使用例 1　指定した方法で数値を基準値の倍数に切り上げる

	A	B	C	D	E
1	数値	基準値	モード	結果	
2	30	4	0	28	
3	-30	4	0	-32	
4	30	4	1	28	
5	-30	4	1	-28	
6					

式　=FLOOR.MATH(A2,B2,C2)

説明　セル A2 の値を、セル C2 で指定した方法で、セル B2 の倍数で最も近い値に切り捨てる。［数値］が正の場合はモードに関係なく同じ結果を返す。［数値］が負の場合はモードが 0 の場合は 0 より遠い方、0 以外の場合は 0 に近い方の結果を返す。

関連　CEILING.MATH　指定した方法で数値を基準値の倍数に切り上げる ➡ p.49

数学／三角　整数演算（切り捨て）　365　2021　2019　2016

トランク
TRUNC

数値を切り捨てて指定した桁数にする

数値を、指定した桁数になるように切り捨てた値を返す。数値が負の場合、数値の絶対値に対して計算をし、マイナスの符号が付いた結果を返す。ROUNDDOWN関数と同じ結果が得られる。

書 式：　TRUNC(数値,[桁数])

- [数値]には、処理する数値を指定する。
- [桁数]には、切り捨てた後の桁数を指定する。省略時は、「0」とみなされる。

数学／三角　整数演算（切り捨て）　365　2021　2019　2016

イント
INT

小数点以下を切り捨てる

数値の小数点以下を切り捨てた値が返る。数値が負の場合、その数値を超えない最大の整数を返す。

書 式：　INT(数値)

[数値]には、処理する数値を指定する。正の場合は小数点以下を切り捨てた結果を返すが、負の場合は、[数値]より小さくて最大の整数を返す。例えば、「=INT(-1.4)」の場合は「-2」を返す。

COLUMN

INT 関数と TRUNC 関数の比較

INT 関数と TRUNC 関数で、[数値] を変更した結果は下の図のとおり。[数値] が負の場合、TRUNC 関数は数値の絶対値に対して計算をし、マイナスの符号が付いた結果を返すが、INT 関数は [数値] を超えない最大の整数が返ることがわかる。

	A	B	C	D
1	数値	INT	TRUNC	
2		=INT(数値)	=TRUNC(数値)	
3	3.84	3	3	
4	-2.4	-3	-2	
5				

関連　ROUNDDOWN　数値を指定した桁数になるように切り捨てる ➡ p.46

数学／三角　整数演算（商）　365　2021　2019　2016

クオーシェント
QUOTIENT

割り算の結果の整数部分を求める

数値を除数で割った商の整数部分を返す。

書 式： QUOTIENT(数値, 除数)

- [数値]には、割られる数を指定する。
- [除数]には、割る数を指定する。

数学／三角　整数演算（剰余）　365　2021　2019　2016

モッド
MOD

割り算の結果の余りを求める

数値を除数で割ったときの余りを返す。戻り値は除数と同じ符号になる。

書 式： MOD(数値, 除数)

- [数値]には、割られる数を指定する。
- [除数]には、割る数を指定する。

使用例 1 割り算の結果の商と剰余を求める

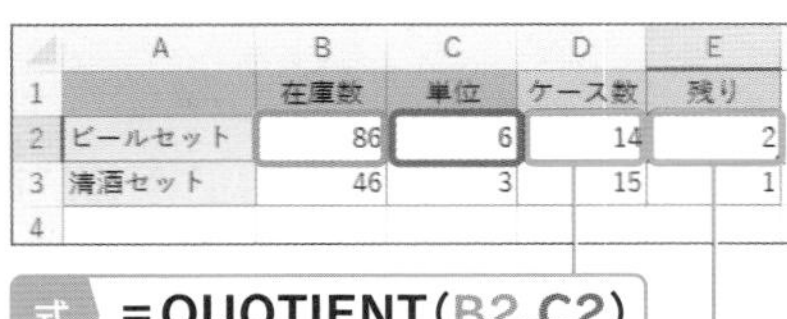

	A	B	C	D	E
1		在庫数	単位	ケース数	残り
2	ビールセット	86	6	14	2
3	清酒セット	46	3	15	1
4					

式 =QUOTIENT(B2,C2)

式 =MOD(B2,C2)

説明 セル D2 では、QUOTIENT 関数を使って在庫数(B2)を単位(C2)で割った商から何ケース用意できるかを求めている。セル E2 では、MOD 関数を使って在庫数を単位で割ったときの余りから残りの数を求めている。

数学 / 三角　整数演算（最大公約数）　365　2021　2019　2016

グレーティスト・コモン・ディバイザー

GCD

最大公約数を求める

指定したすべての数値の最大公約数を返す。最大公約数とは、2つ以上の正の整数に共通する約数（割り切る数）のうち最大のもの。

書 式：　GCD(数値 1,[数値 2],…)

[数値]には、数値やセル範囲を指定する。セル範囲を指定した場合は、範囲内の数値を計算対象とし、文字列や空白は無視される。整数以外の数値を指定した場合、小数点以下は切り捨てられる。また、負の数値を指定することはできない。

数学 / 三角　整数演算（最小公倍数）　365　2021　2019　2016

リースト・コモン・マルチプル

LCM

最小公倍数を求める

指定したすべての数値の最小公倍数を返す。最小公倍数とは、2つ以上の正の整数に共通な倍数のうち最小のもの。

書 式：　LCM(数値 1,[数値 2],…)

[数値]には、数値やセル範囲を指定した場合は、範囲内の数値を計算対象とし、文字列や空白は無視される。整数以外の数値を指定した場合、小数点以下は切り捨てられる。負の数値を指定することはできない。

使用例 1 最大公約数と最小公倍数を求める

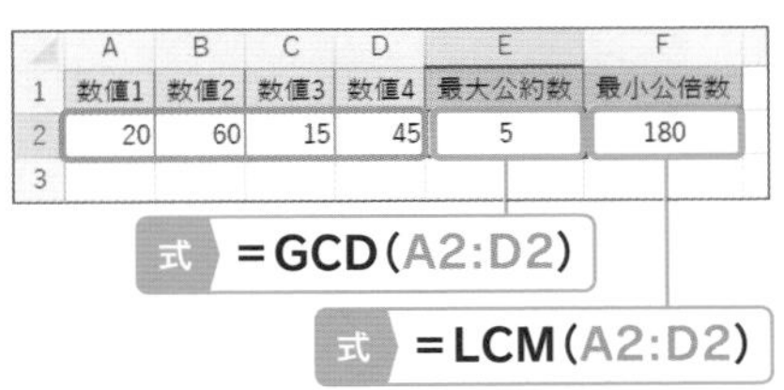

	A	B	C	D	E	F
1	数値1	数値2	数値3	数値4	最大公約数	最小公倍数
2	20	60	15	45	5	180
3						

式 =GCD(A2:D2)

式 =LCM(A2:D2)

説明　セルE2では、GCD関数を使ってセル範囲A2～D2の数値の最大公約数を求め、セルF2では、LCM関数を使ってセル範囲A2～D2の数値の最小公倍数を求めている。

コンビネーション
COMBIN

組み合わせの数を求める

n 個のものから異なる r 個を取り出してつくる組み合わせの数を返す。例えば、3 個の文字の集合「a,b,c」の中から 2 つ取り出したときの組み合わせは「ab」、「ac」、「bc」の 3 通りある。

書 式： COMBIN(総数, 抜き取り数])

- [総数]には、組み合わせの元となる項目の総数(n)を指定する。
- [抜き取り数]には、組み合わせで取り出す数(r)を指定する。

Hint 組み合わせの数は数式「$_nC_r = \frac{n!}{r!(n-r)!}$」で表される。

数学／三角　順列／組み合わせ　365　2021　2019　2016

コンビネーション・エー
COMBINA

重複組み合わせの数を求める

n 個のものから重複を許して r 個を取り出してつくる組み合わせの数を返す。例えば、3 個の文字の集合「a,b,c」の中から重複を許して 2 つ取り出したときの組み合わせは「aa」、「ab」、「ac」、「bb」、「bc」、「cc」の 6 通りある。

書 式： COMBINA(総数, 抜き取り数)

- [総数]には、組み合わせの元となる項目の総数(n)を指定する。
- [抜き取り数]には、組み合わせで取り出す数(r)を指定する。

使用例 1 重複なしと重複ありで項目の組み合わせ数を求める

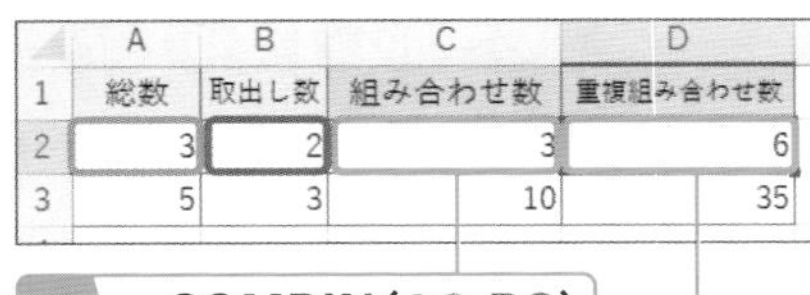

	A	B	C	D
1	総数	取出し数	組み合わせ数	重複組み合わせ数
2	3	2	3	6
3	5	3	10	35

式 =COMBIN(A2,B2)

式 =COMBINA(A2,B2)

説明 セル C2 では、COMBIN 関数を使ってセル A2(3) を総数、セル B2(2) を取り出し数とした場合の重複なしの組み合わせ数を求めている。セル D2 では、COMBINA 関数を使って同様に重複ありの組み合わせ数を求めている。

関連

PERMUT　順列の数を求める ➡ p.170
PERMUTATIONA　重複順列の数を求める ➡ p.170

数学 / 三角　多項式　365 2021 2019 2016

マルチノミアル
MULTINOMIAL
多項係数を求める

MULTINOMIAL 関数は、多項係数を求める。多項係数とは、数値の和の階乗と数値の階乗の積との比。

書 式：　MULTINOMIAL(数値 1,[数値 2],…)

[数値]には、多項式を求める 1 ～ 255 までの数値を指定する。

数学 / 三角　べき級数　365 2021 2019 2016

シリーズ・サム
SERIESSUM
べき級数を求める

指定した引数からべき級数を計算する。

書 式：　SERIESSUM (変数値 x, 初期値 n, 増分 m, 係数 a)

- [変数値 x]には、べき級数の式に代入する変数の値を指定する。
- [初期値 n]には、べき級数の 1 番目の項に現れる変数値の次数を指定する。
- [増分 m]には、変数値の次数の増分を指定する。
- [係数 a]には、べき級数の各項の係数を指定する。セル範囲または配列定数で指定する。ここで指定する配列の個数が、べき級数の項数(i)になる。

Hint　べき級数の数式は、変数を x、初期値を n、増分を m、係数を a、項数を i とする場合、以下の式で定義される。
$a_1 x^n + a_2 x^{(n+m)} + a_3 x^{(n+2m)} + \cdots + a_i x^{(n+(i-1)m)}$

数学 / 三角　べき乗　365 2021 2019 2016

パワー
POWER
べき乗を求める

数値を n 乗した結果を返す。数値の部分を「底」、n を「指数」という。例えば、底を「2」、指数を「4」とすると「2^4」となり「16」を返す。

書 式：　POWER(数値, 指数)

- [数値]には、べき乗の底となる数値を指定する。
- [指数]には、[数値]を何乗にするのか数値を指定する。

Hint　POWER 関数は、算術演算子「＾」を使ったべき乗と同じ計算結果を返す。例えば、「=2^3」と「=POWER(2,3)」の場合は、2 の 3 乗を計算し、同じ結果「8」を返す。

数学 / 三角　べき乗　365 2021 2019 2016

エクスポーネンシャル

EXP

自然対数の底のべき乗を求める

自然対数の底eをn乗した結果を返す。Excelでは、底eの値を「2.71828182845904」としている。EXP関数は、LN関数の逆関数。

書式： EXP(指数)

[指数]には、自然対数eを何乗にするかを数値で指定する。例えば「=EXP(2)」とすると、自然対数eの2乗の結果である「7.389056099」を返す。

数学 / 三角　階乗　365 2021 2019 2016

ファクト

FACT

階乗を求める

指定した数値の階乗を返す。例えば、5の階乗は「5×4×3×2×1」の結果を返す。

書式： FACT(数値)

[数値]には、階乗を求める正の整数を指定する。整数でない場合は、小数点以下は切り捨てられる。

Hint 階乗は、1から整数nまでの整数の積で、数学では「n!」と表され、以下のように定義される。なお、0!は、1になる。
n! = n ×(n − 1)×(n − 2)×…× 2 × 1

数学 / 三角　階乗　365 2021 2019 2016

ファクト・ダブル

FACTDOUBLE

二重階乗を求める

指定した数値の二重階乗を返す。

書式： FACTDOUBLE(数値)

[数値]には、二重階乗を求める数値を指定する。整数でない場合は、小数点以下は切り捨てられる。例えば、「=FACTDOUBLE(6)」とした場合、「=6×4×2×1」の計算結果と同じ「48」を返す。

Hint 二重階乗は、1からnまでnと同じ奇偶数の整数の積で、数学では「n!!」と表され、以下のように定義される。なお、0!!は1になる。
nが偶数の場合: n!!=n×(n−2)×(n−4)×…×4×2
nが奇数の場合: n!!=n×(n−2)×(n−4)×…×3×1

関連　LN　数値の自然対数を求める ➡ p.59

数学 / 三角　絶対値　365　2021　2019　2016

アブソリュート
ABS

絶対値を求める

指定した数値の絶対値を返す。絶対値とは、数値から「+」や「−」の符号を外した数値で、「−1.5」の絶対値は「1.5」になる。

書 式：　ABS(数値)

[数値]には、対象となる数値を指定する。

数学 / 三角　正負検査　365　2021　2019　2016

サイン
SIGN

正負を調べる

指定した数値の符号（正「+」、負「−」）を調べ、正の場合は「1」、負の場合は「−1」を返す。なお、「0」の場合は「0」を返す。

書 式：　SIGN(数値)

[数値]には、正負を調べたい数値を指定する。

使用例① 数値の正負と絶対値を調べる

	A	B	C	D
1	数値	正負	絶対値	
2	-8	-1	8	
3	0	0	0	
4	5	1	5	
5				

式　=SIGN(A2)

式　=ABS(A2)

説明　セル A2 の値を、セル C2 で指定した方法で、セル B2 の倍数で最も近い値に切り捨てる。[数値] が正の場合はモードに関係なく同じ結果を返す。[数値] が負の場合はモードが 0 の場合は 0 より遠い方、0 以外の場合は 0 に近い方の結果を返す。

数学／三角　対数　365 2021 2019 2016

ログ・ナチュラル

LN

自然対数を求める

指定した数値の自然対数を求める。自然対数とは、定数 e「2.71828182845904」を底とする対数のこと。LN 関数は、EXP 関数の逆関数。

書 式： LN(数値)

[数値]には、自然対数を求める正の実数を指定する。

数学／三角　対数　365 2021 2019 2016

ログ

LOG

指定した数値を底とする対数を求める

指定した数値を底とする、数値の対数を返す。例えば、底を「2」、数値を「8」、対数を a とするとき「$8=2^a$」という式が成り立つ。LOG 関数は POWER 関数の逆関数。

書 式： LOG(数値,[底])

- [数値]には、正の数値(真数)を指定する。
- [底]には、底となる数値を指定する。省略時は、「10」とみなされる。例えば、「=LOG(8,2)」の結果は「3」になる。

Hint 対数とは、「$y=x^a$」(x を a 乗したら y になる)で a にあたる数値。つまり、何乗しているかを表す数値のこと。対数の記号 log を使って表すと、「$a=\log_x y$」となり、a が対数、x が底、y が真数になる。

数学／三角　対数　365 2021 2019 2016

ログ・トゥー・ベース・テン

LOG10

常用対数を求める

10 を底とする数値の対数を求める。例えば、数値を「10000」、対数を a とする場合、「$10000=10^a$」という式が成り立つ。10 を底とする対数を「常用対数」という。

書 式： LOG10(数値)

[数値]には、正の数値(真数)を指定する。例えば「=LOG10(10000)」とした場合、「4」を返す。

関連

POWER　べき乗を求める ➡ p.56
EXP　自然対数の底のべき乗を求める ➡ p.57

数学 / 三角　基数変換　365　2021　2019　2016

ベース
BASE

10 進数を n 進数に変換する

10 進数表記の数値を、指定した桁数で n 進数表記に変換した文字列を返す。

書 式： BASE(数値, 基数,[最小桁数])

- [数値]では、変換したい 10 進数の整数を 0 以上、2^{53} 未満の範囲で指定する。負の数は指定できない。
- [基数]では、2 以上 36 以下の範囲の整数で何進数にするかを指定する。
- [最小桁数]では、n 進数で表記するときの桁数を指定する。結果が桁数に満たないときは、指定した桁数になるまで先頭に「0」が付加される。省略時は、必要最小限の桁数で表記される。

使用例

例	意味	戻り値
=BASE(10,2,5)	10 進数の 10 を 5 桁の 2 進数に変換	01010
=BASE(100,16)	10 進数の 100 を 16 進数に変換	64

数学 / 三角　基数変換　365　2021　2019　2016

デシマル
DECIMAL

n 進数を 10 進数に変換する

n 進数で表記された数値の文字列を 10 進数の数値に変換する。

書 式： DECIMAL(文字列, 基数)

- [文字列]では、[基数]で指定した n 進数の文字列を 255 文字以下で指定する。
- [基数]では、2 ～ 36 の範囲で n 進数の n の部分を指定する。

使用例

例	意味	戻り値
=DECIMAL(1111,2)	2 進数の 1111 を 10 進数に変換	15
=DECIMAL("FF",16)	16 進数の FF を 10 進数に変換	255

数学 / 三角　平方根　365 2021 2019 2016

スクエア・ルート
SQRT
平方根を求める
指定した数値の正の平方根を求める。

書 式:　SQRT(数値)

[数値]には、平方根を求めたい正の数値を指定する。例えば「=SQRT(4)」とした場合「2」を返す。

Hint 平方根とは、「2 乗したら x になる元の数」をいう。例えば「2 乗したら 9 になる元の数」は 3 であり、この 3 は 9 の平方根となる。

数学 / 三角　平方根　365 2021 2019 2016

スクエア・ルート・パイ
SQRTPI
円周率の倍数の平方根を求める
指定した数値を π (円周率)倍し、その平方根を返す。

書 式:　SQRTPI(数値)

[数値]には、π 倍する正の数値を指定する。

数学 / 三角　三角関数　365 2021 2019 2016

パイ
PI
円周率を求める
円周率 π の近似値である数値「3.14159265358979」(精度：15 桁)を返す。

書 式:　PI()

Hint 半径が 3 の円の面積は「=3^2*PI()」で求められる。

関連 RADIANS　度をラジアンに変換する ➡ p.62

数学 / 三角　三角関数　365 2021 2019 2016

ラジアンズ

RADIANS

度をラジアンに変換する

指定した度単位の角度をラジアンに変換した結果を返す。

書 式： RADIANS(角度)

[角度]には、ラジアンに変換する度単位の角度を指定する。例えば、「=RADIANS(90)」とした場合、「1.570796327」(90× π ÷180)を返す。

数学 / 三角　三角関数　365 2021 2019 2016

ディグリーズ

DEGREES

ラジアンを度に変換する

指定したラジアン単位の角度を、度単位の角度に変換する。

書 式： DEGREES(角度)

[角度]には、ラジアン単位で角度を指定する。

COLUMN

角度の測り方：「度数法」と「弧度法」

角度には、度数法と弧度法があり、度数法は、45° とか 90° のように度単位の角度の測り方をいう。一方、弧度法は、「円孤の長さ ÷ 円の半径」によって求められる角度の測り方で、単位は rad(ラジアン)となる。例えば、半径 1 の円で、円弧の長さが 2 のとき、角度は 2rad になる。
度数法と弧度法は、「180°= π rad」という関係が成り立ち、1rad は、「180°/ π 」となる。

ラジアン（弧度法）の求め方

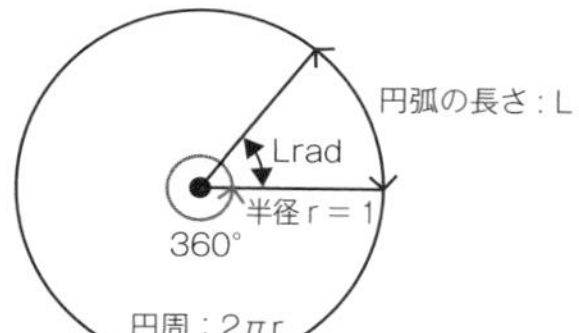

半径が 1 のときの円弧の長さ L がそのままラジアンの角度になる。

円周は、2πr で求められるため、360°= 2π[rad] という関係が成り立ち、1[rad]=180°/πとなる。

関連 PI 円周率を求める ➡ p.61

数学 / 三角　三角関数　365 2021 2019 2016

サイン
SIN

正弦（サイン）を求める

指定した数値(ラジアン)に対する正弦(サイン)の値を返す。

書 式：　SIN(数値)

[数値]には、ラジアン単位の角度を指定する。絶対値が 2^{27} 未満の数値を指定する。

Hint　数値を 45°のような度数法で指定したい場合は、RADIANS 関数を使うか、「PI()/180」を角度に掛けてラジアン単位に変換した値を引数[数値]に指定する。

数学 / 三角　三角関数　365 2021 2019 2016

コサイン
COS

余弦（コサイン）を求める

指定した数値(ラジアン)に対する余弦(コサイン)の値を返す。

書 式：　COS(数値)

[数値]には、ラジアン単位の角度を指定する。絶対値が 2^{27} 未満の数値を指定する。

Hint　数値を 45°のような度数法で指定したい場合は、RADIANS 関数を使うか、「PI()/180」を角度に掛けてラジアン単位に変換した値を引数[数値]に指定する。

数学 / 三角　三角関数　365 2021 2019 2016

タンジェント
TAN

正接（タンジェント）を求める

指定した数値(ラジアン)に対する正接(タンジェント)の値を返す。

書 式：　TAN(数値)

[数値]には、ラジアン単位の角度を指定する。絶対値が 2^{27} 未満の数値を指定する。

Hint　数値を 45°のような度数法で指定したい場合は、RADIANS関数を使うか、「PI()/180」を角度に掛けてラジアン単位に変換した値を引数[数値]に指定する。

関連

PI　円周率を求める ➡ p.61
RADIANS　度をラジアンに変換する ➡ p.62

コセカント
CSC

余割（コセカント）を求める

指定した数値(ラジアン)に対する余割(コセカント)を返す。余割は正弦(サイン)の逆数(p.63 表参照)。

書 式： CSC(数値)

[数値]には、ラジアン単位の角度を指定する。絶対値が 2^{27} 未満の数値を指定する。

COLUMN

三角関数について

三角関数は、下の表のように直角三角形の各辺の比率で表される関数。csc 関数、sec 関数、cot 関数は、それぞれ、sin 関数、cos 関数、tan 関数の逆数になる。

正弦(サイン)	$\sin\theta = \frac{b}{c}$
余弦(コサイン)	$\cos\theta = \frac{a}{c}$
正接(タンジェント)	$\tan\theta = \frac{b}{a}$

余割(コセカント)	$\csc\theta = \frac{c}{b} = \frac{1}{\sin\theta}$
正割(セカント)	$\sec\theta = \frac{c}{a} = \frac{1}{\cos\theta}$
余接(コタンジェント)	$\cot\theta = \frac{a}{b} = \frac{1}{\tan\theta}$

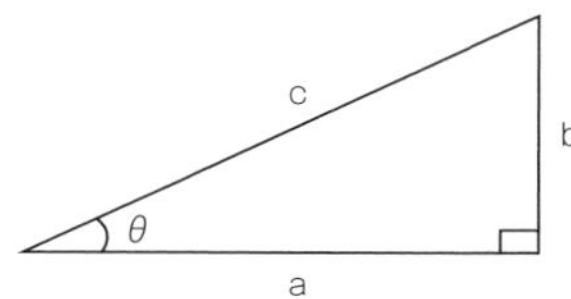

三角比の表

角度	ラジアン	正弦 SIN	余弦 COS	正接 TAN
30°	$\frac{\pi}{6}$	$\frac{1}{2}$	$\frac{\sqrt{3}}{2}$	$\frac{1}{\sqrt{3}}$
45°	$\frac{\pi}{4}$	$\frac{\sqrt{2}}{2}$	$\frac{\sqrt{2}}{2}$	1
60°	$\frac{\pi}{3}$	$\frac{\sqrt{3}}{2}$	$\frac{1}{2}$	$\sqrt{3}$
90°	$\frac{\pi}{2}$	1	0	定義されない

数学 / 三角	三角関数	365	2021	2019	2016

セカント
SEC
正割（セカント）を求める

指定した数値(ラジアン)に対する正割(セカント)を返す。正割は余弦(コサイン)の逆数(p.63 表参照)。

書 式：　SEC(数値)

[数値]には、ラジアン単位の角度を指定する。絶対値が 2^{27} 未満の数値を指定する。

数学 / 三角	三角関数	365	2021	2019	2016

コタンジェント
COT
余接（コタンジェント）を求める

指定した数値(ラジアン)に対する余接(コタンジェント)を返す。余接は正接(タンジェント)の逆数(p.63 表参照)。

書 式：　COT(数値)

[数値]には、ラジアン単位の角度を指定する。絶対値が 2^{27} 未満の数値を指定する。

数学 / 三角	三角関数	365	2021	2019	2016

アーク・サイン
ASIN
逆正弦（アーク・サイン）を求める

指定した正弦(サイン)の数値に対する逆正弦(アーク・サイン)をラジアン単位の角度で返す。戻り値の角度は、$-\pi/2 \sim \pi/2$ の範囲内のラジアンになる。

書 式：　ASIN(数値)

[数値]には、求める角度の正弦(サイン)の値を絶対値が 1 以下の数値で指定する。

Hint 戻り値を度単位の角度で表示したい場合は、戻り値に「180/PI()」を掛けるか、DEGREES 関数を使って度単位に変換する。

数学 / 三角　三角関数　365 2021 2019 2016

アーク・コサイン

ACOS

逆余弦（アーク・コサイン）を求める

指定した余弦(コサイン)の数値に対する逆余弦(アーク・コサイン)をラジアン単位の角度で返す。戻り値の角度は、0 ～π の範囲内のラジアンになる。

書 式：　ACOS(数値)

[数値]には、求める角度の余弦(コサイン)の値を絶対値が 1以下の数値で指定する。

数学 / 三角　三角関数　365 2021 2019 2016

アーク・タンジェント

ATAN

逆正弦（アーク・タンジェント）を求める

指定した正接(タンジェント)の数値に対する逆正接(アーク・タンジェント)をラジアン単位の角度で返す。戻り値の角度は、−π /2 ～π /2 の範囲内のラジアンで返る。

書 式：　ATAN(数値)

[数値]には、求める角度の正接(タンジェント)の値を絶対値が 1以下の数値で指定する。

数学 / 三角　三角関数　365 2021 2019 2016

アーク・タンジェント・ツー

ATAN2

逆正接（アーク・タンジェント）を x, y 座標から求める

x 座標と y 座標に対する逆正接(アーク・タンジェント)を返す。戻り値の角度は、−π ～π の範囲内(−π を除く)のラジアンで返る。

書 式：　ATAN2(x 座標, y 座標)

- [x 座標]には、x 座標値を指定する。
- [y 座標]には、y 座標値を指定する。

Hint　ATAN2(c,b)と ATAN(b/c)は同じ結果を返す。

関連　DEGREES　ラジアンを度に変換する ➡ p.62

数学 / 三角　三角関数　365 2021 2019 2016

アーク・コタンジェント

ACOT

逆余接（アーク・コタンジェント）を求める

指定した余接(コタンジェント)の数値に対する逆余接(アーク・コタンジェント)の値をラジアン単位で返す。戻り値の角度は 0 ～ π の範囲になる。

書 式：　ACOT(数値)

[数値]には、余接(コタンジェント)の値を指定する。

数学 / 三角　双曲線関数　365 2021 2019 2016

ハイパーボリック・サイン

SINH

双曲線正弦を求める

指定した数値に対する双曲線正弦(ハイパーボリック・サイン)の値を返す。

書 式：　SINH(数値)

[数値]には、数値を指定する。

Hint　双曲線正弦関数は、次の数式で定義される。

$$SINH(t) = \frac{e^{t} - e^{-t}}{2}$$

数学 / 三角　双曲線関数　365 2021 2019 2016

ハイパーボリック・コサイン

COSH

双曲線余弦を求める

指定した数値に対する双曲線余弦(ハイパーボリック・コサイン)を返す。

書 式：　COSH(数値)

[数値]には、数値を指定する。

Hint　双曲線余弦関数は、次の数式で定義される。

$$COSH(t) = \frac{e^{t} + e^{-t}}{2}$$

COLUMN

逆三角関数

三角関数は、角度から値を求める。一方、逆三角関数は、値から角度を求める。逆関数を表にまとめると、下の表のようになる。

逆三角関数	機能
ASIN(数値)	SIN 関数の値から角度を求める
ACOS(数値)	COS 関数の値から角度を求める
ATAN(数値)	TAN 関数の値から角度を求める

数学 / 三角　双曲線関数　365　2021　2019　2016

ハイパーボリック・タンジェント

TANH

双曲線正接を求める

指定した数値に対する双曲線正接(ハイパーボリック・タンジェント)を返す。

書 式： TANH(数値)

[数値]には、数値を指定する。

Hint 双曲線正接関数は、次の数式で定義される。

$$TANH(t)=\frac{SINH(t)}{COSH(t)}$$

数学 / 三角　双曲線関数　365　2021　2019　2016

ハイパーボリック・コセカント

CSCH

双曲線余割を求める

指定した数値に対する双曲線余割(ハイパーボリック・コセカント)の値を返す。双曲線余割は、双曲線正弦の逆数。

書 式： CSCH(数値)

[数値]には、絶対値が 2^{27} 未満の数値を指定する。

数学 / 三角　双曲線関数　365　2021　2019　2016

ハイパーボリック・セカント

SECH

双曲線正割を求める

指定した数値に対する双曲線正割(ハイパーボリック・セカント)の値を返す。双曲線正割は、双曲線余弦の逆数。

書 式： SECH(数値)

[数値]には、双曲線正割を求める角度をラジアン単位、絶対値が 2^{27} 未満の数値で指定する。

関連

SINH　双曲線正弦を求める ➡ p.67
COSH　双曲線余弦を求める ➡ p.67

数学 / 三角　双曲線関数　365 2021 2019 2016

ハイパーボリック・コタンジェント

COTH

双曲線余接を求める

指定した数値に対する双曲線余接(ハイパーボリック・コタンジェント)の値を返す。双曲線余接は双曲線正接の逆数。

書 式：　COTH(数値)

[数値]には、双曲線余接を求める角度をラジアン単位、絶対値が 2^{27} 未満の数値で指定する。

Hint　双曲線余接関数は、次の数式で定義される。

$$COTH(t) = \frac{1}{TANH(t)} = \frac{COSH(t)}{SINH(t)} = \frac{e^t + e^{-t}}{e^t - e^{-t}}$$

数学 / 三角　双曲線関数　365 2021 2019 2016

ハイパーボリック・アークサイン

ASINH

双曲線逆正弦を求める

指定した数値に対する双曲線逆正弦(ハイパーボリック・アークサイン)の値を返す。双曲線逆正弦は、双曲線正弦の逆関数。

書 式：　ASINH(数値)

[数値]には、数値を指定する。

数学 / 三角　双曲線関数　365 2021 2019 2016

ハイパーボリック・アーク・コサイン

ACOSH

双曲線逆余弦を求める

指定した数値に対する双曲線逆余弦(ハイパーボリック・アーク・コサイン)の値を返す。双曲線逆余弦は、双曲線余弦の逆関数。

書 式：　ACOSH(数値)

[数値]には、1 以上の数値を指定する。

関連

SINH　双曲線正弦を求める ➡ p.67
COSH　双曲線余弦を求める ➡ p.67
TANH　双曲線正接を求める ➡ p.68

数学 / 三角　双曲線関数　365　2021　2019　2016

ハイパーボリック・アーク・タンジェント

ATANH

双曲線逆正接を求める

指定した数値に対する双曲線逆正接(ハイパーボリック・アーク・タンジェント)の値を返す。双曲線逆正接は、双曲線正接の逆関数。

書 式： ATANH(数値)

[数値]には、絶対値が 1 未満の数値を指定する。

数学 / 三角　双曲線関数　365　2021　2019　2016

ハイパーボリック・アーク・コタンジェント

ACOTH

双曲線逆余接を求める

指定した数値に対する双曲線逆余接(ハイパーボリック・アーク・コタンジェント)の値を返す。

書 式： ACOTH(数値)

[数値]には、絶対値が 1 より大きい数値を指定する。

数学 / 三角　配列 / 行列　365　2021　2019　2016

マトリックス・ディターミナント

MDETERM

行列式を求める

指定した配列の行列式を返す。

行列式とは、配列内の値から導き出される数値をいう。

書 式： MDETERM (配列)

[配列]には、行列をセル範囲または配列定数で指定する。正方行列(行数と列数が等しい配列)で指定する必要がある。

使用例 1 行列式を求める

	A	B	C	D	E
1	3	4	5		行列式
2	5	4	4		15
3	4	3	1		

説明　セル範囲 (A3:C3) の行列式を求める。

式　=MDETERM(A1:C3)

Hint　セル範囲 A1：C3 に対して、「=MDETERM(A1:C3)」とした場合、行列式は次の数式と同じ結果を返す。
=A1*(B2*C3-B3*C2)+A2*(B3*C1-B1*C3)+A3*(B1*C2-B2*C1)

数学 / 三角　配列 / 行列　365 2021 2019 2016

マトリックス・インバース

MINVERSE

逆行列を求める

配列として指定した正行列の逆行列を返す。
戻り値は配列として返されるため、[配列]で指定した配列のサイズと同じサイズのセル範囲を選択し、配列数式として入力する。

書 式：　MINVERSE(配列)

[配列]には、逆行列を求めたい配列を、セル範囲または配列定数で指定する。正方行列(行数と列数が等しい配列)で指定する必要がある。

数学 / 三角　配列 / 行列　365 2021 2019 2016

マトリックス・マルチプリケーション

MMULT

行列の積を求める

2つの配列の行列の積を返す。
計算結果は、行数が[配列 1]と同じで、列数が[配列 2]と同じ配列となる。戻り値は配列が返るので、配列数式として入力する。

書 式：　MMULT(配列 1, 配列 2)

[配列 1]、[配列 2]には、行列の積を求めたい2つの配列をセル範囲または配列定数で指定する。[配列 1]の列数と[配列 2]の行数は同じにする。

数学 / 三角　配列 / 行列　365 2021 2019 2016

マトリックス・ユニット

MUNIT

単位行列を求める

指定した次元の単位行列を返す。戻り値は配列として返るので、配列数式として入力する。

書 式：　MUNIT(数値)

[数値]には、1以上の整数を指定する。0以下の場合はエラー値「#VALUE!」を返す。

関連
配列定数 ➡ p.371
配列数式 ➡ p.373

シーケンス
SEQUENCE

連続した数値の入った配列の表を作成する

選択したセル範囲に連続した数値の一覧を作成する。

書 式： SEQUENCE(行数, 列数, 開始値, 増分)

- [開始値]から[増分]ずつ加算しながら、[行数]×[列数]の配列に連続した数値の一覧を作成する。
- [行数]には、配列の行数を指定する。
- [列数]には、配列の列数を指定する。
- [開始値]には、最初の数値を指定する。
- [増分]には、加算する数値を指定する。

使用例 1　5 行 5 列の 101 から 1 ずつ増加する配列の表を作成する

	A	B	C	D	E	F	G
1		1	2	3	4	5	
2	1	101	102	103	104	105	
3	2	106	107	108	109	110	
4	3	111	112	113	114	115	
5	4	116	117	118	119	120	
6	5	121	122	123	124	125	

式 =SEQUENCE(5,5,101,1)

説明　開始値を 101、増分を 1 として、5 行 × 5 列の配列の表を作成する SEQUENCE 関数を設定する。セル B2 に SEQUENCE 関数を入力し、[Enter] キーを押して式を確定すると指定した 5 行、5 列に自動的に結果が表示される。Microsoft 365、Excel 2021 では、スピル機能によって、配列数式が動的に必要なだけ自動入力される。

関連

配列定数 ➡ p.371
配列数式 ➡ p.373
RANDARRAY　乱数の入った配列の表を作成する ➡ p.75

ランダム

RAND

0 以上 1 未満の実数で乱数を発生させる

0 以上、1 未満の実数の乱数を返す。ブックを開く、[F9] キーを押すなど、ワークシートが再計算されるたびに新しく乱数が生成される。
最小値 x 以上、最大値 y 未満の範囲で乱数を発生させるには、「=RAND()*(y-x)+x」の式を使う。

書式: RAND()

使用例 1 いろいろな乱数を発生させる

式 =RAND()*(50-10)+10

	A	B	C	D
1	0以上1未満の乱数	0以上100未満の乱数	10以上50未満の乱数	
2	0.851467873	31.54198029	11.17324525	
3	0.110867002	5.782412651	22.12544292	
4	0.189848765	36.51818187	24.30375596	
5	0.741599691	10.64673659	49.68063392	
6	0.210462353	22.33026026	20.01037565	
7				

式 =RAND()

式 =RAND()*100

説明 セル範囲 A2 ~ A6 では 0 以上 1 未満の乱数を発生させ、セル範囲 B2 ~ B7 では 0 以上 100 未満の乱数を発生させる。RAND 関数に 100 を掛けることで 100 未満の乱数を発生できる。セル範囲 C2 ~ C6 では 10 以上 50 未満の乱数を発生させる。RAND 関数に「(最大値ー最小値)」を掛け「最小値」を足すことで、最小値から最大値未満の範囲の乱数を発生させる。

関連 RANDBETWEEN 整数の乱数を発生させる ➡ p.74

数学 / 三角　乱数　365 2021 2019 2016

ランダム・ビトウィーン
RANDBETWEEN

整数の乱数を発生させる

指定された範囲内の整数の乱数を返す。ブックを開く、[F9]キーを押すなど、ワークシートが再計算されるたびに新しく乱数が生成される。

書 式：　RANDBETWEEN(最小値, 最大値)

- [最小値]には、乱数の最小値を整数で指定する。
- [最大値]には、乱数の最大値を整数で指定する。

使用例 1　10 以上 50 以下の範囲で乱数を発生させる

	A	B	C	D
1	10以上50以下の整数の乱数			
2	19	39	50	
3	25	13	32	
4	13	33	18	
5	43	33	45	
6	49	26	13	
7				

式　=RANDBETWEEN(10,50)

説明　セル範囲 A2 ～ C6 に「=RANDBETWEEN(10,50)」を入力し、それぞれのセルに 10 以上、50 以下の整数がランダムに表示される。

関連

RAND　0 以上 1 未満の実数で乱数を発生させる ➡ p.73

ランダム・アレイ

RANDARRAY

乱数の入った配列の表を作成する

ランダムな数値の配列を返す。ブックを開く、[F9]キーを押すなど、ワークシートが再計算されるたびに新しく乱数が生成される。

書式：　RANDARRAY([行数],[列数],[最小値],[最大値],[整数])

- [行数]×[列数]の配列に[最小値]と[最大値]の範囲内で乱数の配列を返す。[整数]で整数値のみ取得するように指定できる。
- [行数]には、配列の行数を指定する。
- [列数]には、配列の列数を指定する。
- [最小値]には、乱数の最小値を指定する。省略時は、0とみなされる。
- [最大値]には、乱数の最大値を指定する。省略時は、1とみなされる。
- [整数]では、乱数を整数にするかどうかを指定する。TRUEは整数、FALSEまたは省略時は実数(小数)の乱数となる。

使用例① 3行3列の10から100までの乱数表を作成する

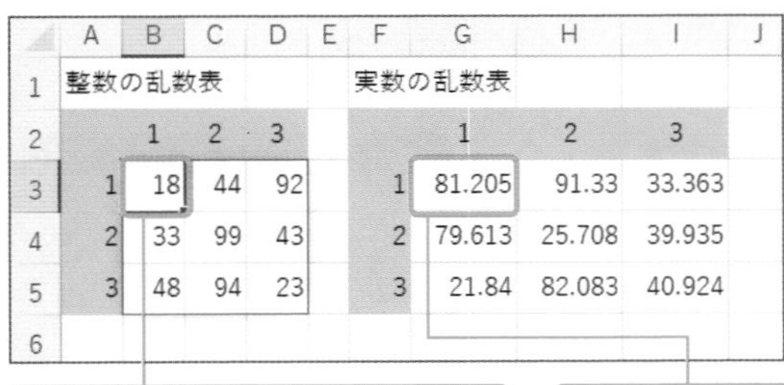

	A	B	C	D	E	F	G	H	I	J
1	整数の乱数表					実数の乱数表				
2		1	2	3			1	2	3	
3	1	18	44	92		1	81.205	91.33	33.363	
4	2	33	99	43		2	79.613	25.708	39.935	
5	3	48	94	23		3	21.84	82.083	40.924	
6										

式 =RANDARRAY(3,3,10,100,TRUE)

式 =RANDARRAY(3,3,10,100,FALSE)

説明　最小値を10、最大値を100で3行×3列の乱数の配列の表を作成する。セルB3では、第5引数［整数］はTRUEのため整数の乱数、セルG3ではFALSEのため小数の乱数がそれぞれ生成される。セルB3、セルG3にRANDARRAY関数を入力し、[Enter]キーを押して式を確定すると自動的に配列で結果が表示される。Microsoft 365、Excel 2021では、スピル機能によって配列数式が動的に必要なだけ自動入力される。

関連

RAND　0以上1未満の乱数を発生させる ➡ p.73
RANDBETWEEN　整数の乱数を発生させる ➡ p.74

数学 / 三角　ローマ数字変換　365 2021 2019 2016

ローマン
ROMAN

数値をローマ数字の文字列に変換する

数値を「Ⅰ、Ⅱ、Ⅲ」のようなローマ数字を表す文字列に変換する。書式を指定するとローマ字の形式を指定できる。

書 式： ROMAN(数値,[書式])

- [数値]では、もととなる数値を指定する。
- [書式]では、ローマ数字の形式を指定する(下表参照)。

書式

書式	種類
0,TRUE, 省略	正式
1	0 より簡略化した形式
2	1 より簡略化した形式
3	2 より簡略化した形式
4,FALSE	略式（最も簡略化した形式）

数学 / 三角　ローマ数字変換　365 2021 2019 2016

アラビック
ARABIC

ローマ数字を数値に変換する

指定したローマ数字を数値(アラビア数字)に変換する。

書 式： ARABIC(文字列)

[文字列]では、ローマ数字を指定する。半角の英小文字や英大文字を使って指定する。

日付 / 時刻関数

日付 / 時刻関数を使うと、現在の日付や時刻を求めたり、日付から年、月、日を取り出したり、翌々月の月末の日付を求めたりと、さまざまな形で日付や時刻を扱うことができます。また、日付や時刻はシリアル値という数値で管理されています。ここでは、シリアル値についての概念も覚えましょう。

日付 / 時刻　現在日時　365 2021 2019 2016

トゥデイ
TODAY

現在の日付を求める

現在の日付に対応するシリアル値を返す。

書式：　TODAY()

Hint 関数を入力すると、自動的に「2022/8/30」(yyyy/m/d)の表示形式で日付が設定される。ブックを開いたり、[F9]キーを押したりしてワークシートが再計算されるタイミングで最新の日付に更新される。表示形式を変更して日付の表示方法を変更できる。

使用例 1 納品書に現在の日付を表示する

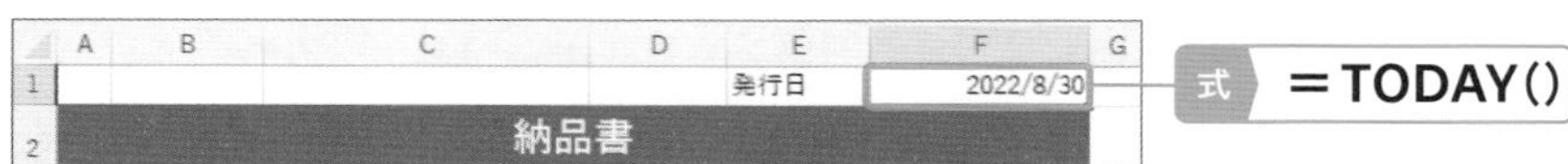

説明 現在の日付を表示する。「2022/8/30」の日付の表示形式が設定される。

日付 / 時刻　現在日時　365 2021 2019 2016

ナウ
NOW

現在の日時を求める

NOW 関数は、現在の日時に対応するシリアル値を返す。

書式：　NOW()

Hint 関数を入力すると、自動的に「2022/8/30 15:06」(yyyy/m/d h:mm)の表示形式で日時が設定される。ブックを開いたり[F9]キーの押下時などワークシートが再計算されるタイミングで最新の日付に更新される。

使用例 1 現在の日時を表示する

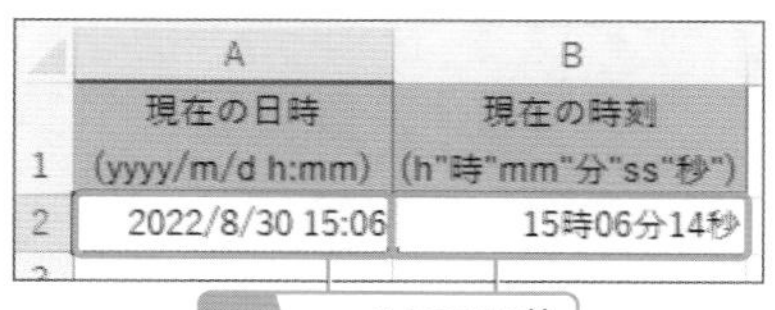

説明 セル A2、B2 共に「=NOW()」を入力し、現在の日時を求めている。セル B2 は「h" 時 "mm" 分 "ss" 秒 "」の形式に変更して表示している。

Hint TODAY 関数、NOW 関数は、使用しているコンピューターのシステム時計から日時を取得している。表示される日時が間違っている場合は、システム時計の調整を行う。タスクバーの右端に表示される日付時刻の表示を右クリックし、[日時を調整する]をクリックして表示される画面で設定できる。

関連 シリアル値とは ➡ p.80

イヤー
YEAR

日付から年を求める

日付から年を取り出す。戻り値は、西暦で 1900 ～ 9999 の範囲の整数。

書 式： YEAR(シリアル値)

[シリアル値]には、日付をシリアル値または「"2022/8/30"」のような文字列で指定する。セルに入力されている日付を参照させたり、DATE 関数などの関数を使って日付のシリアル値を指定できる。

マンス
MONTH

日付から月を求める

日付から月を取り出す。戻り値は、1 ～ 12 の範囲の整数。

書 式： MONTH(シリアル値)

[シリアル値]には、日付をシリアル値または「"2022/8/30"」のような文字列で指定する。セルに入力されている日付を参照させたり、DATE 関数などの関数を使って日付のシリアル値を指定できる。

デイ
DAY

日付から日を求める

日付から日を取り出す。戻り値は、1 ～ 31 の範囲の整数。

書 式： DAY(シリアル値)

[シリアル値]には、日付をシリアル値または「"2022/8/30"」のような文字列で指定する。セルに入力されている日付を参照させたり、DATE 関数などの関数を使って日付のシリアル値を指定できる。

関連 DATE　年、月、日から日付を求める ➡ p.81

COLUMN

シリアル値とは

Excel では、日付と時刻をシリアル値という数値で管理している。TODAY 関数を入力したり、直接セルに「8/30」や「11:15」などの日付や時刻の形式でデータを入力したりして日付 / 時刻データと判定されると、セルにはシリアル値に変換された数値が保存されて、日付 / 時刻の表示形式が設定される。日付や時刻が入力されているセルの表示形式を「標準」にすると実際に保存されているデータのシリアル値が確認できる。Excel の日付 / 時刻関数には、結果にシリアル値を返すものがある。シリアル値が表示された場合は、日付や時刻の表示形式を設定する。

- **日付や時刻をシリアル値で表示する**

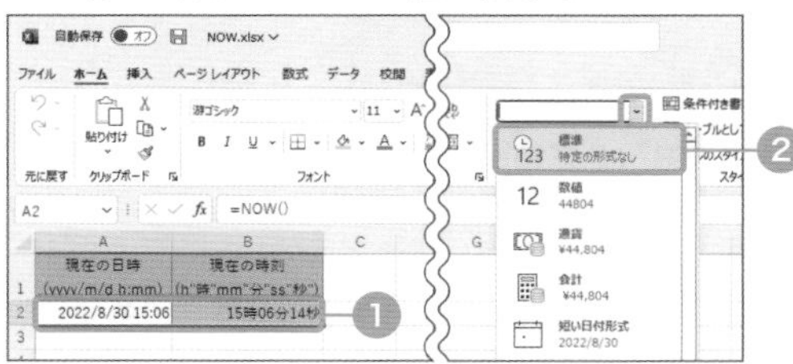

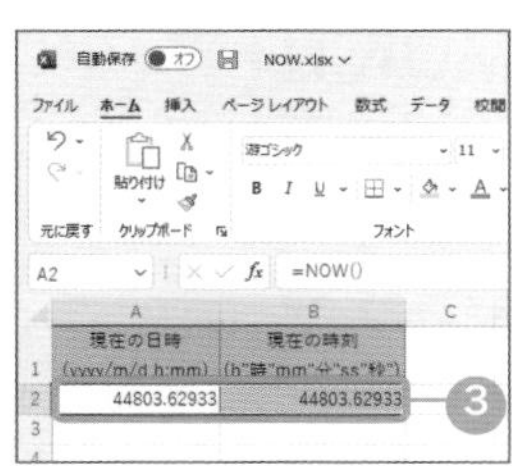

❶ 日付と時刻のセルを選択する。
❷［ホーム］タブ→［数値の書式］の → ［標準］をクリックする。
❸ 日付と時刻のシリアル値が表示される。

- 日付のシリアル値
  日付のシリアル値は、既定で 1900 年 1 月 1 日を「1」とし、1 日経過するごとに 1 加算される整数のこと。2022/8/30 は、1900 年 1 月 1 日から 44803 日経過しているので、シリアル値は「44803」になる。
- 時刻のシリアル値
  時刻のシリアル値は、0 時を「0」、24 時を「1」として、24 時間を 0 から 1 の間の小数で管理する。半日経過した 12 時は「0.5」、18 時は「0.75」となり、24 時になると「1」になり 1 日繰り上がって「0」に戻る。

日　　時：**2022/8/30 18:00:00**

シリアル値：**44803.75**

整数部：日付のシリアル値　小数部：時刻のシリアル値

デート
DATE

年、月、日から日付を求める

年、月、日を組み合わせて日付のシリアル値を返す。

書式: DATE(年, 月, 日)

- [年]には、0 ～ 9999 の範囲の整数を指定する。0 ～ 1899 の場合、1900 が加算される。例えば、「=DATE(21,3,3)」は年が「1921」(1900+21)となり「1921/3/3」を返す。1900 ～ 9999 の場合は、その値が実際の年となる。
- [月]には、1 ～ 12 の範囲の整数を指定する。この範囲外の数値を指定した場合、自動調整された日付となる。例えば、「=DATE(2022,13,1)」にすると 12 月の 1 月後となり「2023/1/1」、「=DATE(2022,0,1)」にすると 1 月の 1 月前となり「2021/12/1」を返す。
- [日]には、1 ～ 31 の範囲の整数を指定する。この範囲外の数値を指定した場合、自動調整された日付となる。例えば、「=DATE(2020/4/0)」にすると 1 日の 1 日前となり「2020/3/31」と前月の月末日となる。

使用例 1 生年月日から年、月、日を取り出し、今年の誕生日を表示する

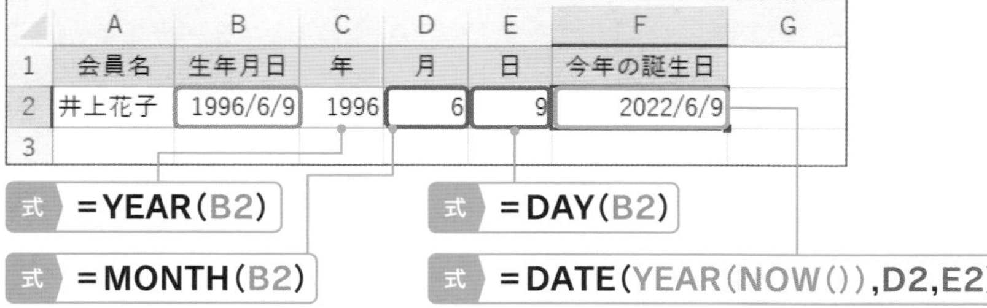

	A	B	C	D	E	F	G
1	会員名	生年月日	年	月	日	今年の誕生日	
2	井上花子	1996/6/9	1996	6	9	2022/6/9	
3							

式 =YEAR(B2)

式 =MONTH(B2)

式 =DAY(B2)

式 =DATE(YEAR(NOW()),D2,E2)

説明　セル B2 に入力された日付からセル C2 で YEAR 関数、セル D2 で MONTH 関数、セル E2 で DAY 関数を使ってそれぞれ年、月、日を取り出す。セル F2 は、DATE 関数を使って、「YEAR(NOW())」で現在の日付から今年の年を取り出し、セル D2 で月、E2 で日を指定して今年の誕生日を求めている。

日付 / 時刻　時刻　365 2021 2019 2016

アワー
HOUR

時刻から時を求める

時刻から時を取り出す。戻り値は、0 ～ 23 の範囲の整数。

書 式：　HOUR(シリアル値)

[シリアル値]には、時刻をシリアル値または「"8:45 AM"」のような文字列で指定する。セルに入力されている時刻を参照させたり、TIME 関数や TIMEVALUE 関数などの関数を使って時刻のシリアル値を指定できる。

日付 / 時刻　時刻　365 2021 2019 2016

ミニット
MINUTE

時刻から分を求める

時刻から分を取り出す。戻り値は、0 ～ 59 の範囲の整数。

書 式：　MINUTE(シリアル値)

[シリアル値]には、時刻をシリアル値または「"8:45 AM"」のような文字列で指定する。セルに入力されている時刻を参照させたり、TIME 関数や TIMEVALUE 関数などの関数を使って時刻のシリアル値を指定できる。

日付 / 時刻　時刻　365 2021 2019 2016

セコンド
SECOND

時刻から秒を求める

時刻から秒を取り出す。戻り値は、0 ～ 59 の範囲の整数。

書 式：　SECOND(シリアル値)

[シリアル値]には、時刻をシリアル値または「"8:45:15 AM"」のような文字列で指定する。セルに入力されている時刻を参照させたり、TIME 関数や TIMEVALUE 関数などの関数を使って時刻のシリアル値を指定できる。

関連

TIME　時、分、秒から時刻を求める　➡ p.83
TIMEVALUE　時刻を表す文字列からシリアル値を求める　➡ p.95

タイム
TIME

時、分、秒から時刻を求める

時、分、秒を組み合わせて時刻のシリアル値を返す。戻り値は、シリアル値で 0 (0:00:00)～ 0.99988426(23:59:59)の範囲の小数。

書 式： TIME(時, 分, 秒)

- [時]には、0 ～ 32767 の範囲で指定する。24 以上の数値を指定した場合は、24 で割った余りが時間に指定される。例えば、「=TIME(30,0,0)」の場合は「=TIME(6,0,0)」とみなされ、「6:00 AM」(シリアル値：0.25)を返す。
- [分]には、0 ～ 32767 の範囲で指定する。60 以上の数値を指定した場合は、時と分に変換される。例えば、「=TIME(0,90,0)」は「=TIME(1,30,0)」とみなされ、「1:30 AM」(シリアル値：0.0625)を返す。
- [秒]には、0 ～ 32767 の範囲で指定する。60 以上の数値を指定した場合は、時、分、秒に変換される。例えば、「=TIME(0,0,1800)」は「=TIME(0,30,0)」とみなされ、「12:30 AM」(シリアル値：0.020833333)を返す。

使用例 1 タイムから休憩時間の除いた実質タイムを求める

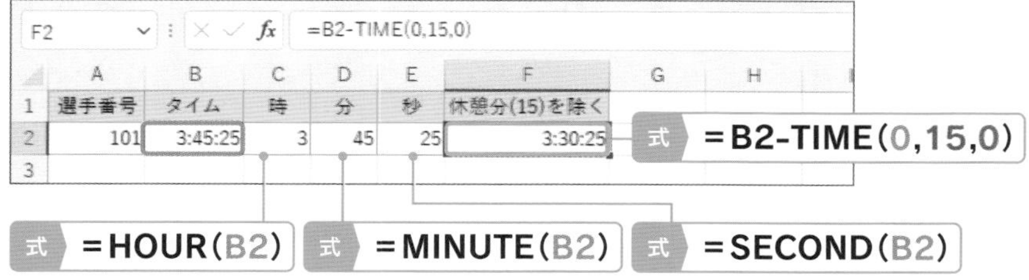

説明　セル B2 に入力された日付からセル C2 で HOUR 関数、セル D2 に MINUTE 関数、セル E2 で SECOND 関数を使ってそれぞれ時、分、秒を取り出す。セル F2 は、セル B2 の時刻から TIME 関数で 15 分を引いて、休憩時間を除いた実質のタイムを求めている。

日付 / 時刻　期間　365 2021 2019 2016

エクスパイレーション・デート

EDATE

指定した月数前や後の日付を求める

開始日から起算して、指定した月数だけ前または後の日付に対応するシリアル値を返す。例えば、製造年月日と保証期間から賞味期限、定期購入の毎月の配達日を求められる。

書 式： EDATE(開始日, 月)

- [開始日]には、起算日となる日付を指定する。日付は、シリアル値、「"2022/12/24"」のような日付の文字列、セルに入力されている日付の参照、DATE 関数などの関数を使った日付のシリアル値を指定できる。
- [月]には、正の数を指定すると[開始日]より後の日付、負の数を指定すると[開始日]より前の日付を返す。

使用例 1 定期購入の毎月の配達日一覧を作成する

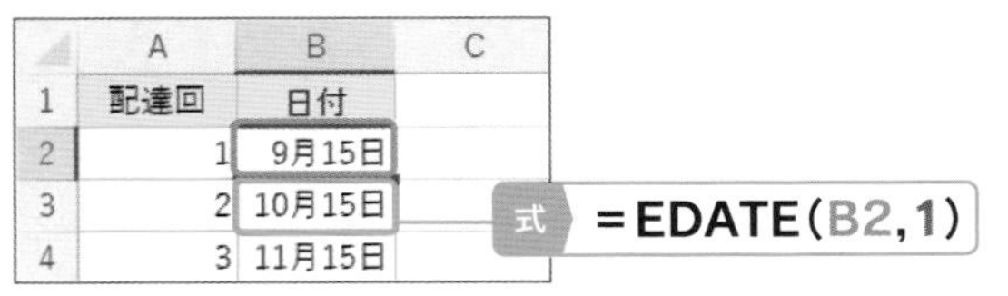

	A	B	C
1	配達回	日付	
2	1	9月15日	
3	2	10月15日	
4	3	11月15日	

説明 開始日をセル B2 にして 1 カ月後の日付を求める。

日付 / 時刻　期間　365 2021 2019 2016

エンド・オブ・マンス

EOMONTH

指定した月数前や後の月末の日付を求める

開始日から起算して、指定した月数だけ前や後の月末に対応するシリアル値を返す。月末に発生する満期日や支払日を計算するのに利用できる。

書 式： EOMONTH(開始日, 月)

- [開始日]には、起算日となる日付を指定する。日付は、シリアル値、「"2022/12/24"」のような日付の文字列、セルに入力されている日付の参照、DATE 関数などの関数を使った日付のシリアル値を指定できる。
- [月]には、正の数を指定すると[開始日]より後の月末の日付、負の数を指定すると[開始日]より前の月の月末の日付を返す。

使用例 1 取引日から翌々月末の支払日を求める

	A	B
1	取引日	支払期日(翌々月末)
2	2022/10/20	2022/12/31
3	2022/11/5	2023/1/31
4	2022/12/23	2023/2/28

式 =EOMONTH(A2,2)

説明 開始日をセル A2 にして、2 か月後の月末の日付を求める。

ワークデイ
WORKDAY

土日と祝日を除いた日数前や後の日付を求める

開始日から起算して、指定した稼働日数だけ前または後の日付に対応するシリアル値を返す。稼動日とは、土曜、日曜と祝日を除く日のこと。

書 式：　WORKDAY(開始日, 日数,[祝日])

- [開始日]には、起算日となる日付を指定する。日付は、シリアル値、「"2022/12/24"」のような日付の文字列、セルに入力されている日付の参照、DATE 関数などの関数を使った日付のシリアル値を指定できる。
- [日数]には、[開始日]から起算して、土日や祝日を除いた日数を指定する。正の数を指定すると開始日より後、負の数を指定すると開始日より前の日付となる。
- [祝日]には、国民の祝日、夏期・冬季休暇、臨時休業日など、稼働日数の計算から除外する日付を指定する。日付の一覧をセル範囲に入力して参照するか、日付を示すシリアル値の配列定数を指定する。

使用例 1 土日と祝日を除いた 5 営業日後の日付を求める

	A	B	C
1	発送予定表：受注確定日から土日、祝日を除く5営業日後		
2	NO	受注確定日	発送予定日
3	1	2023/1/6	2023/1/16
4	2	2023/1/12	2023/1/20
5	3	2023/1/23	2023/1/30
6			
7	国民の祝日	2023/1/2	
8		2023/1/9	
9	臨時休業	2023/1/18	

2023年1月カレンダー

日	月	火	水	木	金	土
1	2	3	4	5	6	7
8	9	10	11	12	13	14
15	16	17	18	19	20	21
22	23	24	25	26	27	28
29	30	31				

式 =WORKDAY(B3,5,$B$7:$B$9)

説明　セル B3 の開始日から土日とセル B7 ～ B9 の日付を除いた 5 日後の日付を求める。

Hint　WORKDAY 関数内で、[祝日]で除外する祝日を直接指定する場合は、配列定数で設定する。配列定数の要素に日付の文字列かシリアル値を指定する。例えば、「=WORKDAY(A2,7,{"2021/3/3","2021/3/10"})」、「=WORKDAY(A2,7,{44258,44265})」のように指定できる。

関連　配列定数 ➡ p.371

ワークデイ・インターナショナル

WORKDAY.INTL

指定した休日を除いた日数前や後の日付を求める

ユーザーが指定した曜日や日付を非稼働日とし、開始日から起算して、指定した稼働日数だけ前または後の日付に対応するシリアル値を返す。

書 式：　WORKDAY.INTL(開始日, 日数,[週末],[祝日])

- [開始日]には、起算日となる日付を指定する。日付は、シリアル値、「"2022/12/24"」のような日付の文字列、セルに入力されている日付の参照、DATE 関数などの関数を使った日付のシリアル値を指定できる。
- [日数]には、[開始日]から起算して、[週末]と[祝日]を除いた日数を指定する。正の数を指定すると開始日より後、負の数を指定すると開始日より前の日付となる。
- [週末]には、非稼働日とする曜日を週末番号で指定する(下表参照)。
- [祝日]には、国民の祝日、夏期・冬季休暇、臨時休業日など、稼働日数の計算から除外する日付を指定する。日付の一覧をセル範囲に入力して参照するか、日付を示すシリアル値の配列定数を指定する。

週末番号	週末の曜日
1 または省略	土曜日と日曜日
2	日曜日と月曜日
3	月曜日と火曜日
4	火曜日と水曜日
5	水曜日と木曜日
6	木曜日と金曜日
7	金曜日と土曜日

週末番号	週末の曜日
11	日曜日のみ
12	月曜日のみ
13	火曜日のみ
14	水曜日のみ
15	木曜日のみ
16	金曜日のみ
17	土曜日のみ

Hint　週末番号にない曜日を非稼働日にするには、0 を稼働日、1 を非稼働日として、月曜日から日曜日までを順番に 0 と 1 の 7 文字で指定する。

COLUMN

関数内で日付を指定する場合の注意点

関数内で日付を指定する場合、シリアル値やセルに入力されている日付、DATE 関数などの関数を使った日付のシリアル値、日付の文字列を使うことができる。だたし、日付の文字列を使用する場合、エラーが発生することがある。そのため、DATE 関数を使った日付を指定することが推奨されている。例えば、文字列で「"2022/12/24"」と指定するより DATE 関数で「DATE(2022,12,24)」と指定する方がより確実。

使用例 1 定休日(月曜日)と祝日を除いた 5 営業日後の日付を求める

	A	B	C	D	E	F	G	H
1	発送予定表：受注確定日から月曜定休、祝日を除く5営業日後							
2	NO	受注確定日	発送予定日					
3	1	2023/1/6	2023/1/12					
4	2	2023/1/12	2023/1/19					
5	3	2023/1/24	2023/1/29					
6								
7	国民の祝日	2023/1/2						
8		2023/1/9						
9	臨時休業	2023/1/18						
10								

2023年1月カレンダー

日	月	火	水	木	金	土
1	2	3	4	5	6	7
8	9	10	11	12	13	14
15	16	17	18	19	20	21
22	23	24	25	26	27	28
29	30	31				

式 =WORKDAY.INTL(B3,5,12,$B$7:$B$9)

説明 セル B3 の開始日から月曜日とセル B7 ～ B9 を除いた 5 日後の日付を求める。

使用例 2 定休日(火曜日、日曜日)と祝日を除いた 5 営業日後の日付を求める

	A	B	C	D	E	F	G	H
1	発送予定表：受注確定日から火曜日、日曜日定休、祝日を除く5営業日後							
2	NO	受注確定日	発送予定日					
3	1	2023/1/6	2023/1/14					
4	2	2023/1/12	2023/1/20					
5	3	2023/1/24	2023/1/30					
6								
7	国民の祝日	2023/1/2						
8		2023/1/9						
9	臨時休業	2023/1/18						
10								

2023年1月カレンダー

日	月	火	水	木	金	土
1	2	3	4	5	6	7
8	9	10	11	12	13	14
15	16	17	18	19	20	21
22	23	24	25	26	27	28
29	30	31				

式 =WORKDAY.INTL(B3,5, "0100001",$B$7：$B$9)

説明 セル B3 の開始日から火曜日と日曜日("0100001")とセル B7 ～ B9 を除いた 5 日後の日付を求める。ここでは、週末番号に火曜日と日曜日の組み合わせがないため、0 を稼働日、1 を非稼働日として、月曜日から日曜日までを順番に 0 と 1 の 7 文字で指定している。

日付 / 時刻　期間　365 2021 2019 2016

ネットワーク・デイズ
NETWORKDAYS
指定した曜日と祝日を除いた期間の日数を求める

開始日から終了日までの期間に含まれる稼働日の日数を返す。稼働日とは、土曜、日曜と指定した祝日を除く日のこと。

書 式：　NETWORKDAYS(開始日, 終了日,[祝日])

- [開始日]には、起算日となる日付を指定する。日付は、シリアル値、「"2022/12/24"」のような日付の文字列、セルに入力されている日付の参照、DATE 関数などの関数を使った日付のシリアル値を指定したりできる。
- [終了日]には、期間の最終日となる日付を指定する。指定方法は[開始日]と同じ。
- [祝日]には、国民の祝日、夏期・冬季休暇、臨時休業日など、稼働日数の計算から除外する日付を指定する。日付の一覧をセル範囲に入力して参照するか、日付を示すシリアル値の配列定数を指定する。

使用例 1 指定した曜日と祝日を除く作業日数を求める

	A	B	C	D	E	F	G
1	作業期間（土日、祝日を除く稼働日数）						
2	NO	作業開始日	作業終了日	稼働日数			
3	工事 1	2023/1/6	2023/1/23	10			
4	工事 2	2023/1/12	2023/1/20	6			
5	工事 3	2023/1/23	2023/2/1	8			
6							
7	国民の祝日	2023/1/2					
8		2023/1/9					
9	臨時休業	2023/1/18					
10							
11							

2023年1月カレンダー

日	月	火	水	木	金	土
1	2	3	4	5	6	7
8	9	10	11	12	13	14
15	16	17	18	19	20	21
22	23	24	25	26	27	28
29	30	31				

式 =NETWORKDAYS(B3,C3,$B$7:$B$9)

説明 開始日(B3)と終了日(C3)の間で、土日とセル B7 ～ B9 を除いた日数を求める。

ネットワークデイズ・インターナショナル

NETWORKDAYS.INTL

指定した休日と祝日を除いた期間の日数を求める

ユーザーが指定した曜日や日付を非稼働日とし、開始日と終了日までの期間の稼働日数を返す。

書式：　NETWORKDAYS.INTL(開始日, 終了日,[週末],[祝日])

- [開始日]には、起算日となる日付を指定する。日付は、シリアル値、「"2022/12/24"」のような日付の文字列、セルに入力されている日付の参照、DATE 関数などの関数を使った日付のシリアル値を指定できる。
- [終了日]には、期間の最終日となる日付を指定する。指定方法は[開始日]と同じ。
- [週末]には、非稼働日とする曜日を週末番号で指定する(p.86 表参照)。
- [祝日]には、国民の祝日、夏期・冬季休暇、臨時休業日など、稼働日数の計算から除外する日付を指定する。日付の一覧をセル範囲に入力して参照するか、日付を示すシリアル値の配列定数を指定する。

使用例 1 月曜定休日と祝日を除く作業日数を求める

	A	B	C	D	E	F	G
1	作業期間（月曜定休日、祝日を除く稼働日数）						
2	NO	作業開始日	作業終了日	稼働日数			
3	工事1	2023/1/6	2023/1/24	15			
4	工事2	2023/1/12	2023/1/20	7			
5	工事3	2023/1/23	2023/2/1	8			
6							
7	国民の祝日	2023/1/2					
8		2023/1/9					
9	臨時休業	2023/1/18					
10							
11							

2023年1月カレンダー

日	月	火	水	木	金	土
1	2	3	4	5	6	7
8	9	10	11	12	13	14
15	16	17	18	19	20	21
22	23	24	25	26	27	28
29	30	31				

式 =NETWORKDAYS.INTL(B3,C3,12,$B$7:$B$9)

説明　開始日(B3)と終了日(C3)の間で、月曜日とセル B7 ～ B9 を除いた日数を求める。

デート・ディフ
DATEDIF
指定期間の年数、月数、日数を求める

開始日から終了日の期間の日数、月数、年数を返す。

書式： DATEDIF(開始日, 終了日, 単位)

- [開始日]では、開始日の日付を指定する。日付は、シリアル値、「"2022/12/24"」のような日付の文字列、セルに入力されている日付の参照、DATE関数などの関数を使った日付のシリアル値を指定したりできる。
- [終了日]では、終了日の日付を指定する。
- [単位]では、求める期間の単位を指定する(下表参照)。

単位

単位	内容
"Y"	満年数を求める
"M"	満月数を求める
"D"	満日数を求める
"YM"	1年未満の月数を求める。戻り値は0～11の整数
"YD"	1年未満の日数を求める。戻り値は0～364の整数
"MD"	1カ月未満の日数を求める。戻り値は0～30の整数

使用例 1 生年月日から年齢を求める

	A	B	C	D
1	会員名	生年月日	年齢	
2	宮本 啓二	1986/11/9	35	
3	鈴木 佳穂	1994/4/8	28	
4	山崎 紀子	2000/3/24	22	
5				

式 =DATEDIF(B2,TODAY(),"Y")

説明 開始日をセルB2の生年月日、終了日をTODAY関数で今日の日付を指定して、単位を「年」にして年齢を求める。

Hint この関数は、関数ライブラリから選択することができないため、数式を手入力する必要がある。

日付 / 時刻　期間　365 2021 2019 2016

イヤー・フラクション
YEARFRAC
指定期間が 1 年間に占める割合を求める

開始日と終了日の間の全日数が 1 年間に占める割合を、指定した基準に従って計算した結果を返す。

書 式： YEARFRAC(開始日, 終了日,[基準])

- [開始日]には、開始日を指定する。
- [終了日]には、終了日を指定する。
- [基準]には、計算に使用する基準日数を数値で指定する(下表参照)。

基準	基準日数 (月 / 年)
0 または省略	30 日 /360 日(NASD 方式)
1	実際の日数 / 実際の日数
2	実際の日数 /360 日
3	実際の日数 /365 日
4	30 日 /360 日 (ヨーロッパ方式)

※ NASD 方式：米国 NASD「アメリカ証券業協会」で採用されている日数計算の方式

日付 / 時刻　期間　365 2021 2019 2016

デイズ
DAYS
2 つの日付の間の日数を求める

DAYS 関数は、2 つの日付間の日数を返す。例えば、「=DAYS("2022/11/1", "2022/11/5")」とした場合「4」を返す。

書 式： DAYS(終了日, 開始日)

- [終了日]には、終了日を指定する。
- [開始日]には、開始日と指定する。

日付 / 時刻　期間　365 2021 2019 2016

デイズ・スリー・シックスティー
DAYS360
1 年を 360 日として 2 つの日付の間の日数を求める

一部の会計計算で採用されている 1 年を 360 日(30 日 ×12)とみなす計算方式に基づき、開始日と終了日の期間の日数を返す。

書 式： DAYS360(開始日, 終了日,[方式])

- [開始日]には、期間の最初の日付を指定する。
- [終了日]には、期間の最後の日付を指定する。
- [方式]には、FALSE または省略時は、NASD(全米証券業者協会)方式で日数を求める。TRUE を指定した時は、ヨーロッパ方式で日数を求める。

日付 / 時刻　期間　365　2021　2019　2016

ウィーク・デイ

WEEKDAY

日付の曜日番号を求める

指定した日付に対応する曜日番号を整数で返す。既定では、日曜日～土曜日の順に 1 ～ 7 の数字を返す。

書 式： WEEKDAY(シリアル値,[週の基準])

- [シリアル値]では、日付を指定する。日付は、シリアル値、「"2022/12/24"」のような日付の文字列、セルに入力されている日付の参照、DATE 関数などの関数を使った日付のシリアル値を指定したりできる。
- [週の基準]では、戻り値の種類を数値で指定する(下表参照)。

週の基準

週の基準	戻り値
1 または省略	1（日曜）～ 7（土曜）
2	1（月曜）～ 7（日曜）
3	0（月曜）～ 6（日曜）
11	1（月曜）～ 7（日曜）
12	1（火曜）～ 7（月曜）

週の基準	戻り値
13	1（水曜）～ 7（火曜）
14	1（木曜）～ 7（水曜）
15	1（金曜）～ 7（木曜）
16	1（土曜）～ 7（金曜）
17	1（日曜）～ 7（土曜）

使用例 1 日付が土日のセルに「定休日」と表示する

	A	B
1	日付	定休日
2	2022/12/1(Thu)	
3	2022/12/2(Fri)	
4	2022/12/3(Sat)	定休日
5	2022/12/4(Sun)	定休日
6	2022/12/5(Mon)	
7	2022/12/6(Tue)	
8		

式 **=IF(WEEKDAY(A2,2)>=6," 定休日 ","")**

説明 セル A2 の日付に対する曜日番号を、週の基準を「2」（月～日：1 ～ 7）に指定して求め、6 以上(土、日)の場合は「定休日」、そうでない場合は空白になるように IF 関数を使って求める。ここでは、日付のセル(A2 ～ A7)に表示形式(yyyy/m/d(ddd))を設定して、曜日も含めて表示されるようにしている。

ウィーク・ナンバー

WEEKNUM

日付が年の何週目かを求める

日付が、指定した週の基準に基づき、その年の第何週目にあたるかを返す。

書 式： WEEKNUM(シリアル値,[週の基準])

- [シリアル値]には、日付を指定する。日付は、シリアル値、「"2022/12/24"」のような日付の文字列、セルに入力されている日付の参照、DATE 関数などの関数を使った日付のシリアル値を指定したりできる。
- [週の基準]には、何曜日を週の開始日にして計算するかを数値で指定する(下表参照)。

週の基準

週の基準	週の始まり	システム
1 または省略	日曜日	1
2	月曜日	1
11	月曜日	1
12	火曜日	1
13	水曜日	1
14	木曜日	1
15	金曜日	1
16	土曜日	1
17	日曜日	1
21	月曜日	2

※システム:「1」は 1 月 1 日を含む週がその年の最初の週で第 1 週とする。「2」はその年の最初の木曜日を含む週を第 1 週とする(ヨーロッパ式の週番号システム(ISO8601))。

日付 / 時刻　期間　365　2021　2019　2016

アイエスオー・ウィークナム

ISOWEEKNUM

ISO8601 方式で日付が年の何週目かを求める

日付がその年の第何週目にあたるかを ISO 週番号で返す。ISO 週番号とは、月曜日を週の開始とし、その年の最初の木曜日が含まれる週を 1 週目とする週番号の指定方法。

書 式:　ISOWEEKNUM(シリアル値)

[シリアル値]では、日付を指定する。日付は、シリアル値、「"2022/12/24"」のような日付の文字列、セルに入力されている日付の参照、DATE 関数などの関数を使った日付のシリアル値を指定したりできる。

使用例 1 日付が第何週か調べる

	A	B	C	D	E
1	日付	週番号	ISO週番号		
2	2022/1/15	3	2		
3	2022/2/1	6	5		
4					
5					

式 =WEEKNUM(A2,1)

式 =ISOWEEKNUM(A2)

説明 セル A2 の日付に対してセル B2 では、週の始まりを日曜日とし、1 月 1 日を含む週を第 1 週として週番号を調べ、セル C2 では年初の最初の木曜日を含む週を第 1 週として週番号を調べている。

関連 WEEKNUM　日付が年の何週目かを求める ➡ p.94

タイム・バリュー

TIMEVALUE

時刻を表す文字列をシリアル値に変換する

文字列で指定された時刻を小数(時刻のシリアル値)に変換する。

書 式：　TIMEVALUE(時刻文字列)

[時刻文字列]には、時刻を表す文字列を指定する。文字列で直接指定する場合は、「"」で囲む。

時刻文字列の設定例

設定例	戻り値
=TIMEVALUE("6:00 PM")	0.75
=TIMEVALUE("18:30:30")	0.771180556
=TIMEVALUE("18 時 30 分 30 秒 ")	

Hint 時刻のシリアル値は、0 ～ 0.99988426 の範囲内の値で、0:00:0(午前 0 時)から 23:59:59(午後 11 時 59 分 59 秒)までの時刻を表す。

日付 / 時刻　日付 / 時刻変換　365　2021　2019　2016

デート・バリュー

DATEVALUE

日付を表す文字列をシリアル値に変換する

文字列で指定された日付を日付のシリアル値に変換する。

書 式：　DATEVALUE(日付文字列)

[日付文字列]には、日付を表す文字列を指定する。その際に 1900 年 1 月 1 日～ 9999 年 12 月 31 日までの間の日付を指定する必要がある。また、関数内で日付文字列を直接指定する場合は、「"」で囲む。年の部分を省略すると、パソコンのシステム時計の年とみなされる。

日付文字列の設定例

設定例	戻り値
=DATEVALUE("2022/1/15")	44576
=DATEVALUE(" 令和 4 年 1 月 15 日 ")	
=DATEVALUE("3/3")	44623 (システム時計が 2022 年の場合)

関連 シリアル値 ➡ p.80

デート・ストリング

DATESTRING

西暦の日付を和暦の日付に変換する

日付を「令和３年01月01日」の形式で和暦を表す文字列に変換する。

書 式： DATESTRING(シリアル値)

[シリアル値]には、日付を指定する。日付は、シリアル値、「"2022/12/24"」のような日付の文字列、セルに入力されている日付の参照、DATE関数などの関数を使った日付のシリアル値を指定したりできる。

使用例 1 日付を和暦で表示する

	A	B	C	D	E
1	日付	和暦変換			
2	1900/1/1	明治33年01月01日			
3	1915/11/14	大正04年11月14日			
4	1985/8/8	昭和60年08月08日			
5	1996/9/12	平成08年09月12日			
6	2020/12/25	令和02年12月25日			
7	2021/4/8	令和03年04月08日			
8					

式 =DATESTRING(A2)

説明 セルA2の日付を和暦で表示する。

Hint この関数は、関数ライブラリから選択することができないため、手入力する必要がある。

統計関数

統計関数は、データ数、最大値、最小値、中央値、最頻値、平均値、順位など集められたデータを分析するための関数が多く用意されています。さらに、分散や標準偏差、正規分布、二項分布、カイ二乗分布やｔ分布などデータの統計解析で使用する専門的な関数も用意されています。

統計　データの個数　365 2021 2019 2016

カウント

COUNT

数値の個数を求める

数値の個数を返す。日付 / 時刻や「"10"」のような数値を表す文字列も数値として数えられる。

書 式：　COUNT(値 1,[値 2],…)

[値]には、個数を求めたい数値、セル参照、セル範囲を指定する。セル範囲を指定した場合は、範囲内の数値のみ計算対象とし、文字列、空白セル、論理値、エラー値は無視される。また、直接引数として指定した論理値(TRUE/FALSE)は計算の対象となる。例えば「=COUNT(TRUE,"2021/1/1",100)」とすると「3」を返す。

統計　データの個数　365 2021 2019 2016

カウント・ブランク

COUNTBLANK

空白セルの個数を求める

セル範囲内の空白セルの個数を返す。数式の結果が「""」の場合で、見かけが空白の時は空白として数えられる。半角または全角スペースが入力されている場合は、見かけが空白でも数えられない。

書 式：　COUNTBLANK(範囲)

[範囲]では、空白セルの数を求めたいセル範囲を指定する。

使用例 1 入金済み数と未入金数を求める

	A	B	C	D	E	F
1	顧客NO	入金日		入金済	未入金	
2	A1001	2022/1/10		3	1	
3	A1002	2022/1/12				
4	A1003	キャンセル				
5	A1004	2022/1/18				
6	A1005					
7						

式 =COUNTBLANK(B2:B6)

式 =COUNT(B2:B6)

説明　セル D2 では、COUNT 関数を使ってセル範囲 B2 ～ B6 の日付を数えて入金済み数を求めている。日付も数値とみなされるため COUNT 関数で数を求められる。セル E2 では、COUNTBLANK 関数を使ってセル範囲 B2 ～ B6 の空白セルの数を数える。日付や文字列が入力されていない空白のセルの数が数えられる。

カウント・エー
COUNTA

データの個数を求める

範囲に含まれる空白ではないセルの個数を返す。数式の結果が「""」の場合、見かけは空白でも数式が入力されているので数えられる。

書 式： COUNTA(値 1,[値 2]…)

[値]では、セルの個数を数えたいセル範囲を指定する。エラー値や空文字("")を含め、何らかのデータを含むセルが数えられる。

使用例 1 全体数を求める

	A	B	C	D	E
1	顧客NO	入金日		全体数	
2	A1001	2022/1/10		5	
3	A1002	2022/1/12			
4	A1003	キャンセル			
5	A1004	2022/1/18			
6	A1005				
7					

式 =COUNTA(A2:A6)

説明 セル範囲 A2 ～ A6 のデータの個数を数えて全体数を求めている。

COLUMN

COUNTA 関数と COUNTBLANK 関数の空白セルを数えるときの注意点

COUNTA 関数は値が入力されているセルの数を返し、COUNTBLANK 関数は空白セルの数を数える。COUNTA 関数では、下図の②～④のように、見かけ上空白でも何らかのデータが入力されている場合は空白でないとして数えられる。一方、CONTBLANK 関数では、②や④のように実際にはデータが入力されていても空白として数えられ、スペースは空白として数えられない。使用の際はこの違いに気を付ける必要がある。

		A	B	C	D	E
	1	値		COUNTA	COUNTBLANK	
①	2	①空セル		0	1	
②	3	②接頭辞（'）		1	1	
③	4	③スペース		1	0	
④	5	④数式		1	1	
	6					

カウント・イフ

COUNTIF

条件を満たすデータの個数を求める

指定したセル範囲の中から、検索条件に一致するデータの個数を返す。

書式： COUNTIF(範囲, 検索条件)

- [範囲]の中から、[検索条件]に一致するデータの個数を返す。
- [範囲]では、セルの個数を求めるセル範囲を指定する。
- [検索条件]では、[範囲]の中から個数を求めたいデータの条件を指定する。数値とセル範囲以外で指定する場合は「"」で囲む。比較演算子、ワイルドカード文字を使用した条件を設定できる。

使用例1 合計点から合格者の人数を求める

	A	B	C	D	E
1	合格点	150	合格者数	3	
2					
3	受験者NO	テストA	テストB	合計点	
4	R001	80	75	155	
5	R002	68	70	138	
6	R003	92	100	192	
7	R004	80	60	140	
8	R005	75	95	170	
9					

式 =COUNTIF(D4:D8,">="&B1)

=COUNTIF(D4:D8,">="&B1)

範囲　「合計点」列

検索条件　">="&B1

セルB1以上の値を持つ「合計点」列のセルの数

説明　[範囲](D4～D8)内で[検索条件](セルB1の値以上)を探し、見つかったデータの数を求める。

使用例 2 出身地別の人数を求める

	A	B	C	D	E	F
1	参加者NO	出身地		出身地	人数	
2	1001	神奈川		東京	2	
3	1002	千葉		千葉	2	
4	1003	東京		神奈川	1	
5	1004	埼玉		埼玉	2	
6	1005	東京				
7	1006	埼玉				
8	1007	千葉				
9						

式 =COUNTIF($B$2:$B$8,D2)

説明 [範囲](B2 ～ B8)内で[検索条件](セル D2 と同じ値)を探し、見つかったデータの数を求める。数式をコピーしても[範囲]のセル範囲がずれないように「$B$2:$B$8」と絶対参照にしている。

使用例 3 同点(重複)をチェックする

	A	B	C	D	E
1	受験NO	得点	順位	同点チェック	
2	1001	90	3	1	
3	1002	92	2	1	
4	1003	73	5	1	
5	1004	86	4	1	
6	1005	73	5	2	
7	1006	42	7	1	
8	1007	99	1	1	
9					

式 =COUNTIF($B$2:B2,B2)

重複する得点「73」であるため、カウントアップされる

説明 [範囲]($B$2:B2)内で [検索条件](セル B2 の値と同じ)を探し、データの数を求める。[範囲]で始点を絶対参照、終点を相対参照として数式をコピーすると検索対象となるセル範囲が 1 行ずつ増加し、同じ点数(重複)のデータがある場合は、カウントアップされるため、1 より大きい数値が返る場合は、その値が重複していることがわかる。重複データのチェックをするときに活用できる。

関連

SUMIF 条件を満たす数値を合計する ➡ p.32

COUNTIFS 複数の条件に一致するデータの個数を求める ➡ p.102

カウント・イフス
COUNTIFS

複数の条件に一致するデータの個数を求める

複数の範囲ごとに条件を設定し、すべての条件を満たすデータの数を返す。

書 式： COUNTIFS(条件範囲 1, 条件 1,[条件範囲 2, 条件 2],…)

- [条件範囲]中で[条件]に一致するデータの個数を返す。[条件範囲]と[条件]は必ずセットで指定し、最大 127 組まで指定できる。[条件範囲]と[条件]のセットを増やした場合、すべての条件を満たしたているデータの個数を返す。
- [条件範囲]では、検索対象となるセル範囲を指定する。
- [条件]では、[条件範囲]の中から個数を求めたいデータの条件を指定する。数値、文字列、セル範囲、比較演算子やワイルドカード文字を使って指定でき、数値とセル範囲以外で指定する場合は、「"」で囲む。

使用例 1 2 科目とも 70 点以上の人数を求める

	A	B	C	D
1	2科目70点以上	3		
2				
3	受験者NO	テストA	テストB	合計点
4	R001	80	75	155
5	R002	68	70	138
6	R003	92	100	192
7	R004	80	60	140
8	R005	75	95	170
9				

式 **=COUNTIFS(B4:B8,">=70",C4:C8,">=70")**

説明 [条件範囲 1](B4 ~ B8)内で [条件 1](70 以上)かつ、[条件範囲 2](C4 ~ C8)内で [条件 2](70 以上)の条件をすべて満たすデータを探し、見つかったデータの数を求める。

関連

COUNTIF 条件を満たすデータの個数を求める ➡ p.100
SUMIF 条件を満たす数値を合計する ➡ p.32

フリークエンシー
FREQUENCY
度数分布を求める

指定した値の区間に含まれる数値の数を返す。例えば、年代別や点数別の分布表の作成に利用できる。戻り値は配列として返されるため、数式は縦方向の配列数式として入力する必要がある。また、結果として返される要素数は、区間配列より1つ多くなる。一番下の要素は、区間配列の最大値を超えるデータの個数を返す。

書 式：　FREQUENCY(データ配列, 区間配列)

- [データ配列]では、数値が入力されているセル範囲や配列定数を指定する。
- [区間配列]では、区間が入力されているセル範囲を指定する。各区間の上限値をセルに入力しておく。

使用例1 年代別の度数分布表を作成する

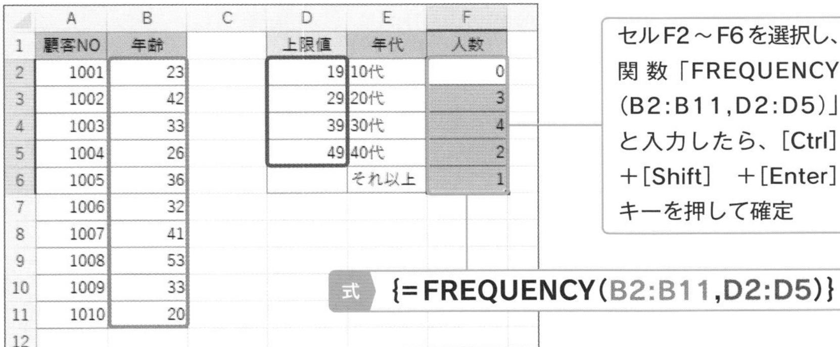

	A	B	C	D	E	F
1	顧客NO	年齢		上限値	年代	人数
2	1001	23		19	10代	0
3	1002	42		29	20代	3
4	1003	33		39	30代	4
5	1004	26		49	40代	2
6	1005	36			それ以上	1
7	1006	32				
8	1007	41				
9	1008	53				
10	1009	33				
11	1010	20				
12						

セルF2～F6を選択し、関数「FREQUENCY(B2:B11,D2:D5)」と入力したら、[Ctrl]＋[Shift]　＋[Enter]キーを押して確定
式 {=FREQUENCY(B2:B11,D2:D5)}

説明 年齢の一覧(セル B2 ～ B11)の年齢一覧から、上限値(セル D2 ～ D5)の区分に含まれる数値の個数を表示している。引数[区分配列]の各セルには区分の上限値を指定するため 19,29,39,49 としてそれぞれ 10 代、20 代、30 代、40 代の個数が求められる。49 の区分下に、49 を超える数値の個数が表示され、セル F6 に 1 が表示される。なお、Microsoft 365、Excell 2021 では先頭セルに関数を入力すればスピル機能により、配列数式が動的に必要なだけ自動入力される。

関連

配列数式 ➡ p.373
動的配列数式とスピル ➡ p.375

統計　中央値　365　2021　2019　2016

メディアン
MEDIAN
中央値を求める

指定した数値の中で、中央に位置する数値(中央値)を返す。中央値(メディアン)とは、数値を小さい順に並べたとき中央に位置する値のこと。なお、データの個数が偶数の場合は、中央の2つの数値の平均値を返す。

書式： MEDIAN(数値1,[数値2],…)

[数値]では、数値またはセル範囲や配列定数を指定する。論理値や数値を表す文字列を引数に直接指定した場合は、計算対象となる。また、セル範囲に含まれている文字列、論理値、空白セルは無視される。

統計　最頻値　365　2021　2019　2016

モード・シングル
MODE.SNGL
最頻値を求める

指定した配列やセル範囲に含まれる数値の中から最頻値を返す。最頻値とは、最も頻繁に出現する数値のこと。最頻値が複数ある場合、最初に見つかった最頻値を1つだけ返す。すべての最頻値を求めるには、MODE.MULT関数を使う。

書式： MODE.SNGL(数値1,[数値2]…)

[数値]では、対象となる数値または数値を含むセル範囲や配列定数を指定する。セル範囲に含まれている文字列、論理値、空白セルは計算対象にはならない。数値の一覧の中に重複する値が含まれていない場合は、エラー値「#N/A」を返す。

使用例 1 年齢の中央値と最頻値を求める

	A	B	C	D	E
1	顧客NO	年齢		中央値	最頻値
2	1001	23		36	40
3	1002	42			
4	1003	40			
5	1004	26			
6	1005	36			
7	1006	32			
8	1007	40			

式 =MEDIAN(B2:B8)

式 =MODE.SNGL(B2:B8)

説明　セルD2では、MEDIAN関数を使って年齢一覧(セルB2～B8)の中央値を求める。データは7個なので小さい順で4つ目にある値「36」が中央値として返る。セルE2では、MODE.SNGL関数を使って最頻値を求める。「40」だけ2つあるので「40」が返る。

関連　AVERAGE　数値の平均値を求める ➡ p.110

モード・マルチ

MODE.MULT

複数の最頻値を求める

指定した配列やセル範囲に含まれる数値の中から最頻値をすべて返す。複数のセルを選択して配列数式で入力すると、選択されたセルに見つかった最頻値がすべて表示される。最頻値が見つからない場合は、エラー値「#N/A」を返す。

書式： MODE.MULT(数値 1,[数値 2]…)

[数値]では、対象となる数値または数値を含むセル範囲や配列定数を指定する。

使用例 1 すべての最頻値を求める

	A	B	C	D	E
1	学籍番号	点数		最頻値	
2	安藤　紀子	140		180	
3	井上　隆	180		165	
4	宇高　弥生	165		#N/A	
5	江川　恭子	170		#N/A	
6	大田　譲	165			
7	門田　佐知	180			
8	君島　悟志	210			
9					

式 {=MODE.MULT(B2:B8)}

説明　点数一覧(セル B2 ~ B8)から最頻値を求める。最頻値を表示するセル範囲(D2 ~ D5)を選択し、関数「=MODE.MULT(B2:B8)」と入力して [Ctrl] + [Shift] + [Enter] キーを押す。180 と 165 がそれぞれ 2 つ見つかり、最頻値としてセル D2 と D3 に表示される。セル D4 と D5 は該当する最頻値がないため「#N/A」が表示される。なお、Microsoft 365、Excell 2021 では先頭セルに関数を入力すれば、スピル機能により、配列数式が動的に必要なだけ自動入力される。

関連

MODE.SNGL　最頻値を求める ➡ p.104
MODE　互換性関数 ➡ p.421
動的配列数式とスピル ➡ p.375

統計 最大 / 最小 365 2021 2019 2016

ミニマム
MIN
数値の最小値を求める

指定した数値の中から最小の数値を返す。セル範囲に含まれる文字列、論理値、空白セルは無視される。

書 式： MIN(数値 1,[数値 2],…)

[数値]では、最小値を求める数値やセル範囲、配列定数を指定する。最大 255 まで指定できる。

統計 最大 / 最小 365 2021 2019 2016

ミニマム・エー
MINA
データの最小値を求める

指定した数値の中で最小値を返す。セル範囲に含まれる文字列は 0、TRUE は 1、FALSE は 0 とみなされる。

書 式： MINA(値 1,[値 2],…)

[値]では、最小値を求める数値やセル範囲、配列定数を指定する。

使用例 1 点数の中で最小値を求める

	A	B	C	D	E
1	学籍番号	点数		最小値 MIN	最小値 MINA
2	1	140		110	0
3	2	180			
4	3	180			
5	4	210			
6	5	110			
7	6	未受験			
8	7	200			

式 =MINA(B2:B8)

式 =MIN(B2:B8)

説明 セル D2 では、MIN 関数を使って点数(B2 ～ B8)の数値の最小値を求め「110」が返り、セル E2 では、MINA 関数を使って点数(B2 ～ B8)で最小値を求める。文字列は 0 とみなされるため最小値「0」が返る。

関連

MAX　数値の最大値を求める ➡ p.108
MAXA　データの最大値を求める ➡ p.108

ミニマム・イフス
MINIFS

複数の条件で最小値を求める

複数の範囲ごとに条件を設定し、すべての条件を満たす数値の中で最小値を返す。

書 式：　MINIFS(最小範囲, 条件範囲 1, 条件 1,[条件範囲 2, 条件 2], …)

- [条件範囲]内で、[条件]に一致する値を探し、見つかった行の[最小範囲]にある値の中の最小値を返す。[条件範囲]と[条件]は必ずセットで指定し、最大 126 組まで指定できる。[条件範囲]と[条件]のセットを増やした場合、すべての条件を満たしたデータの最小値を返す。
- [最小範囲]では、最小値を求める範囲を指定する。
- [条件範囲]では、検索対象となるセル範囲を指定する。
- [条件]では、[条件範囲]の中から最小値を求めたいデータの条件を指定する。数値、文字列、セル範囲、比較演算子やワイルドカード文字を使って指定でき、数値とセル範囲以外で指定する場合は、「"」で囲む。

使用例 1 指定した分類内で最小金額を求める

	A	B	C	D	E	F	G
1	受注番号	分類	金額		分類	最小金額	
2	1001	パソコン	36,800		パソコン	36,800	
3	1002	タブレット	17,500				
4	1003	ノートパソコン	22,500				
5	1004	パソコン	68,000				
6	1005	タブレット	39,500				
7	1006	ノートパソコン	45,000				
8	1007	ノートパソコン	28,000				
9	1008	タブレット	56,500				
10	1009	パソコン	45,500				
11	1010	パソコン	55,000				

式 =MINIFS(C2:C11,B2:B11,E2)

説明 分類(B2 ~ B11)内でセル E2 と同じ値(パソコン)を探し、見つかった行の金額(C2 ~ C11)の値の最小値を求める。

関連 MAXIFS 複数の条件で最大値を求める ➡ p.109

統計　最大／最小　365　2021　2019　2016

マックス
MAX

数値の最大値を求める

指定した数値の中から最大の数値を返す。セル範囲に含まれる文字列、論理値、空白セルは無視される。

書 式：　MAX(数値 1,[数値 2],…)

[数値]では、最大値を求める数値やセル範囲や配列定数を指定する。最大 255 まで指定する。

統計　最大／最小　365　2021　2019　2016

マックス・エー
MAXA

データの最大値を求める

指定した数値の中で最大値を返す。セル範囲に含まれる文字列は 0、TRUE は 1、FALSE は 0 とみなされる。

書 式：　MAXA(値 1,[値 2],…)

[値]では、最大値を求める数値やセル範囲、配列定数を指定する。

使用例 1 点数の中で最大値を求める

	A	B	C	D	E
1	学籍番号	点数		最大値 MAX	最大値 MAXA
2	1	140		210	210
3	2	180			
4	3	180			
5	4	210			
6	5	110			
7	6	未受験			
8	7	200			

式 =MAXA(B2:B8)

式 =MAX(B2:B8)

説明　セル D2 では、MAX 関数を使って点数(B2 ～ B8)の数値の最大値を求め「210」が返り、セル E2 では、MAXA 関数を使って点数(B2 ～ B8)で最大値を求める。文字列は 0 とみなして最大値に「210」が返っている。

関連

MINA　データの最小値を求める ➡ p.106
MIN　数値の最小値を求める ➡ p.106

マックス・イフス
MAXIFS

複数の条件で最大値を求める

複数の範囲ごとに条件を設定し、すべての条件を満たす数値の中で最大値を返す。

書 式： MAXIFS(最大範囲, 条件範囲 1, 条件 1,[条件範囲 2, 条件 2], …)

- [条件範囲]内で、[条件]に一致する値を探し、見つかった行の[最大範囲]にある値の中の最大値を返す。
- [条件範囲]と[条件]は必ずセットで指定し、最大 126 組まで指定できる。[条件範囲]と[条件]のセットを増やした場合、すべての条件を満たしたデータの最大値を返す。
- [最大範囲]では、最大値を求める範囲を指定する。
- [条件範囲]では、検索対象となるセル範囲を指定する。
- [条件]では、[条件範囲]の中から最大値を求めたいデータの条件を指定する。数値、文字列、セル範囲、比較演算子やワイルドカード文字を使って指定でき、数値とセル範囲以外で指定する場合は、「"」で囲む。

使用例 1 指定した分類内で最大金額を求める

	A	B	C	D	E	F
1	受注番号	分類	金額		分類	最大金額
2	1001	パソコン	36,800		タブレット	56,500
3	1002	タブレット	17,500			
4	1003	ノートパソコン	22,500			
5	1004	パソコン	68,000			
6	1005	タブレット	39,500			
7	1006	ノートパソコン	45,000			
8	1007	ノートパソコン	28,000			
9	1008	タブレット	56,500			
10	1009	パソコン	45,500			
11	1010	パソコン	55,000			

式 **=MAXIFS(C2:C11,B2:B11,E2)**

説明 分類(B2 ～ B11)内でセル E2 と同じ値(タブレット)を探し、見つかった行の金額(C2 ～ C11)の値の最大値を求める。

統計　平均値　365　2021　2019　2016

アベレージ

AVERAGE

平均値を求める

指定した数値の平均(算術平均)を返す。セル範囲に含まれる文字列、論理値、空白セルは無視される。引数に直接論理値を指定した場合、TRUE は 1、FALSE は 0 とみなされる。

書 式： AVERAGE(数値 1,[数値 2],…)

[数値]では、平均を求めたい数値やセル範囲を指定する。

統計　平均値　365　2021　2019　2016

アベレージ・エー

AVERAGEA

データの平均値を求める

指定した値の平均値を求める。セルに入力された文字列は 0、TRUE は 1、FALSE は 0 とみなされる。セル範囲内に含まれる空白セルは無視される。

書 式： AVERAGEA(値 1,[値 2],…)

[値]では、平均値を求める数値やセル範囲を指定する。

使用例 1 テストの平均点を求める

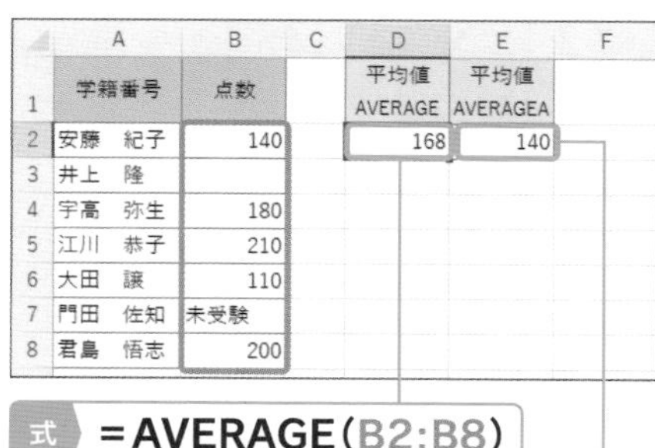

	A	B	C	D	E	F
1	学籍番号	点数		平均値 AVERAGE	平均値 AVERAGEA	
2	安藤　紀子	140		168	140	
3	井上　隆					
4	宇高　弥生	180				
5	江川　恭子	210				
6	大田　譲	110				
7	門田　佐知	未受験				
8	君島　悟志	200				

式 =AVERAGE(B2:B8)

式 =AVERAGEA(B2:B8)

説明　セル D2 では、AVERAGE 関数を使って点数(B2 ～ B8)の数値の平均を求める。空白セルと文字列は計算対象から除外される。セル E2 では、AVERAGEA 関数を使って同様に平均を求める。空白セルは計算対象から除外されるが、文字列は 0 とみなされて計算対象に含め「140」が返る。

COLUMN

平均の種類

平均には、算術平均、相乗平均、調和平均の３種類ある。各平均値は０以上の $x_1, x_2, \cdots, x_n$ というｎ個の数に対して、それぞれ以下の式で求められる。

- 算術平均(A)は、相加平均ともいい、一般的な平均値。例えば、テストの平均点を求める場合などで使用する。(AVERAGE 関数)

$$A=\frac{x_1+x_2+\cdots+x_n}{n}$$

- 相乗平均(G)は、幾何平均ともいい、変化率の平均を求めるときに使う。例えば、製品売上の年の成長率(%)の平均を求めるときに使う。(GEOMEAN 関数)

$$G=n\sqrt{x_1x_2\cdots x_n}$$

- 調和平均(H)は、各データの逆数の算術平均の逆数で求められる。例えば、往復の平均時速を求めるときに使う。(HARMEAN 関数)

$$\frac{1}{H}=\frac{1}{n}\left(\frac{1}{x_1}+\frac{1}{x_2}+\cdots+\frac{1}{x_n}\right)$$

関連

AVERAGE　数値の平均値を求める ➡ p.110
GEOMEAN　相乗平均（幾何平均）を求める ➡ p.114
HARMEAN　調和平均を求める ➡ p.114
TRIMMEAN　極端なデータを除いた平均を求める ➡ p.115

アベレージ・イフ

AVERAGEIF

条件を満たす数値の平均値を求める

指定したセル範囲の中から、検索条件に一致するデータの平均を返す。

書 式： AVERAGEIF(範囲, 検索条件,[平均範囲])

- [範囲]内で、[検索条件]に一致する値を探し、見つかった行の[平均範囲]の値の平均を求める。
- [範囲]には、検索の対象となるセル範囲を指定する。
- [検索条件]には、[範囲]の中から平均を求めたいデータの条件を指定する。数値とセル範囲以外で指定する場合は「"」で囲む。比較演算子、ワイルドカード文字を使用した条件を設定できる(p.32 表参照)。
- [平均範囲]には、平均を求めるデータが入力されているセル範囲を指定する。省略時は、[範囲]にある数値が平均される。

使用例 1 店舗が「新宿」の数量を平均する

	A	B	C	D	E	F
1	日付	店舗	数量		新宿平均	
2	10月1日	新宿	10		17.5	
3	10月2日	青山	20			
4	10月3日	原宿	15			
5	11月1日	青山	10			
6	11月2日	新宿	25			
7	11月3日	原宿	30			
8						

式 =AVERAGEIF(B2:B7,"新宿",C2:C7)

説明 [範囲](B2 ～ B7)内で [検索条件](新宿)を探し、見つかった行の [平均範囲](C2 ～ C7)の値を平均する。

アベレージ・イフス

AVERAGEIFS

複数の条件を満たす平均値を求める

複数の範囲ごとに条件を設定し、すべての条件を満たす数値の平均値を返す。

書式： **AVERAGEIFS(平均範囲, 条件範囲 1, 条件 1, [条件範囲 2, 条件 2],…)**

- [条件範囲]内で、[条件]に一致する値を探し、見つかった行の[平均範囲]にある値を平均する。[条件範囲]と[条件]は必ずセットで指定し、最大 127 組まで指定できる。[条件範囲]と[条件]のセットを増やした場合、すべての条件を満たした場合のみ平均される。
- [平均範囲]には、平均を求めるデータが入力されているセル範囲を指定する。
- [条件範囲]には、検索の対象となるセル範囲を指定する。
- [条件]には、[条件範囲]の中から平均を求めたいデータの条件を指定する。数値、文字列、セル範囲、比較演算子やワイルドカード文字を使って指定でき、数値とセル範囲以外で指定する場合は、「"」で囲む。

使用例 1 店舗が「原宿」で種別が「100」の売上平均を求める

	A	B	C	D	E	F	G	H
1	日付	店舗	種別	商品	金額		原宿で100の売上平均	
2	10月1日	新宿	100	チョコセット	45,000		32,500	
3	10月2日	青山	200	マカロン詰め合わせ	20,000			
4	10月3日	原宿	100	チョコケーキ	35,000			
5	11月1日	青山	200	期間限定マカロン	20,000			
6	11月2日	新宿	300	クッキー缶	25,000			
7	11月3日	原宿	100	キャンデー缶	30,000			
8								

式 **=AVERAGEIFS(E2:E7,B2:B7,"原宿",C2:C7,100)**

説明 [条件範囲 1](B2 ～ B7)内で [条件 1](原宿)、[条件範囲 2](C2 ～ C7)内で [条件 2](100)を探して、両方が見つかった行の [平均範囲](E2 ～ E7)の値を平均する。

関連 SUMIF 条件を満たす数値を合計する ➡ p.32

統計　平均値　365 2021 2019 2016

ジオメトリック・ミーン
GEOMEAN
相乗平均（幾何平均）を求める

指定した数値の相乗平均を返す。相乗平均は、幾何平均ともいい、成長率や利率の平均を求めるときなどに使う。

書式：　GEOMEAN(数値 1,[数値 2],…)

[数値]では、相乗平均を求める数値やセル範囲を指定する。セルに入力された文字列、論理値、空白セルは無視される。

使用例 1 過去 4 年の前年比利益から平均伸び率を求める

	A	B	C	D	E
1	年度	利益前年比		平均伸び率	102.9%
2	2019	96%			
3	2020	105%			
4	2021	89%			
5	2022	125%			

説明　各年の利益前年比(セル B2 ～ B5)から平均伸び率を求める。

式　=GEOMEAN(B2:B5)

統計　平均値　365 2021 2019 2016

ハーモニック・ミーン
HARMEAN
調和平均を求める

指定した数値の調和平均を返す。調和平均は、平均の速度を計算するときによく用いられる。

書式：　HARMEAN(数値 1,[数値 2],…)

[数値]では、数値またはセル範囲を指定する。セルに入力された文字列、論理値、空白セルは無視される。

使用例 1 3 区画の平均速度から全体の平均速度を求める

	A	B	C	D
1		平均時速		全体の平均時速
2	1区間10Km	80		84.8
3	2区間10Km	90		
4	3区間10Km	85		
5				

説明　3 区間の平均時速(セル B2 ～ B4)から全体の平均速度を求める。

式　=HARMEAN(B2:B4)

関連　平均の種類 ➡ p.111

トリム・ミーン
TRIMMEAN

極端なデータを除いた平均を求める

指定した数値の範囲の上限と下限から一定の割合のデータを取り除いた残りの数値の平均を返す。全体に対して極端に大きかったり、小さかったりする数値を除外した平均を求めることができる。

書式：　TRIMMEAN(配列, 割合)

- [配列]では、平均を求めたい配列またはセル範囲を指定する。
- [割合]では、計算から排除する割合を指定する。例えば、0.2とした場合、全体で20%排除となるように、上限と下限からそれぞれ10%ずつ排除する。

使用例1 上位10%、下位10%ずつ除外して平均値を求める

	A	B	C	D	E	F
1	NO	ボール投げ(m)		上下10%除く平均	25.5	
2	1001	3		全体の平均	25.9	
3	1002	18				
4	1003	22				
5	1004	30				
6	1005	52				
7	1006	32				
8	1007	22				
9	1008	36				
10	1009	24				
11	1010	20				
12						

式 =AVERAGE(B2:B11)

式 =TRIMMEAN(B2:B11,0.2)

説明　ボール投げ(m)(B2～B11)の中で、全体で20%上位と下位それぞれ10%ずつのデータを除いた数値で平均を求める。

統計　順位　365　2021　2019　2016

ランク・イコール

RANK.EQ

順位を求める

範囲内で指定した数値が大きい順または小さい順で何番目にあるか順位を求める。同じ数字がある場合は、同順位になる。

書 式：　RANK.EQ(数値, 範囲,[順序])

- [数値]では、順位を調べる数値を指定する。
- [範囲]では、数値の配列またはセル範囲を指定する。範囲内の文字列、論理値、空白セルは無視される。
- [順序]では、0 または省略した場合は、降順(大きい順)、1 にした場合は昇順(小さい順)に 1 から順位が付く。

使用例 1 テストの点数から順位を求める

	A	B	C	D	E
1	学籍番号	点数	順位	重複連番	重複考慮順位
2	1	140	6	1	6
3	2	180	3	1	3
4	3	150	5	1	5
5	4	210	1	1	1
6	5	110	7	1	7
7	6	180	3	2	4
8	7	200	2	1	2
9					

式 =COUNTIF($C$2:C2,C2)

式 =C2+D2-1

式 =RANK.EQ(B2,$B$2:$B$8,0)

Hint 重複順位が付かないようにするには、D列のようにCOUNTIF関数で重複数字に連番を付け(p.103　COUNTIF使用例参照)、E列のように「順位＋重複連番−1」とすることで重複なしの順位を求められる。これは、重複しない順位をもとに学籍番号を検索したい時などに利用できる。

説明　点数(B2 ～ B8)の中でセル B2(140)が大きい順で何位かを求める。180 点の 3 位が 2 つあるため、次の 150 点が 5 位になる。

関連

COUNTIF　条件を満たすデータの個数を求める ➡ p.100
RANK.AVG　同順位の場合は平均値にして順位を求める ➡ p.117
RANK　互換性関数 ➡ p.421

ランク・アベレージ

RANK.AVG

同順位の場合は平均値にして順位を求める

範囲内で指定した数値が大きい順または小さい順で何番目にあるか順位を求める。同じ数字がある場合は、順位の平均値で同順位になる。

書式： RANK.AVG(数値, 範囲,[順序])

- [数値]では、順位を調べる数値を指定する。
- [範囲]では、数値の配列またはセル範囲を指定する。範囲内の文字列、論理値、空白セルは無視される。
- [順序]では、0 または省略した場合は、降順(大きい順)、1 の場合は昇順(小さい順)に 1 から順位が付く。

使用例 1 テストの点数から順位を求める(同点は平均値で順位付け)

	A	B	C	D
1	学籍番号	点数	順位	
2	1	140	6	
3	2	180	3.5	
4	3	150	5	
5	4	210	1	
6	5	110	7	
7	6	180	3.5	
8	7	200	2	
9				

式 =RANK.AVG(B2,$B$2:$B$8,0)

説明 点数(B2 ～ B8)の中でセル B2(140)が大きい順で何位かを求める。180 点が 2 つあるため、3 位と 4 位の平均値 3.5 位となり、140 点は 6 位になる。

関連 RANK.EQ 順位を求める ➡ p.119

スモール / ラージ

SMALL / LARGE

小さい方または大きい方から指定した順位にある値を求める

SMALL 関数は、範囲内で小さい順で指定した順位にある値を求める。LARGE 関数は、範囲内で大きい順で指定した順位にある値を求める。

書式： **SMALL(範囲, 順位)**
LARGE(範囲, 順位)

- [範囲]では、検索対象となる数値の配列またはセル範囲を指定する。文字列、論理値、空白セルは無視される。
- [順位]では、小さい順または大きい順で何番目か求めたい順位を数値で指定する。

使用例 1　50m 走とボール投げの順位を求める

	A	B	C	D	E	F	G	H
1	学籍番号	50m走	ボール投げ		順位	50m走	ボール投げ	
2	1001	9.27	3		1	8.15	30	
3	1002	11.33	18		2	9.27	22	
4	1003	8.15	22					
5	1004	10.05	30					
6								

式 **=SMALL($B$2:$B$5,E2)**

式 **=LARGE($C$2:$C$5,E2)**

説明　セル F2 では、SMALL 関数を使って 50m 走(B2 ～ B5)で 1 位(セル E2)のタイムを求める。セル G2 では、LARGE 関数を使ってボール投げ(C2 ～ C5)で 1 位(セル E2)の距離を求める。

関連

MIN　数値の最小値を求める ➡ p.106
MINA　データの最小値を求める ➡ p.106

パーセントランク・インクルーシブ / パーセントランク・エクスクルーシブ

PERCENTRANK.INC / PERCENTRANK.EXC

百分率での順位を求める

PERCENTRANK.INC 関数は、配列内での値の順位を小さい方から数えて何 % の位置にあるのかを 0 以上 1 以下の値で返す。PERCENTRANK.EXC 関数は、配列内での値の順位を小さい方から数えて何 % の位置にあるのかを 0 より大きく 1 より小さい値で返す。

書 式: **PERCENTRANK.INC(配列,x,[有効桁数])**
PERCENTRANK.EXC(配列,x,[有効桁数])

- [配列]では、数値の配列定数またはセル範囲を指定する。セル範囲内にある文字列、論理値、空白セルは無視される。
- [x]では、順位を調べたい数値を指定する。[配列]の範囲内に[x]が含まれていない場合、その値を[配列]に追加して計算される。
- [有効桁数]では、計算結果が百分率で小数点第何位まで表示するかを指定する。省略すると、小数点第 3 位まで計算される。

使用例 1 テストの結果を百分率の順位で求める

	A	B	C	D	E
1	学籍番号	点数	百分率の順位		
2			0%と100%を含む	0%と100%を含まない	
3	安藤　紀子	140	0.16	0.25	
4	井上　隆	180	0.5	0.5	
5	宇高　弥生	150	0.33	0.37	
6	江川　恭子	210	1	0.87	
7	大田　譲	110	0	0.12	
8	門田　佐知	180	0.5	0.5	
9	君島　悟志	200	0.83	0.75	
10					

式 =PERCENTRANK.EXC($B$3:$B$9,B3,2)

式 =PERCENTRANK.INC($B$3:$B$9,B3,2)

説明 セル C3 では、PERCENTRANK.INC 関数を使って点数($B$3 ~ $B$9)の中でセル B3(140)が 0% 以上 100% 以下の範囲で全体の何%の位置にあるかを小数点第 2 位まで求める。セル D3 では、PERCENTRANK.EXC 関数を使って同様に 0% より大きく 100% より小さい範囲で全体の何%の位置にあるかを求める。

統計　分位　365　2021　2019　2016

パーセンタイル・インクルーシブ / パーセンタイル・エクスクルーシブ

PERCENTILE.INC / PERCENTILE.EXC

百分位数を求める

PERCENTILE.INC 関数は、配列内での値の順位を小さい方から数えて 0 以上 1 以下の範囲で指定したパーセントの位置にある値を返す。PERCENTILE.EXC 関数は、配列内での値の順位を小さい方から数えて 0 より大きく 1 より小さい範囲で指定したパーセントの位置にある値を返す。

書式： PERCENTILE.INC(配列, 率)
PERCENTILE.EXC(配列, 率)

- [配列]では、百分位数を調べるための数値の配列定数またはセル範囲を指定する。セル範囲内にある文字列、論理値、空白セルは無視される。
- [率]では、PERCENTILE.INC 関数は、調べたい値の位置を 0 以上 1 以下の範囲で指定する。0 を指定すると[配列]内で最小値、1 を指定すると最大値を返す。また、[率]が 1÷(データの個数－1)の倍数でない場合、データを補間し、百分位で[率]に位置する値を求める。PERCENTILE.EXC 関数は、調べたい値の位置を 0 より大きく 1 より小さい範囲で指定する。[率]に指定した百分位の率が配列内の 2 つの値の間にある場合は率の補間が行われるが、指定された率を補間できない場合、エラー値「#NUM!」を返す。例えば、0.1 とか 0.9 など 0 や 1 に近い率の場合にエラーになることがある。0 と 1 を含めないで計算するところが PERCENTILE.INC 関数と異なる。

使用例 1 テストの点数をもとに上位 10%、下位 10% の位置にある値を求める

	A	B	C	D	E	F
1	学籍番号	点数		上位10%	204	
2	安藤　紀子	140		下位10%	128	
3	井上　隆	180				
4	宇高　弥生	150				
5	江川　恭子	210				
6	大田　譲	110				
7	門田　佐知	180				
8	君島　悟志	200				

式 =PERCENTILE.INC(B2:B8,0.9)

式 =PERCENTILE.INC(B2:B8,0.1)

説明 セル E1 では、点数列(B2 ～ B8)の中で上位 10%(大きい方から 10% なので 0.9)に当たる点数、セル E2 では、下位 10%(小さい方から 0.1)に位置する点数を求める。どちらも一致する数値が点数列にないので、それぞれの位置に相当するデータが補間された結果が返る。

クアタイル・インクルーシブ / クアタイル・エクスクルーシブ

QUARTILE.INC / QUARTILE.EXC

四分位数を求める

QUARTILE.INC 関数は、配列内での値の順位を小さい方から数えて、指定した四分位(0%、25%、50%、75%、100%)の位置にある値を返す。配列内に該当する値がない場合は補間される。QUARTILE.EXC 関数は、四分位(25%、50%、75%)の位置にある値を返す。0% と 100% を含めないところが QUARTILE.INC 関数と異なる。

書 式： **QUARTILE.INC(配列, 戻り値)**
QUARTILE.EXC(配列, 戻り値)

- [配列]では、四分位数を求めたい配列定数またはセル範囲を指定する。
- [戻り値]では、戻り値として返される四分位数の内容を、0 ～ 4 までの数値で指定する。QUARTILE.INC 関数は 1 ～ 3 の数値で指定する(表参照)。

パラメータ	戻り値	同等関数
0	最小値（0%）	MIN 関数
1	第 1 四分位数（25%）	
2	第 2 四分位数（50%）	MEDIAN 関数
3	第 3 四分位数（75%）	
4	最大値（100%）	MAX 関数

使用例 1 上位 25％ の位置にある点数を合格ラインにする

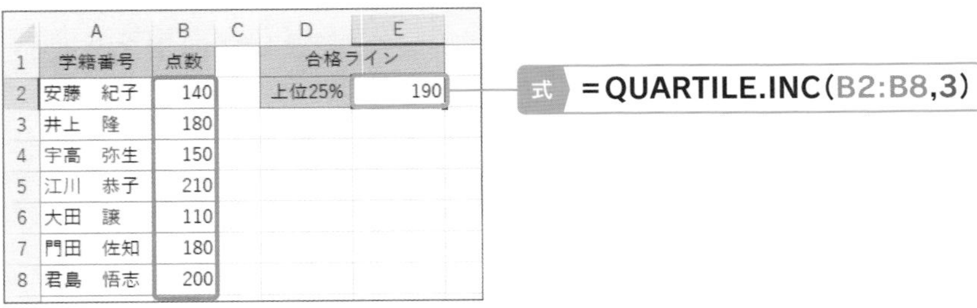

説明 点数(B2 ～ B8)の範囲で上位 25％(四分位で 3)にあたる点数を求める。点数の上位は得点が大きい方が上位なので、上位 25％ は小さい方から 75％ということになり、第 2 引数は 3 を指定する。

統計　分散　365　2021　2019　2016

バリアンス・ピー

VAR.P

数値をもとに分散を求める

指定した数値を母集団全体とみなし、母集団の分散を返す。セル範囲内にある論理値と文字列は無視して計算する。

書式：　VAR.P(数値 1,[数値 2],…)

[数値]では、数値、配列定数、セル範囲を指定する。配列やセル範囲内に含まれる数値のみが計算対象となり、空白セル、論理値、文字列、エラー値は無視される。引数に直接指定した論理値(TRUE は 1、FALSE は 0)と数値を表す文字列は計算の対象になる。

Hint

・分散とは、データの散らばり度合いを表す値をいう。各データが平均値からどのくらい離れているかを示し、分散の値が大きいほど平均値から離れたデータが多いことを意味する。分散を求めるには、各データの平均値との差を 2 乗したものをすべて足し、データ数で割る。各データを x、平均を μ、個数を n とすると、次のような式になる。

$$\frac{\Sigma (x-\mu)^2}{n}$$

・母集団とは、統計する際の全データを指す。全データの中から一部を取り出したものを標本という。

使用例 1 テスト結果から国語と数学の分散を求める

	A	B	C	D	E	F
1	学籍番号	国語	数学		国語の分散	数学の分散
2	安藤　紀子	50	100		150	1275
3	井上　隆	50	20			
4	宇高　弥生	70	40			
5	江川　恭子	60	20			
6	大田　譲	60	90			
7	門田　佐知	40	20			
8	君島　悟志	70	90			
9	熊川　淳史	80	100			
10	平均	60	60			
11						

式 =VAR.P(B2:B9)

式 =VAR.P(C2:C9)

説明 セル E2 で国語の点数(B2 ～ B9)から分散を求め、セル F2 で数学の点数(C2 ～ C9)から分散を求める。国語、数学共に平均値は同じだが、数学の方が分散の値が大きい。平均値から離れたデータが国語より多いことがわかる。

統計 | 分散 | 365 | 2021 | 2019 | 2016

バリアンス・ピー・エー
VARPA
データをもとに分散を求める

指定した数値を母集団全体とみなし、母集団の分散を返す。範囲内にある論理値や文字列を計算対象にする点がVAR.P関数と異なる。

書 式： VARPA(値1,[値2],…)

[値]では、数値、配列定数、セル範囲を指定する。引数に含まれる論理値でTRUEは1、FALEは0、文字列は0とみなされる。配列定数またはセル範囲内の空白セルと文字列は無視される。

統計 | 分散 | 365 | 2021 | 2019 | 2016

バリアンス・エス
VAR.S
数値をもとに不偏分散を求める

指定した数値を正規母集団の標本とみなし、標本に基づいて母集団の分散の推定値(不偏分散)を返す。セル範囲内にある論理値と文字列は無視して計算する。

書 式： VAR.S(数値1,[数値2],…)

[数値]では、母集団の標本に対応する数値、配列定数、セル範囲を指定する。引数に直接指定した論理値(TRUEは1、FALSEは0)と数値を表す文字列は計算の対象になるが、配列定数またはセル範囲内にある文字列、論理値、空白セル、エラー値は無視される。

Hint 不偏分散は、各データをx、平均値をμ、個数をnとすると、次のような式になる。

$$\frac{\Sigma(x-\mu)^2}{n-1}$$

使用例1 抽出したデータから不偏分散を求める

	A	B	C	D	E
1	抽出番号	得点		不偏分散	
2	1011	50		171.4286	
3	1023	50			
4	2018	70			
5	2230	60			
6	3520	60			
7	3670	40			
8	4550	70			
9	5672	80			
10					

式 =VAR.S(B2:B9)

説明 得点列(B2～B9)を母集団の標本とみなし、不偏分散を求める。

統計　分散　365　2021　2019　2016

バリアンス・エー
VARA

データをもとに不偏分散を求める

指定した値を正規母集団の標本とみなし、標本に基づいて母集団の分散の推定値(不偏分散)を返す。セル範囲内にある論理値や文字列を計算対象にする点がVAR.P関数と異なる。

書 式： VARA(値1,[値2],…)

[値]では、数値、配列定数、セル範囲を指定する。引数に含まれる論理値でTRUEは1、FALEは0、文字列は0とみなされる。空白セルは無視される。

統計　標準偏差　365　2021　2019　2016

スタンダード・ディビエーション・ピー
STDEV.P

数値をもとに標準偏差を求める

指定した数値を母集団全体であるとみなして、母集団の標準偏差を返す。セル範囲内にある論理値と文字列は無視して計算する。。

書 式： STDEV.P(数値1,[数値2],…)

[数値]では、集団全体に対応する数値、配列定数、セル範囲を指定する。引数として直接指定した論理値(TRUEは1、FALSEは0)と数値を表す文字列は計算の対象となるが、配列定数またはセル範囲では、文字列、論理値、空白セル、エラー値は無視される。

Hint 標準偏差とは、データがその平均からどれだけ広い範囲に分布しているかを計測したもので、各データをx、平均値をμ、個数をnとすると、次のような式になり、標準偏差＝√分散という関係が成り立つ。数値が平均値の近くに集中していれば標準偏差は小さく、平均から広がっていれば大きくなる。

$$\sqrt{\frac{\Sigma(x-\mu)^2}{n}}$$

標準偏差を使って、偏差値を求めることができる。偏差値とは、平均を50として、平均からどのくらい離れているかを表す数値で、次のような式によって求められる。

偏差値＝(個人の得点 ― 平均点)÷(標準偏差)×10＋50

使用例1 全生徒を対象に標準偏差を求める

	A	B	C	D	E	F	G	H	I
1	NO	1組	2組	3組	4組	5組		平均値	63.1
2	1	33	86	36	41	81		標準偏差	17.99509
3	2	56	45	44	59	63			
4	3	21	69	63	81	78		偏差値	
5	4	44	61	96	73	74		2組3番：69点	53.27867
6	5	58	69	77	76	99		5組5番：99点	69.94988
7	6	62	70	60	50	68			

説明 1組～5組の全生徒の各点数から標準偏差を求める。

式 =STDEV.P(B2:F7)

統計 標準偏差 365 2021 2019 2016

スタンダード・ディビエーション・ピー・エー

STDEVPA

データをもとに標準偏差を求める

指定した数値を母集団全体であるとみなして、母集団の標準偏差を返す。セル範囲内にある論理値や文字列を計算対象にする点がSTDEV.P関数と異なる。

書式：　STDEVPA(値1,[値2],…)

[値]では、母集団に対応する値、数値、数値配列、数値を含む範囲を参照する名前かセル参照、数値を表す文字列、TRUEやFALSEなどの論理値を指定できる。TRUEは1、FALSEは0とみなされる。セル範囲に含まれる文字列は0とみなされ、空白セルは無視される。

統計 標準偏差 365 2021 2019 2016

スタンダード・ディビエーション・エス

STDEV.S

数値をもとに不偏標準偏差を求める

指定した数値を母集団の標本とみなして、母集団の不偏標準偏差を返す。セル範囲内にある論理値と文字列は無視して計算する。

書式：　STDEV.S(数値1,[数値2],…)

[数値]では、母集団の標本に対応する数値、配列定数、セル範囲を指定する。引数として直接指定した論理値と数値を表す文字列は計算の対象となるが、配列定数またはセル範囲では、文字列、論理値、空白セル、エラー値は無視される。

使用例1 全生徒から一部を抽出して不偏標準偏差を求める

	A	B	C	D	E	F	G	H	I	J
1	NO	1組	2組	3組	4組	5組		平均値	57.06667	
2	1	33	86	36	41	81		標準偏差	19.88706	
3	2	56	45	44	59	63				
4	3	21	69	63	81	78		偏差値		
5								2組3番：69点	56.00055	
6										

式 =STDEV.S(B2:F4)

説明 1組～5組の抽出した生徒の各点数から不偏標準偏差を求める。

Hint 不偏標準偏差は、母集団の標準偏差の推定値です。各データをx、平均値をμ、個数をnとすると、次のような式になります。

$$\sqrt{\frac{\Sigma(x-\mu)^2}{n-1}}$$

統計　標準偏差　365　2021　2019　2016

スタンダード・ディビエーション・エー

STDEVA

データをもとに不偏標準偏差を求める

指定した数値を母集団の標本であるとみなして不偏標準偏差を返す。セル範囲内にある論理値や文字列を計算対象にする点がSTDEV.S関数と異なる。

書 式：　STDEVA(値 1,[値 2],…)

[値]では、母集団の標本に対応する数値、配列定数、セル範囲を指定する。数値を表す文字列、TRUEやFALSEなどの論理値を指定できる。TRUEは1、FALSEは0とみなされる。セル範囲に含まれる文字列は0とみなされ、空白セルは無視される。

統計　偏差　365　2021　2019　2016

アベレージ・ディビエーション

AVEDEV

数値をもとに平均偏差を求める

指定した数値をもとに平均偏差を返す。平均偏差とは、データの散らばりを示す指標の一つで、各データと平均値との差の絶対値をすべて合計したものを個数で割った値。

書 式：　AVEDEV(数値 1,[数値 2],…)

[数値]では、平均偏差を求める対象となる数値、配列定数、セル範囲を指定する。引数に直接指定した論理値や数値を表す文字列は計算対象となるが、配列定数、セル範囲内の文字列、論理値、空白セルは無視される。

Hint　平均偏差は、各データをx、平均値をμ、個数をnとすると、次のような式が成り立つ。

$$\frac{1}{n}\sum|x-\mu|$$

統計　偏差　365　2021　2019　2016

ディビエーション・スクエア

DEVSQ

数値をもとに偏差平方和を求める

指定した数値の偏差平方和を返す。偏差平方和とは、各データと平均値との差(偏差)を二乗し、足し合わせたもの。

書 式：　DEVSQ(数値 1,[数値 2],…)

[数値]では、平方和の合計を計算する数値、配列定数、セル範囲を指定する。引数に直接指定した論理値と数値を表す文字列は計算の対象となるが、配列定数またはセル範囲にある文字列、論理値、空白セルは無視される。

Hint　平均偏差は、各データをx、平均値をμ、個数をnとすると、次のような式が成り立つ。

$$\sum(x-\mu)^2$$

スキュー

SKEW

歪度を求める

指定した数値から歪度(わいど)を返す。歪度は、データ分布の左右対称性を示す指標のこと。

書 式： SKEW(数値 1,[数値 2],…)

[数値]は、歪度の計算の対象となる数値、配列定数、セル範囲を指定する。引数に直接指定した論理値と数値を表す文字列は計算の対象となるが、配列定数またはセル範囲内にある文字列、論理値、空白セルは無視される。指定する[数値]の数が 2 個以下の場合、または標本の標準偏差が 0 の場合は、エラー値「#DIV/0!」を返す。

Hint 歪度の結果が正の場合は最頻値が左に偏り、右裾が長い分布となる。これは、平均より極端に小さい値がある傾向を示す。負の場合は最頻値が右に偏り、左裾が長い分布となる。これは平均より極端に大きい値がある傾向を示す。0 の場合は左右対称で、正規分布になる。正規分布とは、平均値を中心にした左右対称の形で、釣り鐘のように左右に広がる裾野をもつ曲線をいう。正規分布では、平均値、最頻値、中央値が一致する。

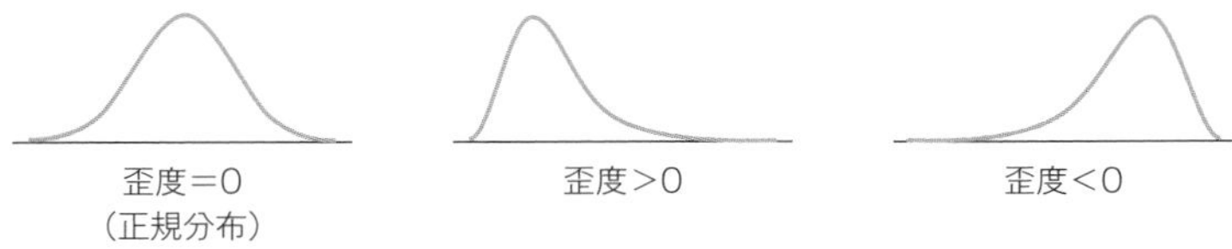

統計　歪度 / 尖度　365　2021　2019　2016

スキュー・ピー

SKEW.P

母集団にもとづく分布の歪度を求める

母集団にもとづく分布の歪度(わいど)を返す。母集団全体の標準偏差を使って計算する点が SKEW 関数と異なる。

書 式： SKEW.P(数値 1,[数値 2],…)

[数値]は、歪度の計算の対象となる数値、配列定数、セル範囲を指定する。引数に直接指定した論理値と数値を表す文字列は計算の対象となるが、配列定数またはセル範囲内にある文字列、論理値、空白セルは無視される。

カート
KURT

尖度を求める

指定した数値から尖度(せんど)を返す。尖度とは、正規分布と比較して相対的にどれだけデータが集中しているかを示す指標のこと。

書式：　KURT(数値 1,[数値 2],…)

[数値]は、尖度の計算の対象となる 数値、配列定数、セル範囲を指定する。引数に直接指定した論理値と数値を表す文字列は計算の対象となるが、配列定数またはセル範囲内にある文字列、論理値、空白セルは無視される。

Hint 尖度の結果は、正規分布の場合は 0 となり、正規分布と比較してデータが平均付近に集中して尖っていれば正の値、データが平均付近から散らばり正規分布より平坦な場合は負の値になる。

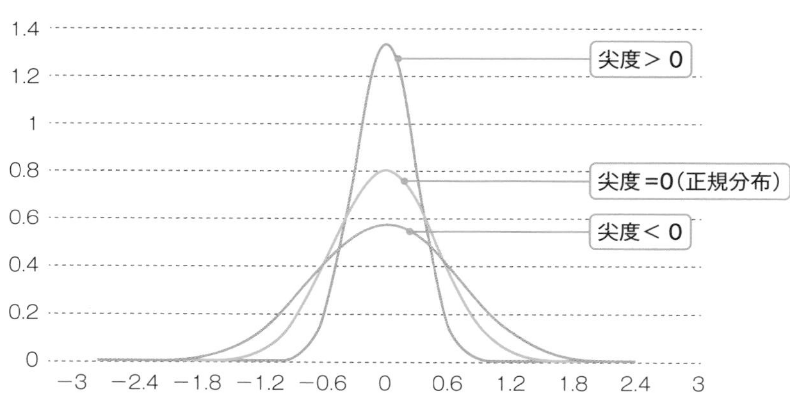

統計　相関　365　2021　2019　2016

コリレーション

CORREL

相関係数を求める

2 種類のデータをもとに相関係数を返す。相関係数は、2 種類の値の関連性を調べる目安で−1.0 ～ 1.0 の範囲内の値をとる。絶対値が 1 に近いほど関連性が強く、0 に近いほど関連性が弱いとされる。正の相関(2 つの変数の一方が増加するとき他も増加する関係)では相関係数が 1 に近い値、負の相関(2 つの変数の一方が増加するとき他が減少する関係)では相関係数が−1 に近い値になる。

書 式： CORREL(配列 1, 配列 2)

[配列]では、相関関係を調べたい配列定数またはセル範囲を同じサイズで指定する。文字列、論理値、空白セルは無視される。

使用例 1　2 種類のデータの相関係数を求める

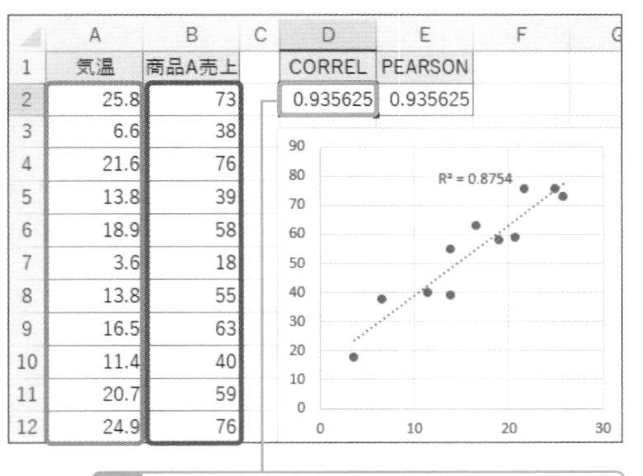

	A	B	C	D	E
1	気温	商品A売上		CORREL	PEARSON
2	25.8	73		0.935625	0.935625
3	6.6	38			
4	21.6	76			
5	13.8	39			
6	18.9	58			
7	3.6	18			
8	13.8	55			
9	16.5	63			
10	11.4	40			
11	20.7	59			
12	24.9	76			

式 **=CORREL(A2:A12,B2:B12)**

説明　気温(A2 ～ A12)と商品 A 売上(B2 ～ B12)の相関関係を求める。戻り値 0.93 は 1 に近いため、正の相関関係が強くあるとみられる。ここでは、A1 ～ B12 をもとに散布図グラフを作成し、線形近似曲線を追加して、近似曲線の R-2 乗値(RSQ 関数の結果と同じ値)を表示している。

統計　相関　365　2021　2019　2016

ピアソン

PEARSON

ピアソンの積率相関係数を求める

ピアソンの積率相関係数 r(−1.0 ～ 1.0)の値を返す。r は、2 種類のデータ間での線形相関の程度を示す。CORREL 関数と同じ結果を返す。

書 式： PEARSON(配列 1, 配列 2))

[配列]では、相関関係を調べたい配列定数またはセル範囲を同じサイズで指定する。文字列、論理値、空白セルは無視される。

統計　相関　365　2021　2019　2016

スクエア・オブ・コリレーション

RSQ

回帰直線の決定係数を求める

ピアソンの積率相関係数 r の 2 乗の値(決定係数)を返す。決定係数は、回帰直線の当てはまり具合(精度)を示す。0 ～ 1 の範囲の値をとり、1 に近いほど精度が高くなる。

書 式：　RSQ(既知の y, 既知の x)

- [既知の y]では、直線回帰のデータを含むセル範囲または配列定数を指定する。
- [既知の x]では、直線回帰のデータを含むセル範囲または配列定数を指定する。

統計　相関　365　2021　2019　2016

コバリアンス・ピー

COVARIANCE.P

共分散を求める

指定した 2 種類のデータを母集団とみなし、共分散を返す。共分散とは、2 種類のデータの関係を示す指標で、2 組の対応するデータの偏差(平均との差)の積の平均値。共分散は、相関係数のもととなる値。

書 式：　COVARIANCE.P(配列 1, 配列 2)

- [配列 1]では、相関関係を調べたいデータを指定する。
- [配列 2]では、相関関係を調べたいもう一方のデータを指定する。

Hint　共分散は 2 種類の各値を x、y、x の平均値を μ_1、y の平均値を μ_2、データの個数を n とした場合、次の数式で求められる。

$$\frac{1}{n}\sum(x-\mu_1)(y-\mu_2)$$

統計　相関　365　2021　2019　2016

コバリエンアンス・エス

COVARIANCE.S

標本の共分散を求める

指定した 2 種類のデータを母集団の標本とみなし、不偏共分散を返す。

書 式：　COVARIANCE.S(配列 1, 配列 2)

- [配列 1]では、データが入力されている一方のセル範囲を指定する。
- [配列 2]では、データが入力されているもう一方のセル範囲を指定する。

Hint　不偏共分散は 2 種類の各値を x、y、x の平均値を μ1、y の平均値を μ2、データの個数を n とした場合、次の数式で求められる。

$$\frac{1}{n-1}\sum(x-\mu_1)(y-\mu_2)$$

ノーマル・ディストリビューション

NORM.DIST

正規分布の確率密度や累積確率を求める

指定した平均と標準偏差で表される正規分布関数の値(確率密度または累積確率)を返す。仮説検定をはじめとする統計学の幅広い分野で利用できる。例えば、平均値と標準偏差を指定して正規分布のグラフを作成したり、60 点以上の受験者の割合を求めたりできる。

書 式： NORM.DIST(x, 平均, 標準偏差, 関数形式)

- [x]では、正規分布関数に代入する値を指定する
- [平均]では、対象となる分布の平均値(算術平均)を指定する。
- [標準偏差]では、対象となる分布の標準偏差を指定する。
- [関数形式]では、計算に使用する関数の形式を論理値で指定する。TRUE の場合は累積分布関数、FALSE の場合は確率密度関数の値を返す。

Hint
・確率密度とは、確率変数 xの相対的な値の出やすさを表す。
・累積分布関数は、確率変数がある値以下になる確率を表した関数。

使用例 1 正規分布をもとに平均値と標準偏差から指定した値が出る確率密度を求める

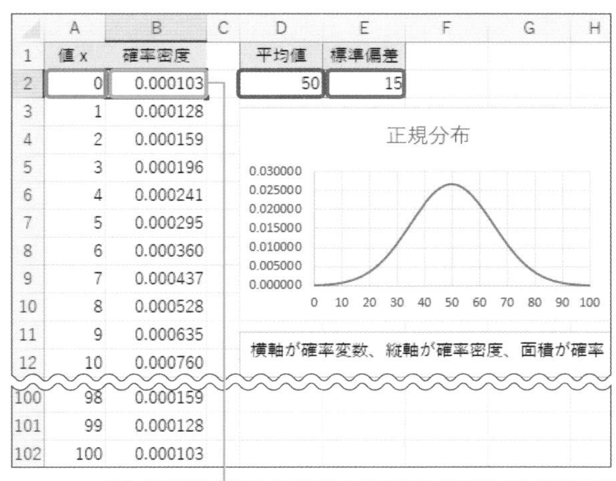

	A	B	C	D	E
1	値 x	確率密度		平均値	標準偏差
2	0	0.000103		50	15
3	1	0.000128			
4	2	0.000159			
5	3	0.000196			
6	4	0.000241			
7	5	0.000295			
8	6	0.000360			
9	7	0.000437			
10	8	0.000528			
11	9	0.000635			
12	10	0.000760			
100	98	0.000159			
101	99	0.000128			
102	100	0.000103			

式 **=NORM.DIST(A2,$D$2,$E$2,FALSE)**

説明 平均値が 50、標準偏差が 15 の正規分布をもとに値(確率変数)がセル A2 (0)のときの確率密度を求める。セル A2 ~ A102 まで 0 から 100 までの数値を入力し、B2 の式をセル B102 までコピーして各値の場合の確率密度が表示される。セル A2 ~ B102 を範囲選択して、散布図(平滑線)グラフを作成すると図のような正規分布のグラフが作成できる。

使用例 ② 正規分布をもとに平均値と標準偏差から、60 点以上の人数の割合を求める

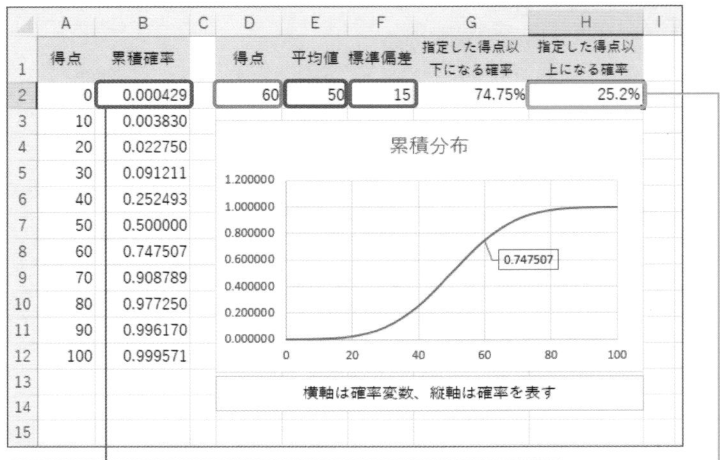

	A	B	C	D	E	F	G	H
1	得点	累積確率		得点	平均値	標準偏差	指定した得点以下になる確率	指定した得点以上になる確率
2	0	0.000429		60	50	15	74.75%	25.2%
3	10	0.003830						
4	20	0.022750						
5	30	0.091211						
6	40	0.252493						
7	50	0.500000						
8	60	0.747507						
9	70	0.908789						
10	80	0.977250						
11	90	0.996170						
12	100	0.999571						

式 =NORM.DIST(A2,$E$2,$F$2,TRUE)

式 =1-NORM.DIST(D2,E2,F2,TRUE)

説明 平均値が 50、標準偏差が 15 の正規分布のとき、セル D2(60)の点以上の人数割合は、1 から NORM.DIST 関数の第 4 引数［関数の形式］で TRUE を指定して求めた累積確率を引くことで求められる。

ノーマル・インバース
NORM.INV

正規分布の累積分布関数の逆関数の値を求める

指定した平均と標準偏差で表される正規分布の累積分布関数の逆関数の値を返す。例えば、累積の確率85%に位置する点数を逆算できる。平均が0、標準偏差が1の場合、標準正規分布関数の逆関数の値を返す。

書式： NORM.INV(確率, 平均, 標準偏差)

- [確率]では、正規分布における累積の確率を指定する。
- [平均]では、対象となる分布の平均値(算術平均)を指定する。
- [標準偏差]では、対象となる分布の標準偏差を指定する。

使用例 1 累積確率が80%のときの得点を求める

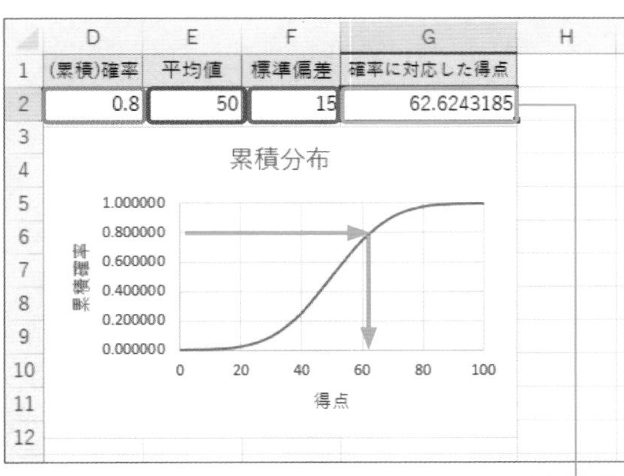

式 =NORM.INV(D2,E2,F2)

説明 平均値50(セルE2)、標準偏差15(セルF2)で表される正規分布で、累積確率が80%(セルD2)のときの得点を求めると、約62.6点が表示される。これにより、上位20%になるには約62.6点必要であることがわかる。

統計　正規分布　365　2021　2019　2016

ノーマル・スタンダード・ディストリビューション

NORM.S.DIST

標準正規分布の確率密度や累積確率を求める

値を標準正規分布関数に代入したときの確率密度関数の値または累積分布関数の値を返す。標準正規分布とは、平均値が 0、標準偏差が 1 の正規分布で、統計学で最もよく使用されている。

書 式：　NORM.S.DIST(z, 関数形式)

- [z]では、標準正規分布関数に代入する値を指定する。
- [関数形式]では、計算に使用する関数の形式を論理値で指定する。TRUE の場合は累積分布関数、FALSE の場合は確率密度関数の値を返す。

使用例 1　標準正規分布の確率密度と累積確率表を作成する

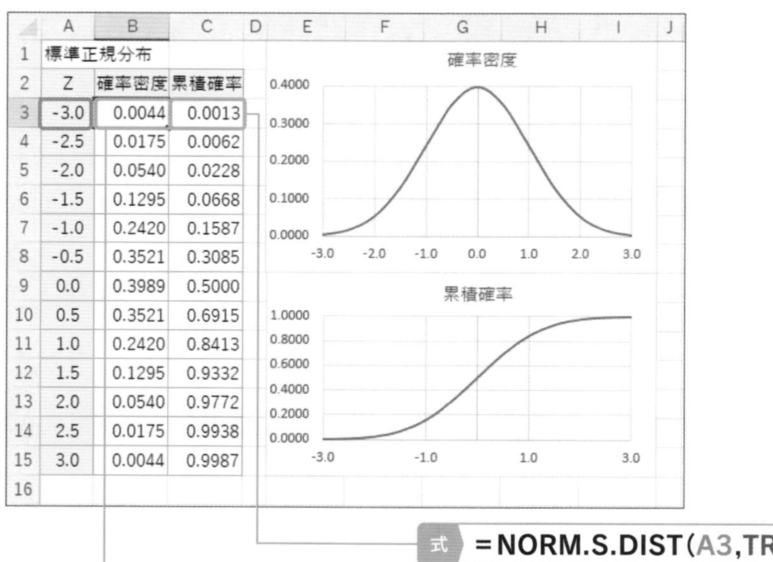

	A	B	C
1	標準正規分布		
2	Z	確率密度	累積確率
3	-3.0	0.0044	0.0013
4	-2.5	0.0175	0.0062
5	-2.0	0.0540	0.0228
6	-1.5	0.1295	0.0668
7	-1.0	0.2420	0.1587
8	-0.5	0.3521	0.3085
9	0.0	0.3989	0.5000
10	0.5	0.3521	0.6915
11	1.0	0.2420	0.8413
12	1.5	0.1295	0.9332
13	2.0	0.0540	0.9772
14	2.5	0.0175	0.9938
15	3.0	0.0044	0.9987
16			

式 =NORM.S.DIST(A3,TRUE)

式 =NORM.S.DIST(A3,FALSE)

説明　標準正規分布で、値 Z が－３～３のときの確率密度と累積確率表を作成する。表をもとに確率密度と累積確率の散布図（平滑線）のグラフを作成している。

統計 正規分布 365 2021 2019 2016

ノーマル・スタンダード・インバース
NORM.S.INV

標準正規分布の累積分布関数の逆関数の値を求める

標準正規分布の累積分布関数の逆関数の値を返す。累積確率から対応する値 Z を逆算できる。

書式： NORM.S.INV(確率)

[確率]では、標準正規分布で値を逆算するときに指定する累積確率を 0 ～ 1 の範囲で指定する。例えば「=NORM.S.INV(0.85)」とした場合、累積確率(85％)に対応する値「1.036433」を返す。

統計 正規分布 365 2021 2019 2016

ファイ
PHI

標準正規分布の確率密度を求める

標準正規分布の確率密度関数の値を返す。NORM.S.DIST 関数で第 2 引数[関数形式]を FALSE に設定したときと同じ結果を返す。

書式： PHI(x)

[x]では、標準正規分布の確率密度を求める数値を指定する。

統計 正規分布 365 2021 2019 2016

スタンダーダイズ
STANDARDIZE

データを標準化（正規化）する

平均と標準偏差で表される正規分布上の値を、平均が 0、標準偏差が 1 である標準正規分布に変換した値(標準化変量)を返す。これを標準化または正規化という。

書式： STANDARDIZE(x, 平均, 標準偏差)

- [x]では、標準化(正規化)する値を指定する。
- [平均]では、対象となる分布の平均値(算術平均)を指定する。
- [標準偏差]では、対象となる分布の標準偏差を指定する。

Hint 標準化変量は、値が x、平均値が μ、標準偏差が s とした場合、以下の数式で定義される。

$$\frac{x-\mu}{s}$$

統計　正規分布　365　2021　2019　2016

ガウス
GAUSS

指定した標準偏差の範囲になる確率を求める

標準正規分布で、母集団からランダムに取り出したある値が、平均値から標準偏差の何倍かまでの範囲に入る確率を返す。

書 式：　GAUSS(値)

[値]では、分布を求める値を指定する。

Hint　標準正規分布の累積分布関数より0.5小さい値を返す。例えば、値を「10」とした場合、「=GAUSS(10)」は「0.5」を返す。このとき、「=NORM.S.DIST(10,TRUE)」は「1.0」を返す。

統計　対数分布　365　2021　2019　2016

ログ・ノーマル・ディストリビューション
LOGNORM.DIST

対数正規分布の確率密度や累積確率を求める

平均と標準偏差で表される対数正規分布において、値xのときの確率密度関数や累積分布関数の値を求める。

書 式：　LOGNORM.DIST(x, 平均, 標準偏差, 関数形式)

- [x]では、関数に代入する値を指定する。
- [平均]では、ln(x)の平均値(算術平均)を指定する。
- [標準偏差]では、ln(x)の標準偏差を指定する。
- [関数形式]では、TRUEを指定すると累積分布関数の値が計算され、FALSEを指定すると確率密度関数の値が計算される。

統計　対数分布　365　2021　2019　2016

ログ・ノーマル・インバース
LOGNORM.INV

対数正規分布の累積分布関数の逆関数の値を求める

平均と標準偏差で表される対数正規分布における累積確率に対するもとの値を求める。LOGNORM.DIST関数でTRUEを指定した場合(累積分布関数)の逆関数の値を返す。

書 式：　LOGNORM.INV(確率, 平均値, 標準偏差)

- [確率]では、対数正規型分布に伴う確率を指定する。
- [平均値]では、ln(x)の平均値(算術平均)を指定する。
- [標準偏差]では、ln(x)の標準偏差を指定する。

関連　NORM.S.DIST　標準正規分布の確率密度や累積確率を求める ➡ p.135

統計　上限と下限値の確率　365 2021 2019 2016

プロバビリティ

PROB

確率範囲が下限から上限までの確率を求める

離散確率分布において、指定した範囲と対応する確率範囲で表される分布で、上限と下限との間に収まる確率を返す。

書式：　PROB(x 範囲, 確率範囲, 下限,[上限])

- [x 範囲]では、確率範囲と対応関係にある数値 x を含む配列定数またはセル範囲を指定する。
- [確率範囲]では、[x 範囲]に含まれる各数値に対応する確率を、合計が 1 となるように配列定数またはセル範囲を指定する。[x 範囲]と[確率範囲]のサイズは同じにする。
- [下限]では、対象となる数値の下限を指定する。
- [上限]では、対象となる数値の上限を指定する。[上限]を省略すると、[x 範囲]に含まれる数値が[下限]の値に等しくなる確率が計算される。

統計　指数分布　365 2021 2019 2016

エクスポーネンシャル・ディストリビューション

EXPON.DIST

指数分布の確率密度や累積確率を求める

指数分布の確率密度関数または累積分布関数に値を代入した結果を返す。

書式：　EXPON.DIST(x, λ, 関数形式)

- [x]では、指数分布関数に代入する値を指定する。
- [λ]では、単位期間に平均何回事象が発生するかを指定する。
- [関数形式]では、TRUE の場合は累積分布関数の値を返し、FALSE の場合は確率密度関数の値を返す。

Hint　指数分布は台(0, ∞)を持ち、母数 >0 に対し、確率密度関数と累積分布関数はそれぞれ次の式で表される。
確率密度関数：$f(x;\lambda)=\lambda e^{-\lambda x}$　　累積分布関数：$F(x;\lambda)=1-e^{-\lambda x}$

使用例 1　1 時間あたり平均 10 人来店する店で 10 分以内に来客がある確率を求める

	A	B	C
1	指数分布	1時間当たり10人来店	
2	λ	10	/h
3	値x	累積確率	
4	0	0.00	
5	5	0.57	
6	10	0.81	1.20
7	15	0.92	

説明　お店に 1 時間あたり平均 10 人(B2)来店する店で、10 分(1/6 時間)以内(A6)に来客する確率(累積確率 :TRUE)は、「0.81」になる。

式　=EXPON.DIST(A6/60,$B$2,TRUE)

バイノミアル・ディストリビューション

BINOM.DIST

二項分布の確率や累積確率を求める

二項分布の確率を返す。特定の確率で事象が発生する場合に、試行回数の中で指定した成功数が発生する確率または累積確率を求める。二項分布確率は、試行の回数が固定されていて、どの試行の結果も二者択一の結果のみで表される。各試行が独立し、試行全体をとおして成功の確率が一定であるという場合に使用する。

書 式：　BINOM.DIST(成功数, 試行回数, 成功率, 関数形式)

- [成功数]では、試行における成功数を指定する。
- [試行回数]では、独立試行の回数を指定する。
- [成功率]では、各試行が成功する確率を指定する。
- [関数形式]では、TRUE の場合は累積分布関数となり、0 〜成功数回の範囲で成功が得られる確率が計算される。FALSE の場合は確率質量関数となり、成功数回の成功が得られる確率が計算される。

使用例 1　成功確率 30%、試行回数 10 回の場合、成功回数 k に対する二項分布の確率を求める

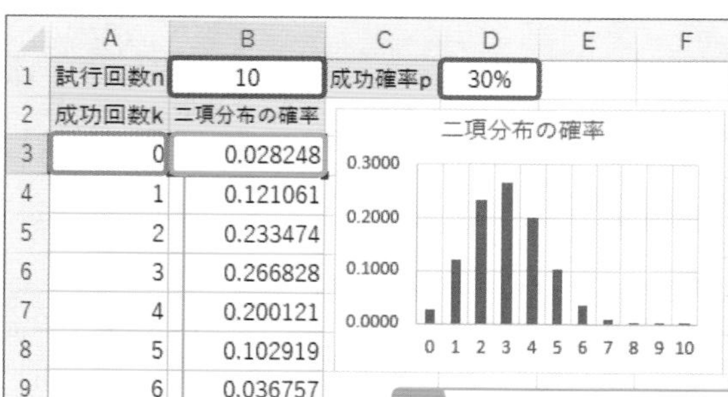

	A	B	C	D	E	F
1	試行回数n	10	成功確率p	30%		
2	成功回数k	二項分布の確率				
3	0	0.028248				
4	1	0.121061				
5	2	0.233474				
6	3	0.266828				
7	4	0.200121				
8	5	0.102919				
9	6	0.036757				

式　**=BINOM.DIST(A3,$B$1,$D$1,FALSE)**

説明　ある事象について、試行回数 10(B1)、成功確率 30%(D1)を設定し、A3 で指定した成功回数となる二項分布の確率を求める。セル A2 ~ B13 を範囲指定し、集合縦棒グラフを作成して、二項分布の確率をグラフ化している。(※詳細はサンプルファイルを参照)

バイノミアル・ディストリビューション・レンジ

BINOM.DIST.RANGE

二項分布を使用した試行結果の確率を求める

二項分布の指定区間の累積確率を返す。例えば、成功回数が3回～5回の確率のように、指定した区間で成功する確率を求められる。

書 式： BINOM.DIST.RANGE(試行回数, 成功率, 成功数 1,[成功数 2])

- [試行回数]では、独立試行の回数を0以上の数値で指定する。
- [成功率]では、各試行で成功する確率を0以上、1以下で指定する。
- [成功数 1]では、試行における成功数を0以上、試行回数以下の数値で指定する。
- [成功数 2]では、試行における成功数を[成功数 1]以上、試行回数以下の数値で指定する。指定した場合は、[成功数 1]と[成功数 2]の間に入る確率を返す。

Hint [試行回数]と[成功率]で表される二項分布で、[成功数 1]を下限、[成功数 2]を上限とする範囲の二項分布の累積確率を求める。[成功数 2]を省略した場合は、[成功数 1]となる確率を返す。

使用例 1 成功確率が30%、試行回数が10の場合、成功回数が3回から5回までの間で起こる二項分布の確率を求める

	A	B	C	D	E	F	G
1	試行回数n	10	成功確率p	30%			
2	成功回数1	3	成功回数2	5			
3	累積確率	0.569868					
4							
5	成功回数k	二項分布の確率					
6	0	0.028248					
7	1	0.121061					
8	2	0.233474					
9	3	0.266828					
10	4	0.200121					
11	5	0.102919					
12	6	0.036757					
13	7	0.009002					
14	8	0.001447					
15	9	0.000138					
16	10	0.000006					
17							

式 =BINOM.DIST.RANGE(B1,D1,B2,D2)

成功回数3～5回までの確率の和

説明 試行回数が10(B1)、成功確率が30%(D1)で表される二項分布で、成功回数が3回から5回までの間で起こる確率を求めている。

バイノミアル・インバース
BINOM.INV

累積二項分布が基準値以上になる最小値を求める

累積二項分布が基準値以上になる最小値を返す。例えば、品質管理で不良品が一定の確率 p で生産される場合、試行回数 n を取り出して検査するときに不良品の累積確率を α パーセントに抑えるために許容できる不良品の最小値を求められる。

書 式： BINOM.INV(試行回数, 成功率, α)

- [試行回数]では、試行の回数を指定する。
- [成功率]では、各試行が成功する確率を指定する。
- [α]では、基準値となる累積確率を指定する。

使用例 1 試行回数 6 回のうち、成功確率の累積が 0.5 以上となるとき最小の成功回数を求める

	A	B	C	D	E	F
1	試行回数n	6		成功回数k	確率	累積確率
2	成功確率p	50%		0	0.015625	0.015625
3	基準値	0.5		1	0.093750	0.109375
4				2	0.234375	0.343750
5	二項分布の累積確率が			3	0.312500	0.656250
6	基準値以上になる最小値			4	0.234375	0.890625
7	3			5	0.093750	0.984375
8				6	0.015625	1.000000

0.5 以上の最小値

式 =BINOM.INV(B1,B2,B3)

説明 試行回数が 6(B1)、成功確率が 50%(B2)で表される二項分布の累積確率が 0.5(B3)以上になる最小値となる成功回数を求めている。

統計　二項分布　365 2021 2019 2016

ネガティブ・バイノミアル・ディストリビューション

NEGBINOM.DIST

負の二項分布の確率を求める

負の二項分布の確率関数の値を返す。事象の成功率が一定のとき、成功数で指定した回数の試行が成功する前に、失敗数で指定した回数だけ試行が失敗する確率が求められる。

書 式： NEGBINOM.DIST(失敗数, 成功数, 成功率, 関数形式)

- [失敗数]では、試行が失敗する回数を指定する。
- [成功数]では、試行が成功する回数を指定する。
- [成功率]では、試行が成功する確率を指定する。
- [関数形式]では、TRUE の場合は累積分布関数の値を返し、FALSE の場合は、確率質量関数の値を返す。

Hint 二項分布は、試行回数を固定し、成功回数が確率変数となるのに対し、負の二項分布は、成功回数を固定し、試行回数が確率変数となる。例えば、確率 30% で表が出るコインを投げて、5 回表が出るまでコインを投げ続けたときに裏が 3 回出る確率を計算できる。この場合「=NEGBINOM.DIST(3,5,30%,FALSE)」となり「約 0.029」が返る。負の二項分布で成功回数 k=1 の場合が幾何分布(初めて成功するまでの回数が従う分布)になる。(※詳細はサンプルファイルを参照)

統計　超幾何分布　365 2021 2019 2016

ハイパー・ジオメトリック・ディストリビューション

HYPGEOM.DIST

超幾何分布の確率を求める

超幾何分布を返す。超幾何分布は、例えば M 本の当たりくじと(N-M)本のはずれくじからなる N 本のくじを n 回引くとき、n 回のうち x 回の当たりを引く確率をいう。

書 式： HYPGEOM.DIST(標本の成功数, 標本数, 母集団の成功数, 母集団の大きさ, 関数形式)

- [標本の成功数]では、標本内で成功する数を指定する。
- [標本数]では、標本数を指定する。
- [母集団の成功数]では、母集団内で成功する数を指定する。
- [母集団の大きさ]では、母集団全体の数を指定する。
- [関数形式]では、TRUE を指定すると、HYPGEOM.DIST により累積分布関数の値が計算され、FALSE を指定すると確率密度関数の値が計算される。

Hint 例えば、4 本のあたりくじが入っている 20 本のくじを 5 回引くとき、5 回のうち、あたりを 1 回引く確率を求めたい場合、「=HYPGEOM.DIST(1,5,4,20,FALSE)」となり「約 0.47」を返す。(※詳細はサンプルファイルを参照)

ポアソン・ディストリビューション

POISSON.DIST

ポアソン分布の確率を求める

ポアソン確率の値を返す。ポアソン分布とは、まれにしか起きない事象が起きる回数を確率変数 x としたときに x が従う（離散）確率分布をいう。

書 式：　POISSON.DIST(イベント数, 平均, 関数形式)

- 一定の期間内に[平均]回しか起こらないようなまれな事象が[イベント数]回起きる確率が求められる。
- [イベント数]では、発生する事象の数を指定する。
- [平均]では、一定の期間内に起きる事象の平均値を指定する。
- [関数形式]では、TRUE の場合は発生する事象の数が 0 ～イベント数の範囲の累積ポアソン確率が計算され、FALSE の場合は発生する事象の数が正確にイベント数となるようなポアソン確率が計算される。

使用例 1　1 カ月に平均 3 つ不良品が発生する場合、1 カ月間に不良品が 0 ～ 10 個発生する確率をそれぞれ求める

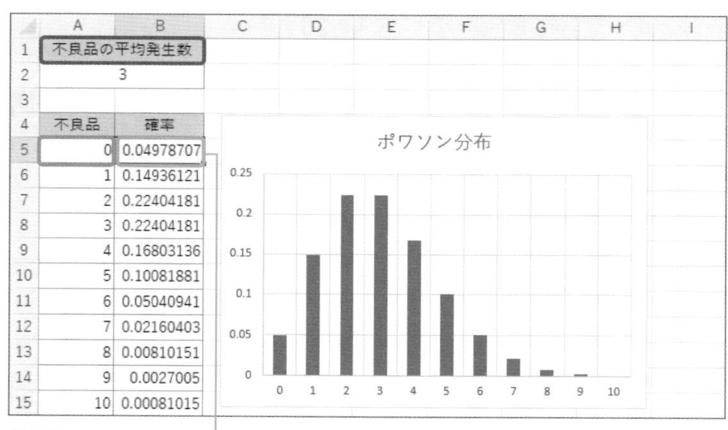

	A	B
1	不良品の平均発生数	
2	3	
3		
4	不良品	確率
5	0	0.04978707
6	1	0.14936121
7	2	0.22404181
8	3	0.22404181
9	4	0.16803136
10	5	0.10081881
11	6	0.05040941
12	7	0.02160403
13	8	0.00810151
14	9	0.0027005
15	10	0.00081015

式　=POISSON.DIST(A6,$A$2,FALSE)

説明　1 カ月で不良品が平均 3 個(A2)発生する場合、1 カ月間に 1 個(A6)不良品が発生する確率を求める。不良品の数とその確率(A4 ～ B15)から集合縦棒グラフを作成すると、不良品が発生する平均が 3 のときのポアソン分布のグラフになる。

関連　POISSON　互換性関数 ➡ p.422

カイ・スクエアド・ディストリビューション

CHISQ.DIST

カイ2乗分布の確率密度または累積確率を求める

指定した自由度で、カイ2乗分布の確率密度関数と累積分布関数に値を代入した結果を返す。カイ2乗分布は、左右非対称で自由度によって大きく形状が変わるといった特徴がある。

書 式： CHISQ.DIST(x, 自由度, 関数形式)

- [x]では、分布の評価に使用する値を指定する。
- [自由度]では、自由度を表す数値を指定する。
- [関数形式]では、TRUEの場合、累積分布関数の値(下側確率)が計算され、FALSEの場合、確率密度関数の値が計算される。

使用例1 自由度が5のカイ2乗分布のグラフを作成する

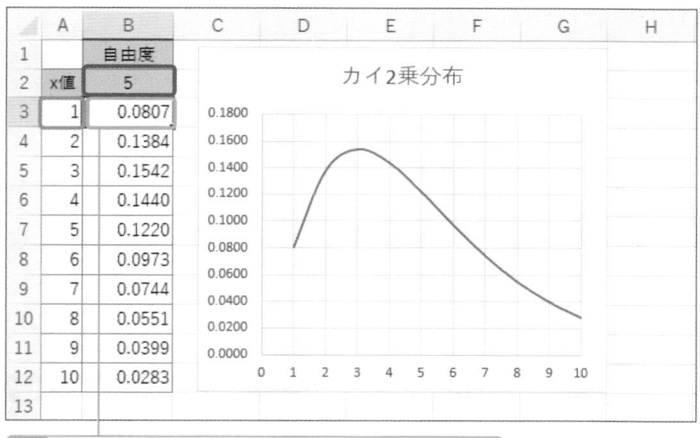

	A	B
1		自由度
2	x値	5
3	1	0.0807
4	2	0.1384
5	3	0.1542
6	4	0.1440
7	5	0.1220
8	6	0.0973
9	7	0.0744
10	8	0.0551
11	9	0.0399
12	10	0.0283
13		

式 =CHISQ.DIST(A3,$B$2,FALSE)

説明 自由度が5(B2)の場合、カイ2乗分布で値x(A3)の確率密度を求める。セルA2～B12をグラフ範囲、グラフの種類を[散布図(平滑線)]にして、カイ2乗分布のグラフを作成している。

統計 カイ 2 乗分布 365 2021 2019 2016

カイ・スクエアド・ディストリビューション・ライト・テイルド

CHISQ.DIST.RT

カイ 2 乗分布の右側確率を求める

カイ 2 乗検定で使用するカイ 2 乗分布の右側確率(上側確率)の値を返す。

書 式: CHISQ.DIST.RT(x, 自由度)

- [x]では、分布の評価に使用する値を指定する。
- [自由度]では、自由度を表す数値を指定する。例えば、[x]が 6、[自由度]が 5 の時の右側確率は、「=CHISQ.DIST.RT(6,5)」で「約 0.306」を返す。(※詳細はサンプルファイルを参照)

統計 カイ 2 乗分布 365 2021 2019 2016

カイ・スクエアド・インバース

CHISQ.INV

カイ 2 乗分布の左側確率から確率変数を求める

カイ 2 乗分布の左側確率の逆関数の値を返す。つまり、指定した自由度のカイ 2 乗分布で、指定した左側確率(下側確率)となる確率変数が求められる。

書 式: CHISQ.INV(左側確率, 自由度)

- [左側確率]では、左側確率の値を指定する。
- [自由度]では、カイ 2 乗分布の自由度を指定する。例えば、自由度 5 のカイ 2 乗分布で左側確率が 0.3 の場合「=CHISQ.INV(0.3,5)」とすると、確率変数「約 3.0」を返す。(※詳細はサンプルファイルを参照)

統計 カイ 2 乗分布 365 2021 2019 2016

カイ・スクエアド・インバース・ライト・テイルド

CHISQ.INV.RT

カイ 2 乗分布の右側確率の逆関数の値を求める

カイ 2 乗分布の右側確率の逆関数の値を返す。つまり、指定した自由度のカイ 2 乗分布で、指定した右側確率(上側確率)となる確率変数が求められる。

書 式: CHISQ.INV.RT(右側確率, 自由度)

- [右側確率]では、右側確率の値を指定する。
- [自由度]では、カイ 2 乗分布の自由度を指定する。例えば、自由度 5 のカイ 2 乗分布で右側確率が 0.3 の場合「=CHISQ.INV.RT(0.3,5)」とすると、確率変数「約 6.0」を返す。(※詳細はサンプルファイルを参照)

カイ・スクエアド・テスト

CHISQ.TEST

カイ２乗検定を行う

カイ２乗検定を行う。

書 式： CHISQ.TEST(実測値範囲, 期待値範囲)

- [実測値範囲]では検定の実測値が入力されているデータ範囲を指定する。
- [期待値範囲]では、期待値が入力されているデータ範囲を指定する。実測値と期待値では、行方向の値の合計と列方向の値を合計をそれぞれ等しくしておく。

Hint カイ２乗検定は、実測値をもとに作成した集計表(クロス集計)で、表内の２つの変数が関連しているかどうか(例えば男女による結果の違い)、適合性または独立性を調べる検定のこと。これには、実測値の表のほかに期待値の表を用意し、実測値と期待値を使って CHISQ.TEST 関数で P 値を調べる。関数の結果が有意水準 0.05 以下であれば、独立ではない。すなわち、関連していると判断できる。P 値とは帰無仮説が起こる確率で、値が小さいほど検定統計量がその値となることはあまり起こりえないことを意味する。

使用例 1 新商品 A を「買う」「買わない」の比率に男女差はあるかをカイ２乗検定で調べる

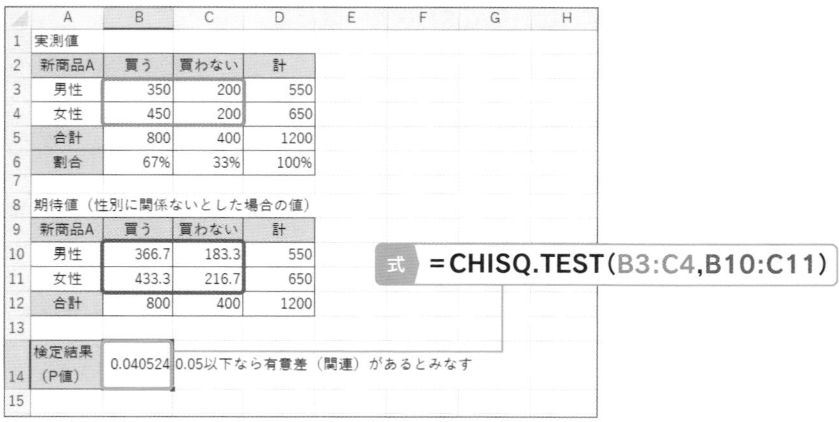

	A	B	C	D	E	F	G	H
1	実測値							
2	新商品A	買う	買わない	計				
3	男性	350	200	550				
4	女性	450	200	650				
5	合計	800	400	1200				
6	割合	67%	33%	100%				
7								
8	期待値（性別に関係ないとした場合の値）							
9	新商品A	買う	買わない	計				
10	男性	366.7	183.3	550				
11	女性	433.3	216.7	650				
12	合計	800	400	1200				
13								
14	検定結果（P値）	0.040524	0.05以下なら有意差（関連）があるとみなす					
15								

説明 男性 550 人、女性 650 人に新商品 A を買うかどうかをアンケートした結果の集計表(実測値：セル B3 ～ C4)から、買う、買わないは性別に関係ないとして求めた期待値の表(セル B10 ～ C11)をもとにカイ２乗検定の結果「約 0.04」が返った、有意水準 0.05 より小さいことから、買う、買わないは性別によって異なると判断できる。

統計　信頼区間　365　2021　2019　2016

コンフィデンス・ノーマル

CONFIDENCE.NORM

正規分布を使用して母平均に対する信頼区間を求める

正規分布を使用し、母集団の平均に対する信頼区間を求める。

書式：　CONFIDENCE.NORM(α, 標準偏差, 標本数)

- [α]では、信頼度を計算するために使用する有意水準を指定する。信頼度は、100*(1- α)％で計算される。α＝0.05の場合、信頼度は95％になる。
- [標準偏差]では、データ範囲の母標準偏差を指定する。これは既知の値であると仮定される。
- [標本数]では、標本数(データ数)を指定する。

Hint　例えば、α(有意水準)を0.05、標準偏差を「10」、標本数を「50」とした場合、「=CONFIDENCE.NORM(0.05,10,50)」となり、「約2.77」を返す。平均値が50の場合、母集団の平均の信頼区間は50 ± 2.77で「47.23 ～ 52.77」になる。

統計　信頼区間　365　2021　2019　2016

コンフィデンス・ティー

CONFIDENCE.T

t分布を使用して母平均に対する信頼区間を求める

スチューデントのt分布を使用して、母集団の平均に対する信頼区間を返す。

書式：　CONFIDENCE.T(α, 標準偏差, 標本数)

- [α]では、信頼度を計算するために使用する有意水準を指定する。信頼度は、100*(1- α)％で計算される。α＝0.05の場合、信頼度は95％になる。
- [標準偏差]では、データ範囲の母標準偏差を指定する。これは既知の値であると仮定される。
- [標本数]では、標本数(データ数)を指定する。

Hint　例えば、α(有意水準)を0.05、標準偏差を「10」、標本数を「50」とした場合、「=CONFIDENCE.T(0.05,10,50)」となり、「2.84」を返す。平均値が50の場合、母集団の平均の信頼区間は50 ± 2.84で「47.16 ～ 52.84」になる。

関連　CONFIDENCE　互換性関数 ➡ p.421

ティー・ディストリビューション

T.DIST

t分布の確率密度や累積確率を求める

t分布の確率密度関数の値または累積分布関数(左側確率)の値を返す。

書式： T.DIST(x, 自由度, 関数形式)

- [x]では、t分布を計算する数値を指定する。
- [自由度]では、分布の自由度を整数で指定する。
- [関数形式]では、TRUEを指定すると累積分布関数の値が計算され、FALSEを指定すると確率密度関数の値が計算される。

使用例1 自由度3のt分布の確率密度を求める

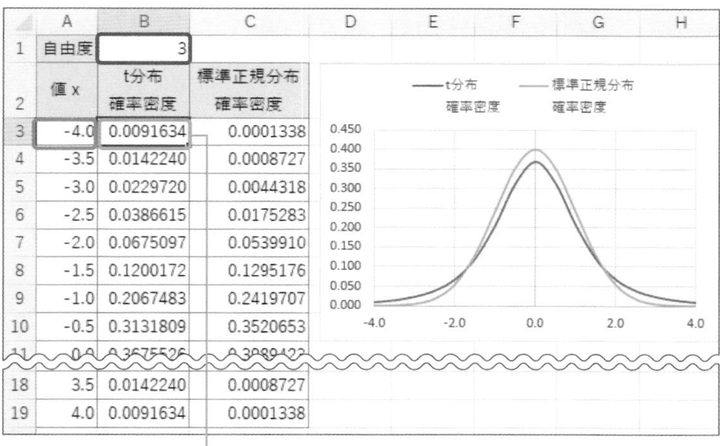

	A	B	C
1	自由度	3	
2	値 x	t分布 確率密度	標準正規分布 確率密度
3	-4.0	0.0091634	0.0001338
4	-3.5	0.0142240	0.0008727
5	-3.0	0.0229720	0.0044318
6	-2.5	0.0386615	0.0175283
7	-2.0	0.0675097	0.0539910
8	-1.5	0.1200172	0.1295176
9	-1.0	0.2067483	0.2419707
10	-0.5	0.3131809	0.3520653
11	0.0	0.3675526	0.3989423
18	3.5	0.0142240	0.0008727
19	4.0	0.0091634	0.0001338

式 **=T.DIST(A3,$B$1,FALSE)**

説明 自由度3(セルB1)のt分布で値x(セルA3)の時の確率密度を求める。t分布は自由度(セルB1)が大きくなるほど、正規分布に近づく。

関連

T.DIST.RT T分布の右側確率を求める ➡ p.148

TDIST.2T t分布の両側確率を求める ➡ p.148

T.TEST t検定を行う ➡ p.150

統計　T分布/検定　365 2021 2019 2016

ティー・ディストリビューション・ライト・テイルド

T.DIST.RT

t分布の右側確率を求める

t分布の右側確率の値を返す。

書式： T.DIST.RT（x, 自由度）

- [x]では、t分布を計算する数値を指定する。
- [自由度]では、t分布の自由度を指定する。

Hint T.DIST関数で関数の形式をTRUEにした場合、t分布の左側確率(累積確率)が求められ、T.DIST.RTの値との和は1になる。

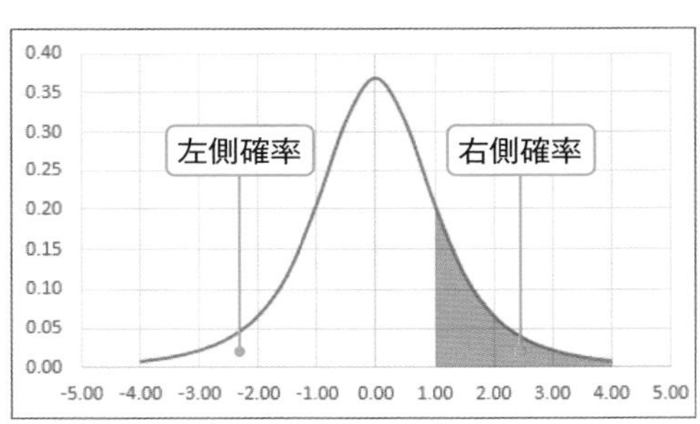

統計　T分布/検定　365 2021 2019 2016

ティー・ディストリビューション・トゥ・テイルド

T.DIST.2T

t分布の両側確率を求める

t分布の両側確率の値を返す。

書式： T.DIST.2T(x, 自由度)

- [x]では、t分布を計算する数値を指定する。
- [自由度]では、t分布の自由度を指定する。

Hint 例えば、xが1のときの両側確率は、xが1の右側確率とxが-1の左側確率の合計となる。

関連 T.DIST　t分布の確率や累積確率を求める ➡ p.147

ティー・インバース

T.INV

t 分布の左側確率から逆関数の値を求める

t 分布の左側確率から対応する t 値を返す。T.DIST 関数の逆関数。

書 式：　T.INV(確率, 自由度)

- [確率]では、t 分布に従う確率（左側確率）を指定する。
- [自由度]では、分布の自由度を指定する。

使用例 1 自由度が 3 の t 分布で左側確率に対する値を求める

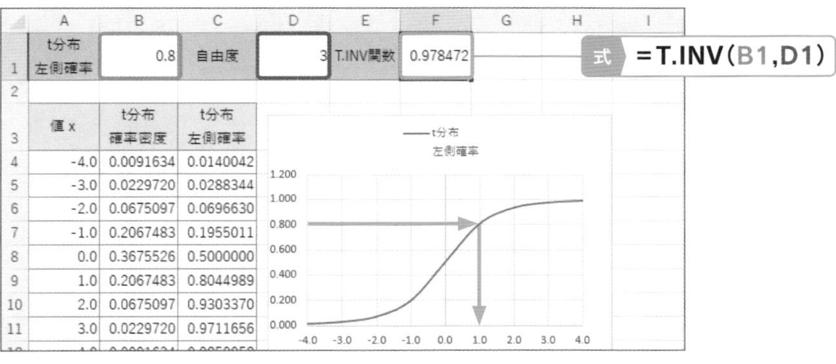

	A	B	C	D	E	F
1	t分布 左側確率	0.8	自由度	3	T.INV関数	0.978472
2						
3	値 x	t分布 確率密度	t分布 左側確率			
4	-4.0	0.0091634	0.0140042			
5	-3.0	0.0229720	0.0288344			
6	-2.0	0.0675097	0.0696630			
7	-1.0	0.2067483	0.1955011			
8	0.0	0.3675526	0.5000000			
9	1.0	0.2067483	0.8044989			
10	2.0	0.0675097	0.9303370			
11	3.0	0.0229720	0.9711656			

説明 自由度 3（D1）の t 分布の左側確率が 0.8（B1）のときの t 値を求める。t 分布の左側確率（累積）グラフを見ると確率 0.8 からたどった値であることが確認できる。

ティー・インバース・ツー・テイルド

T.INV.2T

t 分布の両側確率から逆関数の値を求める

t 分布の両側確率から対応する t 値を返す。T.DIST.2T 関数の逆関数。

書 式：　T.INV.2T(確率, 自由度)

- [確率]では、t 分布の両側確率を指定する。
- [自由度]では、分布の自由度を指定する。

ティー・テスト
T.TEST

t 検定を行う

t 検定における確率を返す。2 つの標本が平均値の等しい母集団から取り出されたものであるかどうかを確率的に予測することができる。

書 式： T.TEST(配列 1, 配列 2, 尾部, 検定の種類)

- [配列 1]では、対象となる一方のデータを指定する。
- [配列 2]では、対象となるもう一方のデータを指定する。
- [尾部]では、1 を指定すると片側検定、2 を指定すると両側検定を指定する。
- [検定の種類]では、t 検定の種類を数値で指定する。

検定の種類

検定の種類	働き
1	対をなすデータの t 検定
2	等分散の 2 標本を対象とする t 検定
3	非等分散の 2 標本を対象とする t 検定

使用例 1 テスト形式によって平均値に差があるか t 検定でテストする

	A	B	C	D	E	F
1	受験生	マークシート	記述		t検定結果：P値	
2	1001	60	68		0.151432641	
3	1002	70	75			
4	1003	82	60			
5	1004	66	53			
6	1005	80	60			
7	1006	95	66			
8	1007	60	76			
9	1008	75	55			
10	1009	85	50			
11	1010	50	66			
12	平均値	72.3	62.9			
13						

説明 対をなすデータ「マークシート(B2 ～ B11)と記述(C2 ～ C11)」で、t 検定を両側確率(2)で求めた結果「約 0.15」となり有意水準 0.05 より大きい。帰無仮説が受容される(差があるとは言えない)。

式 =T.TEST(B2:B11,C2:C11,2,1)

Hint 帰無仮説とは、2 つの間に違いはないと仮定すること。有意水準 0.05 より大きい場合は、帰無仮説が受容され、有意な差がないとする。0.05 より小さい場合は、帰無仮説が棄却され、2 つの間には有意な差があるとする(Significant Difference)。

ゼット・テスト
Z.TEST

z 検定の上側確率を求める

指定した標本の平均値が、正規分布に従う母集団の平均といえるかどうかを検定する。z 検定の上側確率(右側確率)を返す。

書式：　Z.TEST(配列, μ,[σ])

- [配列]では、標本となるデータの配列定数またはセル範囲を指定する。
- [μ]では、検定する値(母集団の平均値)を指定する。
- [σ]では、母集団の標準偏差を指定する。省略した場合、標本に基づく標準偏差(不偏標準偏差)が使用される。

Hint　[z検定とは、母集団の平均と標準偏差がわかっている場合に、標本の平均と母集団の平均が一致しているかを判定できる。Z.TEST関数では、右側確率(上側確率)が求められる。両側確率を求めるには、「=2× MIN(Z.TEST(配列,μ,σ),1-Z.TEST(配列,μ,σ))」を使う。

使用例 1　標本で取り出した 17 歳男子の平均身長が全国平均と同じといえるかどうかを検定する

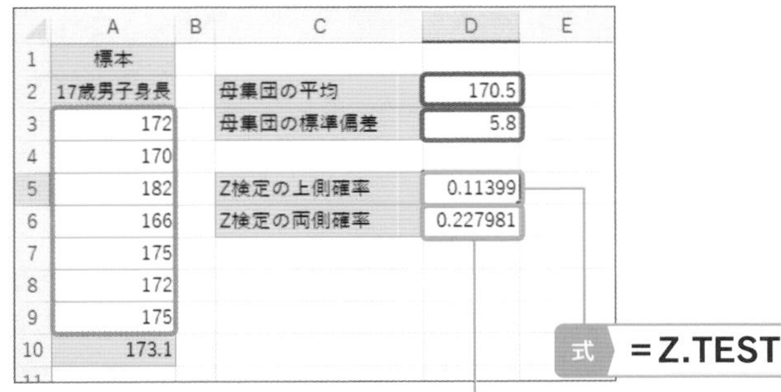

	A	B	C	D	E
1	標本				
2	17歳男子身長		母集団の平均	170.5	
3	172		母集団の標準偏差	5.8	
4	170				
5	182		Z検定の上側確率	0.11399	
6	166		Z検定の両側確率	0.227981	
7	175				
8	172				
9	175				
10	173.1				

式 =Z.TEST(A3:A9,D2,D3)

式 =2*MIN(Z.TEST(A3:A9,D2,D3),1-Z.TEST(A3:A9,D2,D3))

説明　帰無仮説を「平均身長は 170.5cm である」対立仮説を「平均身長は 170.5cm とはいえない」とし、有意水準を 0.05 とした場合、Z 検定の結果が上側確率、両側確率共に 0.05 より大きい。したがって、帰無仮説は棄却されず、受容される。

統計　F 分布 / 検定　365 2021 2019 2016

エフ・ディストリビューション

F.DIST

F 分布の確率密度や累積確率を求める

2 つの自由度で表される F 分布の確率関数(確率密度関数または累積分布関数)に値を代入した結果を返す。

書 式:　F.DIST(x, 自由度 1, 自由度 2, 関数形式)

- [x]では、関数に代入する値を指定する。
- [自由度 1]では、1 つ目の自由度を指定する。
- [自由度 2]では、2 つ目の自由度を指定する。
- [関数形式]では、TRUE の場合、累積分布関数の値を返し、FALSE の場合、確率密度関数の値を返す。

統計　F 分布 / 検定　365 2021 2019 2016

エフ・ディストリビューション・ライト・テイルド

F.DIST.RT

F 分布の右側確率を求める

2 つの自由度で表される F 分布で、指定した値のときの右側確率を返す。

書 式:　F.DIST.RT(x, 自由度 1, 自由度 2)

- [x]では、関数に代入する値を指定する。
- [自由度 1]では、1 つ目の自由度を指定する。
- [自由度 2]では、2 つ目の自由度を指定する。

Hint　値が[x]の時の F.DIST 関数で[関数形式]が TRUE の結果と F.DIST.RT 関数の結果の和は 1 になる。

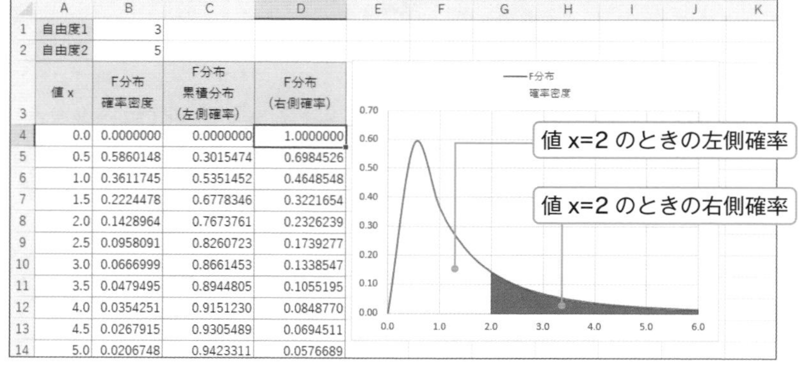

	A	B	C	D
1	自由度1	3		
2	自由度2	5		
3	値 x	F分布 確率密度	F分布 累積分布 (左側確率)	F分布 (右側確率)
4	0.0	0.0000000	0.0000000	1.0000000
5	0.5	0.5860148	0.3015474	0.6984526
6	1.0	0.3611745	0.5351452	0.4648548
7	1.5	0.2224478	0.6778346	0.3221654
8	2.0	0.1428964	0.7673761	0.2326239
9	2.5	0.0958091	0.8260723	0.1739277
10	3.0	0.0666999	0.8661453	0.1338547
11	3.5	0.0479495	0.8944805	0.1055195
12	4.0	0.0354251	0.9151230	0.0848770
13	4.5	0.0267915	0.9305489	0.0694511
14	5.0	0.0206748	0.9423311	0.0576689

関連　F.INV　F 分布の左側確率から逆関数の値を求める ➡ p.153

エフ・インバース
F.INV

F 分布の左側確率から逆関数の値を求める

2 つの自由度で表される F 分布で、指定した左側確率のときの F 値(F.DIST 関数で[関数形式]が TRUE)の逆関数の値)を返す。

書 式:　F.INV(左側確率, 自由度 1, 自由度 2)

- [左側確率]では、値を調べたい F 分布の左側確率(累積分布、下側確率)を指定する。
- [自由度 1]では、1 つ目の自由度を指定する。
- [自由度 2]では、2 つ目の自由度を指定する。

使用例 1 自由度が「3」「5」の F 分布で左側確率が「0.6」の時の F 値を求める

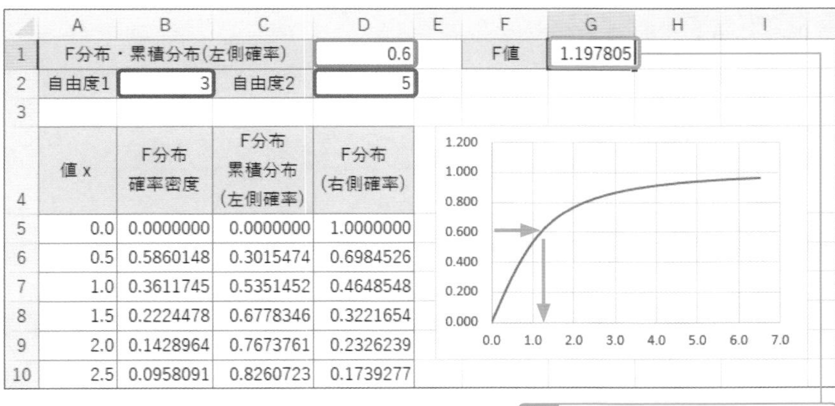

	A	B	C	D	E	F	G
1	F分布・累積分布(左側確率)			0.6		F値	1.197805
2	自由度1	3	自由度2	5			
3							
4	値 x	F分布 確率密度	F分布 累積分布 (左側確率)	F分布 (右側確率)			
5	0.0	0.0000000	0.0000000	1.0000000			
6	0.5	0.5860148	0.3015474	0.6984526			
7	1.0	0.3611745	0.5351452	0.4648548			
8	1.5	0.2224478	0.6778346	0.3221654			
9	2.0	0.1428964	0.7673761	0.2326239			
10	2.5	0.0958091	0.8260723	0.1739277			

式 **=F.INV(D1,B2,D2)**

説明 自由度が 3 と 5 で表される F 分布の左側確率が D1(0.6)の時の F 値を逆算した結果(1.197805)を求めている。

関連 F.DIST　F 分布の確率密度や累積確率を求める ➡ p.152

統計　F 分布 / 検定　365　2021　2019　2016

エフ・インバース・ライト・テイルド

F.INV.RT

F 分布の右側確率から逆関数の値を求める

2 つの自由度で表される F 分布で、指定した右側確率のときの F 値(F.DIST.RT の逆関数の値)を返す。

書 式： F.INV.RT(右側確率, 自由度 1, 自由度 2)

- [右側確率]では、F 値を逆算したい F 分布の右側確率を指定する。
- [自由度 1]では、1 つ目の自由度を指定する。
- [自由度 2]では、2 つ目の自由度を指定する。

統計　F 分布 / 検定　365　2021　2019　2016

エフ・テスト

F.TEST

F 検定の両側確率を求める

F 検定を行い、指定した 2 つのデータ群(標本)の母分散が等しいかどうかを検査し、両側確率を返す。

書 式： F.TEST(配列 1, 配列 2)

- [配列 1]では、比較対象となる一方の配列定数またはセル範囲を指定する。
- [配列 2]では、比較対象となるもう一方の配列定数またはセル範囲を指定する。

Hint　F 検定とは、分散が等しいかどうかを調べる検定をいう。「帰無仮説は 2 つのグループの分散に差がない。対立仮設は 2 つのグループの分散に差がある。」とし、有意水準を 0.05 とした場合、確率が 5% 以下の場合、帰無仮説が棄却される。F.TEST 関数では両側確率が返る点に注意。

統計　回帰分析　365　2021　2019　2016

フォーキャスト・リニア

FORECAST.LINEAR

単回帰分析を使って予測値を求める

1 種類の独立変数と従属変数を使用して単回帰分析を行い、予測した値を返す。例えば、気温(独立変数)と清涼飲料水の売上(従属変数)の一覧をもとに、指定した気温のときの売上を予測することができる。

書 式： FORECAST.LINEAR(x, 既知の y, 既知の x)

- [x]では、予測値を求めたい値(独立変数)を指定する。
- [既知の y]では、既知の従属変数(目的変数)の値が入力されているセル範囲または配列を指定する。
- [既知の x]では、既知の独立変数(説明変数)の値が入力されているセル範囲または配列を指定する。

使用例 1 気温と清涼飲料水の売上数から気温 40 度の時の売上数を予測する

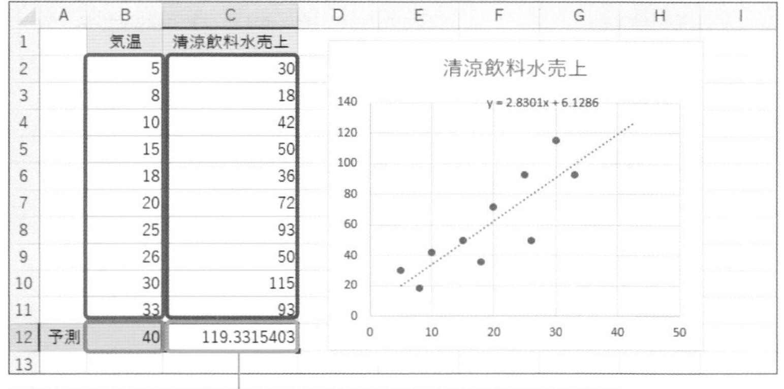

	A	B	C
1		気温	清涼飲料水売上
2		5	30
3		8	18
4		10	42
5		15	50
6		18	36
7		20	72
8		25	93
9		26	50
10		30	115
11		33	93
12	予測	40	119.3315403
13			

式 =FORECAST.LINEAR(B12,C2:C11,B2:B11)

説明 気温(B2 ～ B11)と清涼飲料水の売上数(C2 ～ C11)から、気温が 40 度(B12)の時の売り上げ予測を求める。

COLUMN

使用例では、セル B2 ～ C11 をもとに散布図グラフを作成し、線形近似曲線を追加している。[近似曲線の書式設定]作業ウィンドウで前方補外を 10 にして近似曲線の線を延ばして予測値を表現し、[グラフに数式を表示する]にチェックを付けて、単回帰分析の数式を表示している(右図参照)。

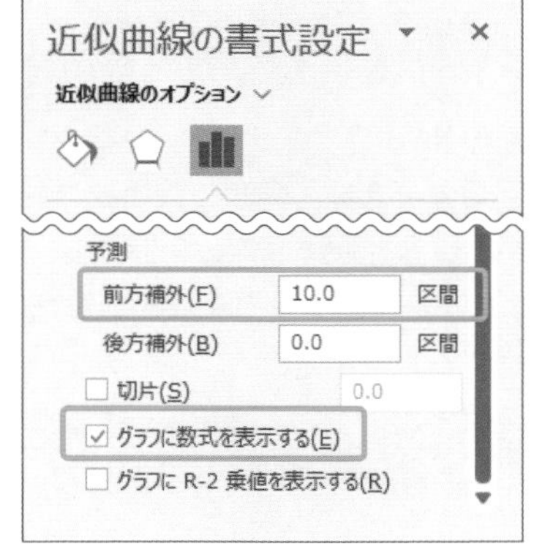

関連 FORCAST 互換性関数 ➡ p.420

統計　回帰分析　365　2021　2019　2016

スロープ
SLOPE

単回帰直線の傾きを求める

回帰直線の傾きを返す。傾きは、単回帰曲線の式「y=ax+b」の「a」に当たる部分で、直線上の２点の垂直方向の距離を水平方向の距離で除算した値であり、回帰直線の変化率に対応する。

書 式：　SLOPE(既知の y, 既知の x)

- [既知の y]では、既知の従属変数(目的変数)の値が入力されているセル範囲または配列を指定する。
- [既知の x]では、既知の独立変数(説明変数)の値が入力されているセル範囲または配列を指定する。

統計　整数演算(丸め)　365　2021　2019　2016

インターセプト
INTERCEPT

単回帰直線の切片を求める

回帰直線の切片を返す。切片は、単回帰曲線の式「y=ax+b」の「b」に当たる部分で、x が 0 の場合の y の値。

書 式：　INTERCEPT(既知の y, 既知の x)

- [既知の y]では、既知の従属変数(目的変数)の値が入力されているセル範囲または配列を指定する。
- [既知の x]では、既知の独立変数(説明変数)の値が入力されているセル範囲または配列を指定する。

COLUMN

回帰分析

回帰分析とは、観測した複数の(x,y)の値をもとに、最小二乗法を使って求めた係数(傾き)や定数(切片)で、x と y の関係性を「y＝ax＋b」や「$y＝a_1x_1＋a_2x_2＋\cdots＋b$」のように表す。これにより、与えられた x の値から y の値を予測することができる。この x を「独立変数(説明変数)」、y を「従属変数(目的変数)」という。１つの x から１つの y を予測するものを「単回帰分析」といい「y＝ax＋b」で表される。また、２種類以上の x から１つの y を予測するものを「重回帰分析」といい「$y＝a_1x_1＋a_2x_2＋\cdots＋b$」で表される。ここで a が係数(傾き)、b が定数(切片)になる。

関連　FORECAST.LINEAR　単回帰分析を使って予測値を求める ➡ p.154

スタンダード・エラー・ワイ・エックス

STEYX

単回帰分析の回帰直線の標準誤差を求める

回帰直線上にある予測値と実際の値との間の標準誤差を返す。標準誤差とは、個別の x の値に対する y の予測値の誤差の程度を計測するための尺度。

書 式： STEYX(既知の y, 既知の x)

- [既知の y]では、既知の従属変数(目的変数)の値が入力されているセル範囲または配列定数を指定する。
- [既知の x]では、既知の独立変数(説明変数)の値が入力されているセル範囲または配列定数を指定する。

使用例 1 単回帰直線の傾きと切片と標準誤差を求める

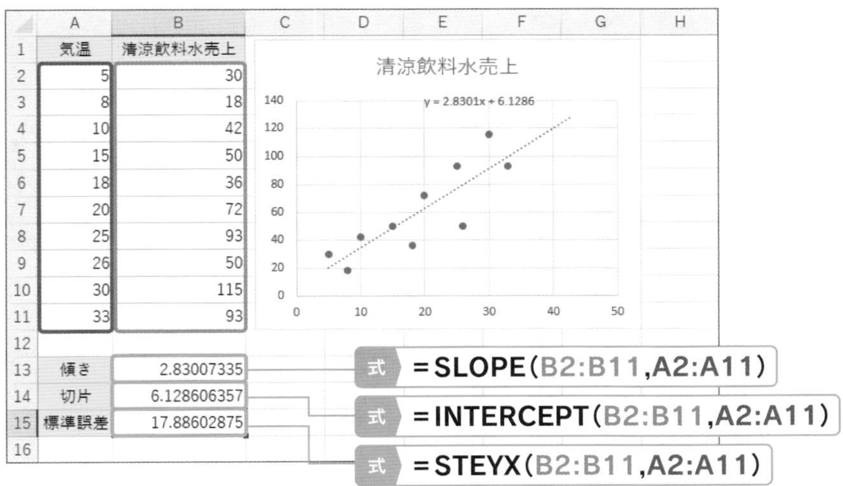

	A	B
1	気温	清涼飲料水売上
2	5	30
3	8	18
4	10	42
5	15	50
6	18	36
7	20	72
8	25	93
9	26	50
10	30	115
11	33	93
12		
13	傾き	2.83007335
14	切片	6.128606357
15	標準誤差	17.88602875
16		

説明 独立変数が気温(A2 ～ A11)、従属変数が売上数(B2 ～ B11)をもとに、セル B13 では SLOPE 関数を使って傾き、セル B14 では INTERCEPT 関数を使って切片、セル B15 では STEYX 関数を使って標準誤差を求めている。

トレンド
TREND

重回帰分析を使って予測値を求める

2 種類以上の独立変数と 1 種類の従属変数を使って重回帰分析を行い、予測値を返す。例えば、気温と湿度(独立変数)と清涼飲料水の売上(従属変数)をもとに、指定した気温と湿度のときの売上を予測することができる。

書 式：　TREND(既知の y,[既知の x],[新しい x],[定数])

- [既知の y]では、既知の従属変数(目的変数)の値が入力されているセル範囲または配列を指定する。
- [既知の x]では、既知の独立変数(説明変数)の値が入力されているセル範囲または配列を指定する。[既知の y]と[既知の x]が同じ数の場合は単回帰分析、[既知の x]の範囲が[既知の y]の範囲の 2 倍以上の場合は重回帰分析とみなされる。省略時は、[既知の y]と同じ数だけ「{1,2,3…}」と配列が指定されたとみなされる。
- [新しい x]では、予測値を求めたい値(独立変数)を指定する。
- [定数]では、TRUE または省略すると、定数を計算する。FALSE にすると「0」に設定される。

使用例 1　気温と湿度を独立変数として、重回帰分析を使って売上数を予測する

	A	B	C	D	E
1	気温	湿度	清涼飲料水売上		
2	5	32.4	30		
3	8	40.3	18		
4	10	61.7	42		
5	15	55.1	50		
6	18	56.9	36		
7	20	72.3	72		
8	25	53.7	93		
9	26	66.9	50		
10	30	42.6	115		
11	33	70.7	93		
12	38	68.5	113.9526565	←予測	
13					

式　**=TREND(C2:C11,A2:B11,A12:B12)**

説明　独立変数が気温と湿度(セル A2 ~ B11)、従属変数が売上数(セル C2 ~ C11)の時、重回帰分析によって気温 38 度(セル A12)、湿度 68.5(セル B12)のときの売り上げを予測している。

ライン・エスティメーション
LINEST

回帰分析の係数や定数項を求める

最小二乗法を使い、単回帰分析の式「y = ax + b」または重回帰分析の式「$y = a_1x_1 + a_2x_2 + \cdots + b$」に当てはまる係数や定数などの情報を配列で返す。

書 式： LINEST(既知の y,[既知の x],[定数],[補正])

- [既知の y]では、既知の従属変数の値をセル範囲または配列定数で指定する。
- [既知の x]では、既知の独立変数の値をセル範囲または配列定数で指定する。[既知の y]と[既知の x]が同じ数の場合は単回帰分析とみなされる。省略時は、[既知の y]と同じ数だけ「{1,2,3…}」と配列が指定されたとみなされる。
- [定数]では、TRUE または省略時は、定数 b を計算する。FALSE の場合は、定数を 0 とする。
- [補正]では、TRUE にすると指数回帰曲線の補正項を返す。FALSE または省略すると係数 a と定数 b のみを返す。

使用例 1 気温と湿度、飲料水の売上数から重回帰分析の係数や定数項などの情報を取得する

	A	B	C	D	E	F	G	H	I
1	気温(x1)	湿度(x2)	飲料水売上			x2の係数	x1の係数	定数項 b	
2	5	32.4	30		係数	0.602746	1.370461	-8.5931	
3	8	40.3	18		係数・定数に対する標準誤差	0.992052	1.556187	33.6908	
4	15	55.1	50		決定係数r^2と y に対する標準誤差	0.737696	16.10009	#N/A	
5	18	56.9	36		F値・自由度	5.62473	4	#N/A	
6	20	72.3	72		回帰の平方和・残差の平方和	2916.006	1036.852	#N/A	
7	26	66.9	50						
8	33	70.7	93						
9									

式 {=LINEST(C2:C8,A2:B8,,TRUE)}

説明 配列数式で入力する際、セル範囲は、列数は「独立変数の数＋ 1」、行数は［補正］を FALSE にした場合は 2 行、TRUE にした場合は 5 行選択し、関数を入力して［Ctrl］＋［Shift］＋［Enter］キーを押して入力を確定する。戻り値には、使用例に示すようなデータを返す。

グロウス
GROWTH

指数回帰曲線を使って予測する

指定したデータをもとに表される指数回帰曲線から、予測した値を返す。ここで扱われる指数回帰曲線は、式「$y = bm^x$」(b は定数、m は底)で表される。

書式：　GROWTH(既知の y,[既知の x],[新しい x],[定数])

- [既知の y]では、既知の従属変数の値が入力されているセル範囲または配列定数で指定する。
- [既知の x]では、「$y = bm^x$」が成り立つ可能性のある既知の独立変数の値をセル範囲または配列定数を指定する。1 つまたは複数の変数の系列を指定できる。省略時は、[既知の y]と同じ数だけ「{1,2,3…}」と配列が指定されたとみなす。
- [新しい x]では、予測値を求めたい値(独立変数)を指定する。複数の値を指定した場合、複数の y が返るため、配列数式として入力する。
- [定数]では、TRUE または省略すると b の値も計算される。FALSE を指定すると b の値が 1 に設定され、「$y = m^x$」なるように m の値が調整される。

使用例 1 年数と売上データを元に指数回帰曲線を使って予測する

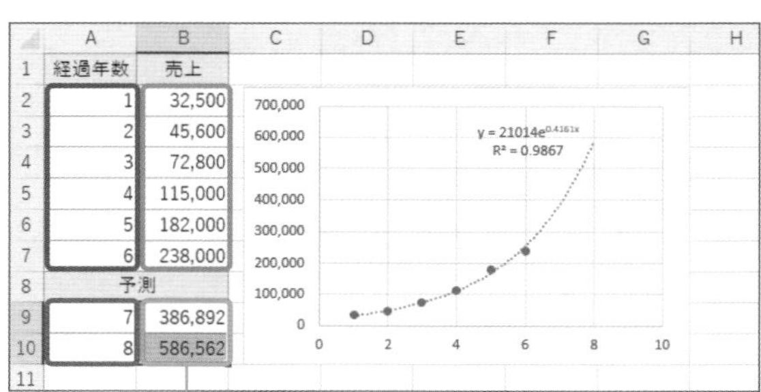

	A	B
1	経過年数	売上
2	1	32,500
3	2	45,600
4	3	72,800
5	4	115,000
6	5	182,000
7	6	238,000
8	予測	
9	7	386,892
10	8	586,562
11		

式 **{=GROWTH(B2:B7,A2:A7,A9:A10)}**

説明　経過年数(A2 ～ A7)と売上(B2 ～ B7)のデータを元に指数回帰曲線を求め、予測値を表示している。予測する経過年数(セル A9 ～ A10)に対する予測売上を計算するため、セル B9 ～ B10 を選択し、配列数式として入力する。

ログ・エスティメーション

LOGEST

指数回帰曲線の底や定数を求める

指定したデータをもとに表される指数回帰曲線から定数や底などの情報を配列で返す。

書式： LOGEST(既知の y,[既知の x],[定数],[補正])

- [既知の y]では、既知の従属変数(目的変数)の値をセル範囲または配列定数で指定する。
- [既知の x]では、既知の独立変数(説明変数)の値をセル範囲または配列定数で指定する。1 つまたは複数の変数の系列を指定できる。省略時は、[既知の y]と同じ数だけ「{1,2,3…}」と配列が指定されたとみなす。
- [定数]では、TRUE または省略すると、定数 b の値も計算される。FALSE を指定すると、定数 b の値が 1 に設定され、「$y=m^x$」となるように底 m の値が調整される。
- [補正]では、回帰直線の補正項を追加情報として返すかどうかを論理値で指定する。TRUE を指定すると、指数回帰曲線の補正項を追加情報として返し、FALSE または省略時は、底 m と定数 b のみを返す。

使用例 1 指数回帰曲線の底と定数を求める

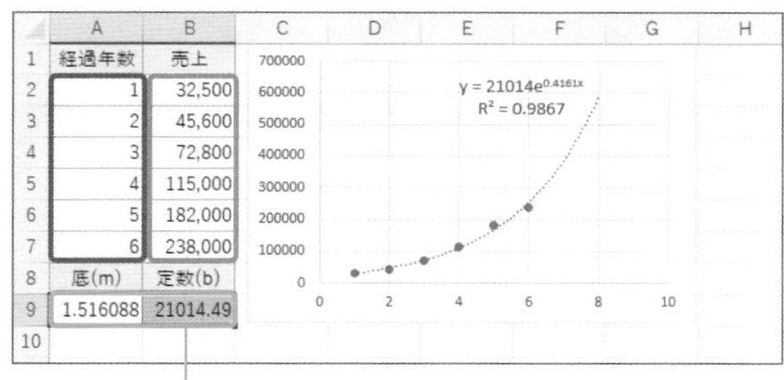

	A	B
1	経過年数	売上
2	1	32,500
3	2	45,600
4	3	72,800
5	4	115,000
6	5	182,000
7	6	238,000
8	底(m)	定数(b)
9	1.516088	21014.49
10		

式 {=LOGEST(B2:B7,A2:A7)}

説明 経過年数(A2 ～ A7)と売上(B2 ～ B7)のデータを元に表される指数回帰曲線($y=bm^x$)の底(m)と定数(b)を求めている。セル A9 ～ B9 を選択し、「=LOGEST(B2:B7,A2:A7)」と入力したら［Ctrl］＋［Shift］＋［Enter］キーを押して配列数式として入力する。

統計　回帰分析　365　2021　2019　2016

フォーキャスト・イーティーエス

FORECAST.ETS

履歴に基づき将来の値を予測する

FORECAST.ETS 関数は、既存の(履歴)値に基づき将来の値を計算または予測する。

書式：　FORECAST.ETS(目標期日, 値, タイムライン,[季節性],[補間],[集計])

- [目標期日]では、予測したい期日を指定する。
- [値]では、予測のための履歴のデータを指定する。
- [タイムライン]では、一定の間隔の日付など数値の配列定数またはセル範囲を、[値]と同じサイズで指定する。
- [季節性]では、データに季節性の周期がある場合、その期間を最大 8,760(1 年間の時間数)までの数値で指定する。季節性の周期を 1 または省略すると、自動的に予測の季節が設定される。0 は季節性がないとみなす。
- [補間]では、タイムラインに欠落箇所があり、一定間隔になっていない場合の補間方法を指定する。全体の 30%までは補間が行われる。1 または省略時は、欠落箇所と隣接する点の平均になるように設定する。0 は欠落値を 0 とする。
- [集計]では、タイムラインに同じ期がある場合に[値]を集計する。集計方法を数値で指定する。省略時は集計されない。

集計方法

値	集計方法
1	平均（AVERAGE）
2	数値の個数（COUNT）
3	データの個数（COUNTA）
4	最大値（MAX）

値	集計方法
5	中央値（MEDIAN）
6	最小値（MIN）
7	合計（SUM）

Hint　指数三重平滑化(ETS)アルゴリズムの AAA バージョンの機能を使って予測している。FORECAST.ETS 関数は、[データ]タブの[予測シート]をクリックして作成する予測シートの表にある[予測]列で予測値を算出するのに使用されている(右コラム参照)。

フォーキャスト・イーティーエス・コンフィデンスインターバル

FORECAST.ETS.CONFINT

予測値の信頼区間を求める

指定の目標期日における予測値について信頼区間を返す。

書式：　FORECAST.ETS.CONFINT(目標期日, 値, タイムライン, [信頼レベル],[季節性],[補間],[集計])

- [目標期日]では、予測したい期日を指定する。
- [値]では、予測のための履歴のデータを指定する。
- [タイムライン]では、一定の間隔の日付など数値の配列定数またはセル範囲を、[値]と同じサイズで指定する。
- [信頼レベル]では、信頼区間の信頼度を示す0より大きく1より小さい値を指定する。省略時は0.95とみなす。
- [季節性]では、データに季節性の周期がある場合、その期間を最大8,760(1年間の時間数)までの数値で指定する。季節性の周期を1または省略すると、自動的に予測の季節が設定される。0は季節性がないとみなす。
- [補間]では、タイムラインに欠落箇所があり、一定間隔になっていない場合の補間方法を指定する。全体の30%までは補間が行われる。1または省略時は、欠落箇所と隣接する点の平均になるように設定する。0の場合は、欠落値を0とする。
- [集計]では、タイムラインに同じ期がある場合に[値]を集計する。集計方法を数値で指定する(p.166表参照)。

COLUMN

[予測シート] の計算で利用されている

Excelには、時系列のデータをもとに[予測シート]という機能が用意されています。例えば、p.162のFORECAST.ETS.SEASONALITY関数の使用例でセル範囲A1からB13のデータを選択し、[データ]タブ→[予測シート]をクリックして予測終了期間を「2023/1/1」で作成すると、ワークシートが追加され、指定したセル範囲を元に予測値を含む表とグラフが作成されます。「予測(来場者)」(セルC14)はFORECAST.ETSの結果、「信頼下限(来場者)」(セルD14)はFORECACAST.ETS-FORECAST.ETS.CONFINT、「信頼上限(来場者)」(セルE14)はFORECACAST.ETS + FORECAST.ETS.CONFINTの結果がそれぞれ表示されています。詳細はサンプルを参照してください。

統計　回帰分析　365　2021　2019　2016

フォーキャスト・イーティーエス・シーズナリティ

FORECAST.ETS.SEASONALITY

時系列の履歴をもとに季節変動の長さを求める

時系列のデータから、季節変動（増減の繰り返しパターン）の長さを返す。パターンが検出されない場合は0を返す。例えば、時系列のデータが月単位のとき、季節変動が6の場合は、半年ごとに同じパターンを繰り返すことが考えられる。

書式： FORECAST.ETS.SEASONALITY（値, タイムライン,[補間],[集計]）

- [値]では、予測のための履歴のデータを指定する。
- [タイムライン]では、一定の間隔の日付など数値の配列定数またはセル範囲を、[値]と同じサイズで指定する。
- [補間]では、タイムラインに欠落箇所があり、一定間隔になっていない場合の補間方法を指定する。全体の30%までは補間が行われる。1または省略時は、欠落箇所と隣接する点の平均になるように設定する。0の場合は、欠落値を0とする。
- [集計]では、タイムラインに同じ期がある場合に[値]を集計する。集計方法を数値で指定する（p.166 表参照）。

使用例 1 過去1年のデータから、信頼区間、季節変動来場者数を予測する

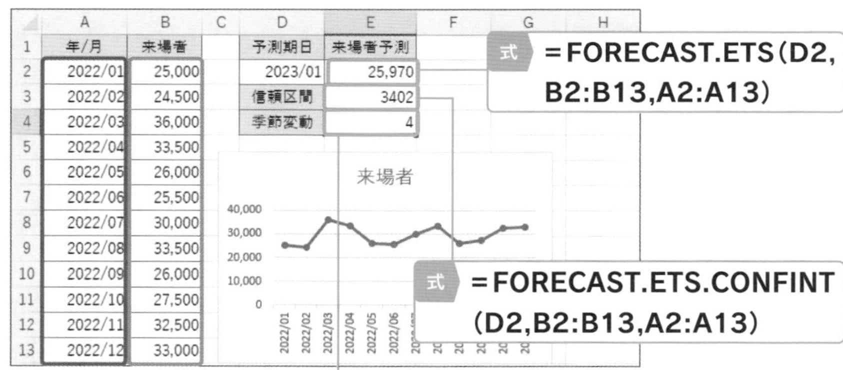

	A	B	C	D	E
1	年/月	来場者		予測期日	来場者予測
2	2022/01	25,000		2023/01	25,970
3	2022/02	24,500		信頼区間	3402
4	2022/03	36,000		季節変動	4
5	2022/04	33,500			
6	2022/05	26,000			
7	2022/06	25,500			
8	2022/07	30,000			
9	2022/08	33,500			
10	2022/09	26,000			
11	2022/10	27,500			
12	2022/11	32,500			
13	2022/12	33,000			

式 =FORECAST.ETS.SEASONALITY(B2:B13,A2:A13)

説明 年/月(A2～A13)と来場者(B2～B13)のデータをもとに「2021/01」を予測期日として、セルE2にFORECAST.ETS関数を使って来場者予測を求め、セルE3に信頼レベルを既定値の0.95としてFORECAST.ETS.CONFINT関数を使って信頼区間を求める。予測期日の来場者予測の信頼区間は、25,970±3402であることがわかる。セルE4ではFORECAST.ETS.SEASONALITY関数を使って季節変動4が返り、4カ月ごとに同じパターンが繰り返されていることがわかる。

フォーキャスト・イーティーエス・スタット
FORECAST.ETS.STAT

時系列分析から統計値を求める

時系列予測の結果から統計値を返す。

書 式：　FORECAST.ETS.STAT(値, タイムライン, 統計の種類, [季節性],[補間],[集計])

- [値]では、予測のための履歴のデータを指定する。
- [タイムライン]では、一定の間隔の日付など数値の配列定数またはセル範囲を、[値]と同じサイズで指定する。
- [統計の種類]では、取得したい統計情報の種類を数値で指定する(下表参照)。
- [季節性]では、データに季節性の周期がある場合、その期間を最大 8,760(1 年間の時間数)までの数値で指定する。季節性の周期を 1 または省略すると、自動的に予測の季節が設定される。0 にすると、季節性がないとみなされる。
- [補間]では、タイムラインに欠落箇所があり、一定間隔になっていない場合の補間方法を指定する。全体の 30%までは自動で補間される。1 または省略時は、欠落箇所と隣接する点の平均になるように設定する。0 は、欠落値を 0 とする。
- [集計]では、タイムラインに同じ期がある場合に[値]を集計する。集計方法を数値で指定する(p.166 表参照)。

統計の種類

値	統計値	説明
1	Alpha	基準値パラメーター。値を大きくすると、最近のデータ要素の重みが大きくなる
2	Beta	向値パラメーター。値を大きくすると、最近の傾向の重みが大きくなる
3	Gamma	季節性の値パラメーター。値を大きくすると、最近の季節の重みが大きくなる
4	MASE	平均絶対スケーリング誤差メトリック。予測精度の測定
5	SMAPE	対称平均絶対割合誤差メトリック。割合誤差に基づく精度測定
6	MAE	対称平均絶対割合誤差メトリック。割合誤差に基づく精度測定
7	RMSE	二乗平均二乗エラーメトリック。予測値と観測値の差異の測定
8	検出された ステップサイズ	履歴タイムラインで検出されたステップサイズ

統計　拡張分布　365　2021　2019　2016

ベータ・ディストリビューション

BETA.DIST

ベータ分布の確率密度や累積確率を求める

ベータ分布の確率密度関数または累積分布関数に値を代入した結果を返す。ベータ分布は、複数の標本を対象に割合の変化を分析する場合などで使用する。

書式：　BETA.DIST(x, α, β, 関数形式,[A],[B])

- [x]では、区間 A ～ B の範囲内で、関数を評価する時点を指定する。
- [α]では、確率分布のパラメーターを指定する。
- [β]では、確率分布のパラメーターを指定する。
- [関数形式]では、TRUE を指定すると累積分布関数の値が計算され、FALSE を指定すると確率密度関数の値が計算される。
- [A]では、x の区間の下限を指定する。省略時は 0 とみなされる。
- [B]では、x の区間の上限を指定する。省略時は 1 とみなされる。

使用例 1　β分布の確率密度と累積分布の表を作成する

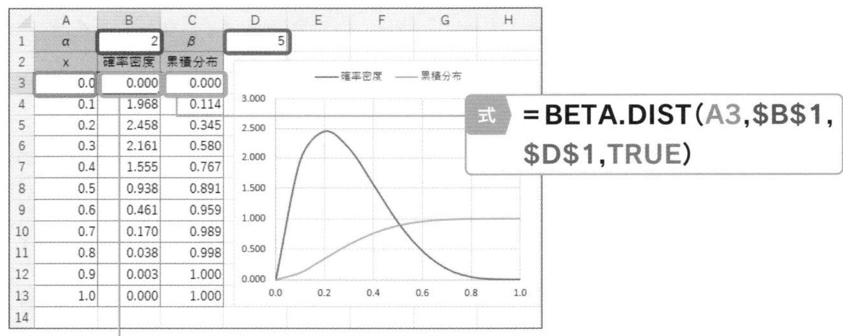

	A	B	C	D
1	α	2	β	5
2	x	確率密度	累積分布	
3	0.0	0.000	0.000	
4	0.1	1.968	0.114	
5	0.2	2.458	0.345	
6	0.3	2.161	0.580	
7	0.4	1.555	0.767	
8	0.5	0.938	0.891	
9	0.6	0.461	0.959	
10	0.7	0.170	0.989	
11	0.8	0.038	0.998	
12	0.9	0.003	1.000	
13	1.0	0.000	1.000	
14				

式 =BETA.DIST(A3,$B$1,$D$1,TRUE)

式 =BETA.DIST(A3,$B$1,$D$1,FALSE)

説明　パラメータαセル(B1)、βセル(D1)の時の x の値(A3 ～ A13)に対する 0 ～ 1 のβ分布の確率密度関数を B3 ～ B13、累積分布関数を C3 ～ C13 で求めている。セル A2 ～ C13 をもとに散布図(平滑線)を作成する。パラメーター値(セル B1、D1)を変更すると、確率密度関数のグラフの形状が変更される。

統計 | 拡張分布 | 365 | 2021 | 2019 | 2016

ベータ・インバース
BETA.INV
ベータ分布の累積関数の逆関数の値を求める

ベータ分布の累積分布関数の逆関数の値を返す。

書 式: BETA.INV(累積確率, α, β,[A],[B])

- [累積確率]では、値を求めたいβ分布の累積確率を指定する。
- [α]では、確率分布のパラメーターを指定する。
- [β]では、確率分布のパラメーターを指定する。
- [A]では、β分布の下限を指定する。省略時は0とみなされる。
- [B]では、β分布の上限を指定する。省略時は1とみなされる。

統計 | ガンマ関数 | 365 | 2021 | 2019 | 2016

ガンマ
GAMMA
ガンマ関数の値を求める

指定した数値からガンマ関数の値を返す。

書 式: GAMMA(数値)

[数値]では、数値を指定する。負の関数または0を指定するとエラー値「#NUM!」を返す。

統計 | ガンマ関数 | 365 | 2021 | 2019 | 2016

ガンマ・ログ / ガンマ・ログ・ナチュラル・プリサイス
GAMMALN / GAMMALN.PRECISE
ガンマ関数の自然対数を求める

ガンマ関数の値の自然対数を返す。

書 式: GAMMALN / GAMMALN.PRECISE(x)

[x]では、GAMMALN / GAMMALN.PRECISE 関数に代入する値を指定する。

統計　ガンマ関数　365　2021　2019　2016

ガンマ・ディストリビューション
GAMMA.DIST

ガンマ分布の確率密度や累積確率の値を求める

ガンマ分布の確率密度関数と累積分布関数に値を代入したときの計算結果を返す。ガンマ分布は，期間βごとに１回くらい起こるランダムな事象がα回起こるまでの時間の分布を表す。

書 式： GAMMA.DIST(x, α, β, 関数形式)

- [x]では、ガンマ関数に代入する値を指定する。
- [α]では、パラメーターα（形状母数）を正の数値で指定する。整数の場合はアーラン分布という。また、1 の時は、指数分布になる。
- [β]では、パラメーターβ（尺度母数）を正の数値で指定する。βが 1 の場合、標準ガンマ分布の値を返す。
- [関数形式]では、TRUE の場合、GAMMA.DIST による累積分布関数を返し、FALSE の場合、確率密度関数を返す。

統計　ガンマ関数　365　2021　2019　2016

ガンマ・インバース
GAMMA.INV

ガンマ分布の累積分布関数の逆関数を求める

ガンマ分布の累積分布関数の逆関数の値を返す。

書 式： GAMMA.INV(累積確率, α, β)

- [α]では、パラメーターα（形状母数）を正の数値で指定する。整数の場合はアーラン分布という。また、1 の時は、指数分布になる。
- [β]では、パラメーターβ（尺度母数）を正の数値で指定する。βが 1 の場合、標準ガンマ分布の値を返す。

関連

GAMMADIST　互換性関数 ➡ p.421
GAMMAINV　互換性関数 ➡ p.421

統計　ワイブル分布　365　2021　2019　2016

ワイブル・ディストリビューション

WEIBULL.DIST

ワイブル分布の確率密度や累積確率を求める

ワイブル分布の確率密度関数または累積分布関数の値を返す。ワイブル分布は、機械が故障するまでの平均時間のような信頼性の分析に使用される。

書 式：　WEIBULL.DIST(x, α, β, 関数形式)

- [x]では、関数に代入する値を指定する。
- [α]では、パラメーターαを指定する。
- [β]では、パラメーターβを指定する。
- [関数形式]では、TRUE を指定すると累積分布関数の値が計算され、FALSE を指定すると確率密度関数の値が計算される。

統計　フィッシャー変換　365　2021　2019　2016

フィッシャー

FISHER

フィッシャー変換の値を求める

相関係数をフィッシャー変換した値を返す。この関数では、左右非対称な相関係数の分布を左右対称にして正規分布に変換できる。フィッシャー変換は、「フィッシャーの z 変換」ともいう。相関係数の仮説検定を行うときに使用する。

書 式：　FISHER(x)

[x]では、相関係数を指定する。

Hint　フィッシャー変換は、次の数式で定義される。

$$z=\frac{1}{2}ln\left(\frac{1+x}{1-x}\right)$$

統計　フィッシャー変換　365　2021　2019　2016

フィッシャー・インバース

FISHERINV

フィッシャー変換の逆関数の値を求める

フィッシャー変換の逆関数の値を返す。この関数は、データ範囲または配列定数間の相関を分析する場合に使用する。

書 式：　ISHERINV(y)

[y]では、フィッシャー変換後の値(逆変換の対象となる値)を指定する。

統計　順列　365　2021　2019　2016

パーミュテーション

PERMUT

順列の数を求める

n 個のものから r 個を取り出して、1 列に並べる順列の数を返す。例えば、3 個の文字の集合「a,b,c」の中から 2 つ取り出したときの順列は、「ab」、「ba」、「ac」、「ca」、「bc」、「cb」の 6 通りある。

書 式： PERMUT(総数, 抜き取り数)

- [総数]には、順列の元となる項目の総数(n)を指定する。
- [抜き取り数]には、順列で取り出す数(r)を指定する。

Hint 順列の数は数式「$_nP_r = n(n-1)(n-2)\cdots(n-r+1)$」で表される。

統計　順列　365　2021　2019　2016

パーミュテーション・エー

PERMUTATIONA

重複順列の数を求める

n 個のものから重複を許して r 個を取り出し、1 列に並べる順列の総数を返す。例えば、3 個の文字の集合「a,b,c」の中から重複を許して 2 つ取り出して並べたときの順列は「aa」、「ab」、「ba」、「ac」、「ca」、「bb」、「bc」、「cb」、「cc」の 9 通りある。

書 式： PERMUTATIONA(総数, 抜き取り数)

- [総数]には、順列の元となる項目の総数を指定する。
- [抜き取り数]には、順列で取り出す数を指定する。

使用例 1 重複なしと重複ありで項目の順列数を求める

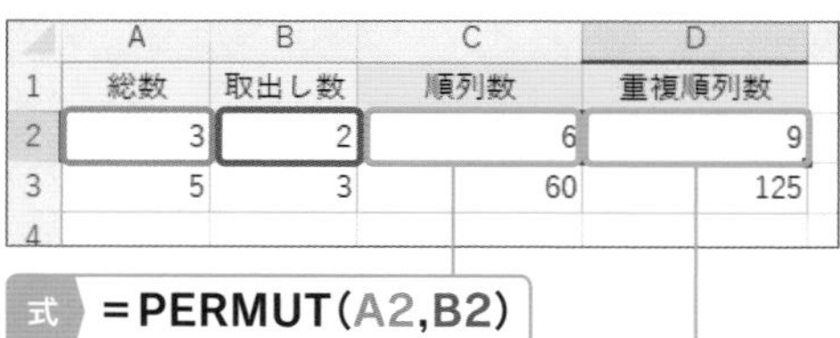

	A	B	C	D
1	総数	取出し数	順列数	重複順列数
2	3	2	6	9
3	5	3	60	125
4				

式 =PERMUT(A2,B2)

式 =PERMUTATIONA(A2,B2)

説明 セル C2 では、PERMUT 関数を使ってセル A2(3) を総数、セル B2(2) を取り出し数とした場合の重複なしの順列数を求めている。セル D2 では、PERMUTATIONA 関数を使って同様に重複ありの順列数を求めている。

文字列操作関数

文字列操作関数を使うと、文字と文字を連結したり、文字の一部分だけ取り出したり、文字列の中から特定の文字の位置を求めたりと文字や文字列を操作できます。また、半角文字を全角文字に変換するとか、ひらがなをカタカナに変換するなど、データの表記を統一させることもできます。

文字列　文字列長　365　2021　2019　2016

レングス
LEN

文字列の文字数を求める

指定した文字列の文字数を返す。全角・半角区別なく 1 文字として数える。

書式：　LEN(文字列)

[文字列]では、文字数を調べたい文字列や数値を指定する。

Hint　文字列内のスペースや記号も数える。セルに設定されている表示形式は文字数として数えることはできない。

文字列　文字列長　365　2021　2019　2016

レングス・ビー
LENB

文字列のバイト数を求める

指定した文字列のバイト数を返す。全角文字は 2 バイト、半角文字は 1 バイトとして数える。

書式：　LENB(文字列)

[文字列]では、バイト数を調べたい文字列や数値を指定する。

Hint　文字列内の記号も数える。セルに設定されている表示形式はバイト数として数えることはできない。

使用例 1　セル内のデータの文字とバイト数を数える

	A	B	C	D
1	文字列	LEN関数 (文字数)	LENB関数 (バイト数)	
2	カレンダー	5	10	
3	A4用紙	4	6	
4	12345	5	5	
5				

式　=LEN(A2)

式　=LENB(A2)

説明　セル A2 の文字列についてセル B2 では LEN 関数で文字数(B2)、セル C2 では LENB 関数でバイト数(C2)を調べる。

文字列　文字列抽出　365　2021　2019　2016

レフト

LEFT

文字列の先頭から指定数の文字を取り出す

文字列の先頭(左端)から指定された数の文字を返す。半角文字、全角文字区別なく1文字として数える。

書 式： LEFT(文字列,[文字数])

- [文字列]では、取り出すもととなる文字列を指定する。
- [文字数]では、取り出したい文字数を指定する。省略時は1とみなされる。文字列より大きい文字数を指定した場合はすべての文字列が取り出される。

文字列　文字列抽出　365　2021　2019　2016

レフト・ビー

LEFTB

文字列の先頭から指定バイト数の文字を取り出す

文字列の先頭(左端)から指定されたバイト数の文字を返す。半角文字は1バイト、全角文字は2バイトとして数える。

書 式： LEFTB(文字列,[バイト数])

- [文字列]では、取り出すもととなる文字列を指定する。
- [バイト数]では、取り出したいバイト数を指定する。省略時は1とみなされる。文字列より大きいバイト数を指定した場合はすべての文字列が取り出される。

使用例 1 文字列の先頭から4文字、4バイト取り出す

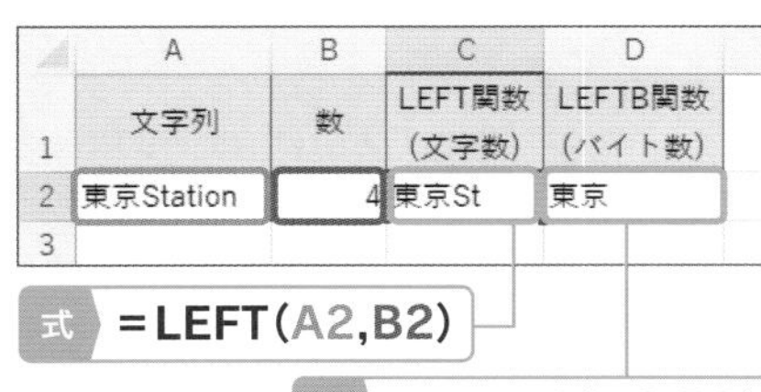

	A	B	C	D
1	文字列	数	LEFT関数(文字数)	LEFTB関数(バイト数)
2	東京Station	4	東京St	東京
3				

式 =LEFT(A2,B2)

式 =LEFTB(A2,B2)

説明 セルA2の文字列について、セルC2ではLEFT関数で先頭から4文字(B2)取り出し、セルD2ではLEFTB関数で先頭から4バイト(B2)取り出す。

文字列　文字列抽出　365　2021　2019　2016

ライト
RIGHT

文字列の末尾から指定数の文字を取り出す

文字列の末尾（右端）から指定された数の文字を返す。半角文字、全角文字区別なく１文字として数える。

書 式：　RIGHT（文字列,[文字数]）

- [文字列]では、取り出すもととなる文字列を指定する。
- [文字数]では、取り出したい文字数を指定する。省略時は、１とみなされる。文字列より大きい文字数を指定した場合はすべての文字列が取り出される。

文字列　文字列抽出　365　2021　2019　2016

ライト・ビー
RIGHTB

文字列の末尾から指定バイト数の文字を取り出す

文字列の末尾（右端）から指定されたバイト数の文字を返す。半角文字は１バイト、全角文字は２バイトとして数える。

書 式：　RIGHTB（文字列,[バイト数]）

- [文字列]では、取り出すもととなる文字列を指定する。
- [バイト数]では、取り出したいバイト数を指定する。省略時は、１とみなされる。文字列より大きいバイト数を指定した場合はすべての文字列が取り出される。

使用例 1　文字列の末尾から４文字、４バイト取り出す

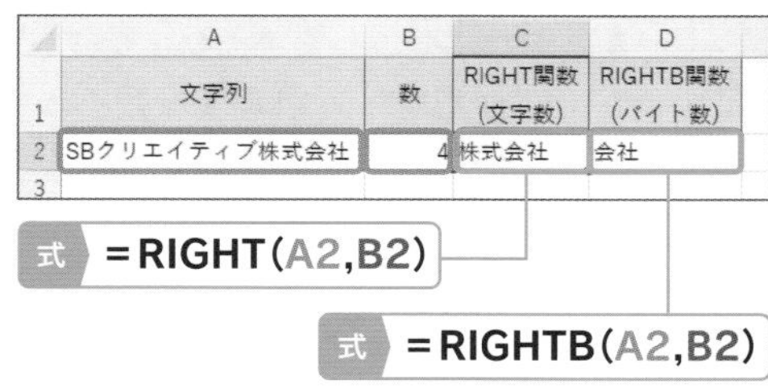

	A	B	C	D
1	文字列	数	RIGHT関数（文字数）	RIGHTB関数（バイト数）
2	SBクリエイティブ株式会社	4	株式会社	会社
3				

式　=RIGHT(A2,B2)

式　=RIGHTB(A2,B2)

説明　セルA2の文字列について、セルC2ではRIGHT関数で末尾から４文字(B2)取り出し、セルD2ではRIGHTB関数で末尾から４バイト(B2)取り出す。

関連　LEFT　文字列の先頭から指定数の文字を取り出す ➡ p.173

文字列　文字列抽出　365 2021 2019 2016

ミッド
MID

文字列の指定した位置から指定数の文字を取り出す

文字列の指定された位置から指定された文字数の文字を返す。半角文字、全角文字区別なく 1 文字として数える。

書式：　MID(文字列, 開始位置, 文字数)

- [文字列]では、取り出すもととなる文字列を指定する。
- [開始位置]では、取り出したい文字列の開始位置を[文字列]の先頭文字を 1 として何文字目かを指定する。文字数よりも大きい場合は空文字("")を返す。
- [文字数]では、取り出したい文字数を指定する。指定した文字数が開始位置以降の文字数よりも大きい場合は、文字列の最後までの文字を返す。

使用例 1 郵便番号の前半と後半を取り出す

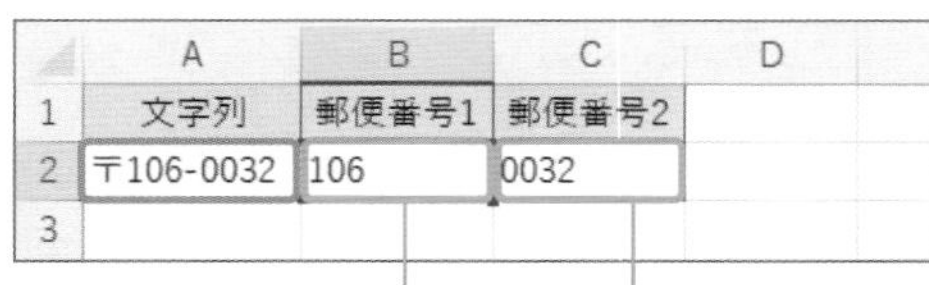

	A	B	C	D
1	文字列	郵便番号1	郵便番号2	
2	〒106-0032	106	0032	
3				

式 =MID(A2,2,3)　式 =MID(A2,6,4)

説明　セル A2 の文字列について、セル B2 では 2 文字目から 3 文字取り出し、セル C2 では 6 文字目から 4 文字取り出す。

文字列　文字列抽出　365 2021 2019 2016

ミッド・ビー
MIDB

文字列の指定した位置から指定バイトの文字を取り出す

文字列の指定された位置から指定されたバイト数の文字を返す。半角文字は 1 バイト、全角文字は 2 バイトとして数える。

書式：　MIDB(文字列, 開始位置, バイト数)

[文字列]では、取り出すもととなる文字列を指定する。
- [開始位置]では、取り出したい文字列の開始位置を[文字列]の先頭文字を 1 として何バイト目かを指定する。
- [バイト数]では、取り出したいバイト数を指定する。省略時は 1 とみなされる。文字列より大きいバイト数を指定した場合はすべての文字列が取り出される。

コンカット
CONCAT

複数の文字列を結合する

複数の文字列をひと続きの文字列に連結する。

書 式： CONCAT(テキスト 1,[テキスト 2],…)

[テキスト]では、結合する文字列を、文字列またはセル範囲で指定する。[テキスト 2]以降を指定する場合は「,」で区切って追加する。最大 253 個まで追加できる。

Hint [テキスト]で指定したセル範囲内に日付や時刻が含まれていると、日付連番が表示される。日付時刻として連結したい場合は、TEXT 関数を使って文字列に変換する。

使用例 1 各セルの文字を結合して住所をまとめる

	A	B	C	D	E	F
1	都道府県	市区町村	住所1	住所2	連結文字列	
2	東京都	港区	六本木	x - x - x	東京都港区六本木 x - x - x	
3						

式 =CONCAT(A2:D2)

説明 セル A2 ～ D2 の各セルの文字列を連結する。

使用例 2 パーセントと文字列を連結する

	A	B	C	D
1	値 1	値 2	値 3	
2	商品Aの売り上げは	30%	アップしました。	
3	連結文字列			
4	商品Aの売り上げは30%アップしました。			
5				

式 =CONCAT(A2,TEXT(B2,"0%"),C2)

説明 セル A2 と、セル B2 の数値を TEXT 関数で表示形式を設定した文字列に変換したものと、セル C2 を連結してひと続きの文字列にしている。「= CONCAT(A2：C2)」と指定した場合は、「商品 A の売り上げは 0.3 アップしました。」のように数値になってしまうため、TEXT 関数で文字列に変換している。

関連

MID 文字列の指定した位置から指定数の文字を取り出す ➡ p.175
CONCATENATE 互換性関数 ➡ p.422
TEXT 数値に表示形式を設定して文字列に変換する ➡ p.187

テキスト・ビフォアー / テキスト・アフター

TEXTBEFORE / TEXTAFTER

区切り文字の前または後ろの文字列を取り出す

TEXTBEOFRE 関数は、指定した区切り文字より前(左側)にある文字列を返す。
TEXTAFTER 関数は、指定した区切り文字より後(右側)にある文字列を返す。

書式： **TEXTBEFORE(文字列, 区切り文字,[区切り位置],[検索モード],[末尾の処理],[区切り文字がない場合])**

TEXTAFTER(文字列, 区切り文字,[区切り位置],[検索モード],[末尾の処理],[区切り文字がない場合])

- [文字列]では、分割したいもとの文字列を指定する。
- [区切り文字]では、区切り文字を指定する。
- [区切り位置]では、区切り文字が複数ある場合、何番目の区切り文字を対象とするか指定する。省略時は 1。負の数を指定した場合は、末尾から検索される。
- [検索モード]では、区切り記号の大文字と小文字の区別かどうかを指定する。0 または省略時は区別し、1 の場合は区別しない。
- [末尾の処理]では、文字列の末尾を区切り記号として扱うかどうかを指定する。0 または省略時は末尾を区切り文字とみなさない。0 の場合は末尾を区切り文字とみなす。
- [区切り文字がない場合]では、[区切り文字]で指定した区切り文字が見つからなかった場合に表示する値を指定する。省略時は「#N/A」が表示される。

使用例 1 フルパスの文字列からフォルダーとファイル名を分割する

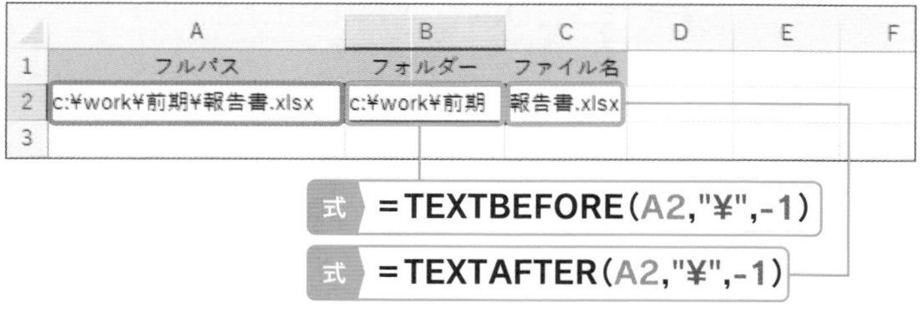

	A	B	C	D	E	F
1	フルパス	フォルダー	ファイル名			
2	c:¥work¥前期¥報告書.xlsx	c:¥work¥前期	報告書.xlsx			
3						

式 =TEXTBEFORE(A2,"¥",-1)

式 =TEXTAFTER(A2,"¥",-1)

説明 セル B2 では、セル A2 の文字列で「¥」を区切り文字とし、文字列の末尾から数えて 1 つ目の区切り文字「¥」より前の文字を取り出している。セル C2 では、セル A2 の文字列で「¥」を区切り文字とし、文字列の末尾から数えて 1 つ目の区切り文字「¥」より後ろの文字を取り出している。

テキストジョイン
TEXTJOIN

区切り記号で複数の文字列を結合する

複数の文字列を、区切り記号で区切りながらひと続きの文字列に連結する。

書 式： TEXTJOIN（区切り記号, 空の文字を無視, 文字列 1, [文字列 2],…）

- [区切り記号]では、[文字列]の間に挿入する文字列を指定する。直接指定する場合は「","」のように「"」で囲んで指定する。
- [空の文字を無視]では、[文字列]が空の場合の扱いを指定する。TRUE の場合、空の場合は無視して[区切り記号]を挿入しない。FALSE の場合は、空の場合でも[区切り記号]を挿入する。
- [文字列]では、連結したい文字列を文字列または、セル範囲を指定する。文字列を直接指定する場合は、「"」で囲む。セル範囲を指定した場合は、各セルを[区切り記号]で区切りながら連結する。

使用例 1 データをカンマで区切って 1 つにまとめる

	A	B	C	D	E	F
1	NO	氏名	年齢	性別	連結文字列	
2	A1001	山本　桜子		女	A1001,山本　桜子,,女	
3						

式 =TEXTJOIN(",",FALSE,A2:D2)

説明 空のセルは無視せず、カンマ(,)で区切ってセル A2 ～ D2 内のセルの文字列を連結する。ここでは「年齢」が空欄になっているが、カンマのみ挿入している。

Hint 連結できる文字数は、最大 32767 文字(セル内に入力できる文字の上限)まで。

関連 CONCAT 複数の文字列を結合する ➡ p.176

テキスト・スプリット
TEXTSPLIT

文字列を複数のセルに分割する

指定した文字列内にある記号を行区切り、列区切りとして分割した結果をセル範囲に表示する。スピル機能により連続した複数のセルに結果が表示される

書 式：　TEXTSPLIT(文字列, 列区切り,[行区切り], [空の文字を無視],[検索モード],[空セルに表示する値])

- [文字列]では、分割したい文字列を指定する。
- [列区切り]では、列の区切りとなる記号を指定する。
- [行区切り]では、行の区切りとなる記号を指定する。
- [空の文字を無視]では、区切り記号が連続した場合に空のセルを作成するかどうかを指定する。TRUE または省略時は作成されず、FALSE の場合は作成する。
- [検索モード]では、区切り記号の大文字と小文字の区別かどうかを指定する。TRUE または省略時は区別し、FALSE の場合は区別しない
- [空セルに表示する値]では、行数や列数が同じでない場合に空となるセルに表示する値を指定。省略時は「#N/A」が表示される。

使用例 1 セル内の文字列でカンマを列区切り、コロンを行区切りにして複数のセルに分割する

	A	B	C	D	E
1	aaa,,ccc:ddd,eee	aaa		ccc	
2		ddd	eee	#N/A	
3					

式 =TEXTSPLIT(A1,",",":",FALSE)

説明　セル B1 では、セル A1 の文字列で「,」を列の区切り、「:」を行の区切りとして、空文字を無視しない設定で文字列を分割し、スピル機能により自動で連続するセルに結果が表示される。

関連

TEXTJOIN　区切り記号で複数の文字列を結合する ➡ p.178
動的配列数式とスピル ➡ p.375

リプレース
REPLACE

指定された文字数の文字を別の文字に置換する

文字列の中に含まれる、指定された文字数の文字を、別の文字に置き換える。半角文字、全角文字区別なく1文字として数える。

書式： REPLACE(文字列, 開始位置, 文字数, 置換文字列)

- [文字列]に対して、指定された[開始位置]から[文字数]分の文字を[置換文字列]に置き換える。
- [文字列]では、置換の対象となる文字列を指定する。
- [開始位置]では、置き換えを行う最初の位置を、文字列の先頭を1として何文字目かを指定する。
- [文字数]では、置き換える文字数を指定する。
- [置換文字列]では、置き換える文字列を指定する。

使用例1 IDの末尾5文字のみ表示して、「*」に置き換える

	A	B	C
1	ID	末尾4桁	
2	0123-4567-8910	*********-8910	
3	0123-4567-8911	*********-8911	

式 =REPLACE(A2,1,9,"*********")

説明 セルA2のIDの1文字目から9個分の文字を「*********」に置き換える。次の例のように書き換えると、元の文字の文字数にかかわらず、末尾5文字以外を「*」に置き換えられる。
例：「=REPLACE(A2,1,LEN(A2)-5,REPT("*",LEN(A2)-5))」

関連

REPLACEB 指定されたバイト数の文字を別の文字に置換する ➡ p.181
LEN 文字列の文字数を求める ➡ p.172
REPT 指定した回数だけ文字列を表示する ➡ p.185

文字列　文字列置換　365　2021　2019　2016

リプレース・ビー
REPLACEB

指定されたバイト数の文字を別の文字に置換する

文字列の中に含まれる、指定されたバイト数の文字を、別の文字に置き換える。半角文字は1バイト、全角文字は2バイトとして数える。

書 式： REPLACEB(文字列, 開始位置, バイト数, 置換文字列)

- [文字列]の指定された[開始位置]から[バイト数]分の文字を[置換文字列]に置き換える。
- [文字列]では、置換の対象となる文字列を指定する。
- [開始位置]では、置き換えを行う最初の位置を、文字列の先頭を1として何文字目かを指定する。
- [バイト数]では、置き換えるバイト数を指定する。
- [置換文字列]では、置き換える文字列を指定する。

文字列　文字列置換　365　2021　2019　2016

サブスティチュート
SUBSTITUTE

検索した文字列を別の文字列に置換する

文字列内から、指定した文字列を検索し、別の文字列に置き換える。

書 式： SUBSTITUTE(文字列, 検索文字列, 置換文字列,[置換対象])

- [文字列]では、置換する文字を含む文字列を指定する。
- [検索文字列]では、置換される文字列を指定する。
- [置換文字列]では、置換する文字列を指定する。
- [置換対象]では、[文字列]内に[検索文字列]が複数見つかった場合、何番目を置換するか数値で指定する。例えば1つ目だけ置換する場合は、「1」と指定する。省略すると見つかったすべての[検索文字列]が置換される。

使用例 1　1つ目の「/」を「：」に置換する

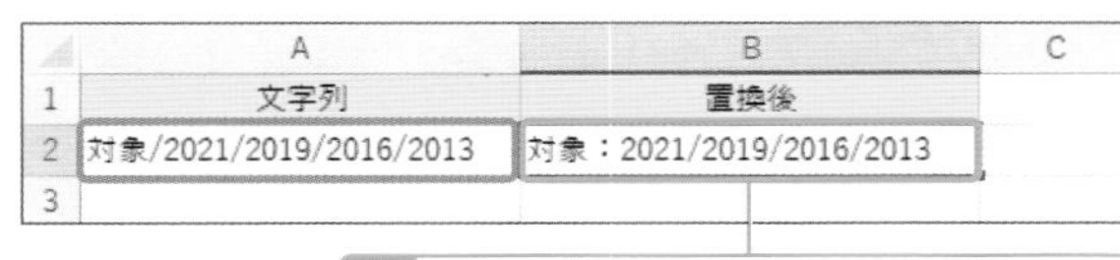

	A	B	C
1	文字列	置換後	
2	対象/2021/2019/2016/2013	対象：2021/2019/2016/2013	
3			

式　=SUBSTITUTE(A2,"/","：",1)

説明　セルA2の文字列の中で「/」を検索し、1つ目の「/」を「：」に置換する。

関連　REPLACE　指定された文字数の文字を別の文字に置換する ➡ p.180

ファインド
FIND

文字列の位置を求める

文字列の中で、指定した文字列を検索し、先頭から数えて何文字目に見つかったかを返す。半角文字、全角文字区別なく1文字として数える。

書式：　FIND(検索文字列, 対象,[開始位置])

- [検索文字列]では、検索する文字列を指定する。空文字("")を指定した場合、開始位置の文字を返す。
- [対象]では、検索する文字が含まれている文字列を指定する。
- [開始位置]では、[対象]の先頭から何文字目を検索の開始位置とするかを指定する。省略時は、1とみなされる。

Hint　大文字と小文字は区別される。ワイルドカード文字は使えない。見つからなかった場合はエラー値「#VALUE!」を返す。

使用例1 メールアドレスの「@」の位置を求める

	A	B	C
1	メールアドレス	@	
2	yamada_h@xxx.xx	9	
3	tsuji@xxx.xx	6	
4			

式 =FIND("@",A2)

説明　メールアドレス(A2)の中から「@」の位置を調べる。

使用例2 メールアドレスの「@」の前と後ろの文字列を取り出す

	A	B	C	D
1	メールアドレス	ユーザー	ドメイン	
2	yamada_h@xxx.xx	yamada_h	xxx.xx	
3	tsuji@xxx.xx	tsuji	xxx.xx	

式 =RIGHT(A2,LEN(A2)-FIND("@",A2))

式 =LEFT(A2,FIND("@",A2)-1)

説明　セルB2では、FIND関数でセルA2のメールアドレスの中から「@」の位置を調べ、その位置から1を引いた数だけLEFT関数で先頭から取り出す。これにより「@」より前の文字列が取得できる。

説明　セルC2では、FIND関数でセルA2のメールアドレスの中から「@」の位置を調べ、LEN関数で調べた全文字数から「@」の位置を引いた数だけRIGHT関数で末尾から取り出す。これにより「@」より後ろの文字列が取得できる。

ファインド・ビー

FINDB

文字列のバイト位置を求める

文字列の中で、指定した文字列を検索し、先頭から数えて何バイト目に見つかったかを返す。半角文字は１バイト、全角文字は２バイトとして数える。

書 式：　FINDB(検索文字列, 対象,[開始位置])

- [検索文字列]では、検索する文字列を指定する。空文字("")を指定した場合、開始位置の文字を返す。
- [対象]では、検索する文字が含まれている文字列を指定する。
- [開始位置]では、[対象]の先頭から何バイト目から検索を開始するかを指定する。省略時は、１とみなされる。

Hint　半角文字と全角文字、大文字と小文字は区別される。ワイルドカード文字は使えない。見つからなかった場合はエラー値「#VALUE!」を返す。

使用例 1 値の中から「：」の位置を求める

	A	B	C
1	値	：	
2	Excel関数：2021	10	
3	ExcelVBA：2021	9	

式 =FINDB("：",A2)

説明　値(A2)の中から、半角文字は１，全角文字は２として数える設定で「：」の位置を求める。

関連

LEN　文字列の文字数を求める ➡ p.172
LEFT　文字列の先頭から指定数の文字を取り出す ➡ p.173
RIGHT　文字列の末尾から指定数の文字を取り出す ➡ p.174

サーチ
SEARCH

文字列の位置を求める

文字列の中で、指定した文字列を検索し、先頭から数えて何文字目に見つかったかを返す。半角文字、全角文字区別なく1文字として数える。

書式：　SEARCH(検索文字列, 対象,[開始位置])

- [検索文字列]は、検索する文字列を指定する。空文字("")を指定した場合、開始位置の文字を返す。
- [対象]では、検索する文字が含まれている文字列を指定する。
- [開始位置]では、[対象]の先頭から何文字目から検索を開始するかを指定する。省略時は、1とみなされる。

Hint　大文字と小文字は区別されないが、ワイルドカード文字は使える。見つからなかった場合はエラー値「#VALUE!」を返す。大文字と小文字を区別したい場合は、FIND関数を使う。

使用例1　指定したパターンの文字列の開始位置を調べる

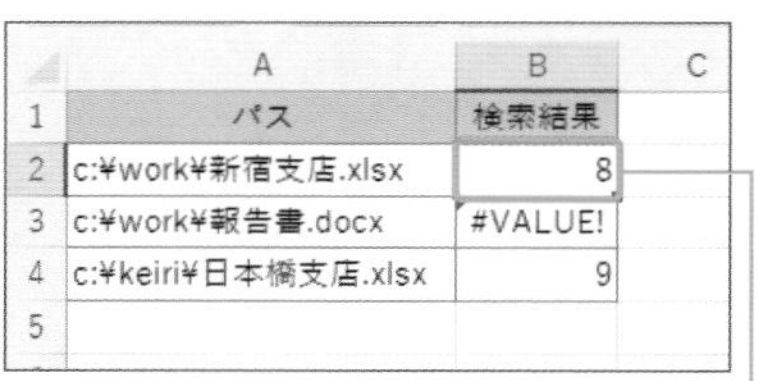

	A	B	C
1	パス	検索結果	
2	c:¥work¥新宿支店.xlsx	8	
3	c:¥work¥報告書.docx	#VALUE!	
4	c:¥keiri¥日本橋支店.xlsx	9	
5			

式　=SEARCH("¥*xlsx",A2,4)

説明　A2セル内の4文字目以降にある「¥で始まり、xlsxで終わる」文字列の位置を調べる。見つからなかった場合はエラー値が表示される。

使用例2　フォルダー内のエクセルのファイル名を取り出す

	A	B	C
1	パス	Excelファイル	
2	c:¥work¥新宿支店.xlsx	新宿支店.xlsx	
3	c:¥work¥報告書.docx		

式　=IFERROR(MID(A2,SEARCH("¥*xlsx",A2,4)+1,20),"")

説明　Cドライブ直下にあるフォルダー内でExcelファイルの位置を調べ、MID関数でファイル名だけを取り出している。見つからなかった場合はエラーになるので、IFERROR関数でエラーの場合は何も表示しない("")としている。

文字列　文字列検索　365　2021　2019　2016

サーチ・ビー
SEARCHB

文字列のバイト位置を求める

文字列の中で、指定した文字列を検索し、先頭から数えて何バイト目に見つかったかを返す。半角文字は1バイト、全角文字は2バイトと数える。

書 式：　SEARCHB(検索文字列, 対象,[開始位置])

- [検索文字列]では、検索する文字列を指定する。空文字("")を指定した場合、開始位置の文字を返す。
- [対象]では、検索する文字が含まれている文字列を指定する。
- [開始位置]では、[対象]の先頭から何バイト目から検索を開始するかを指定する。省略時は、1とみなされる。

Hint　大文字と小文字は区別されないが、ワイルドカード文字は使える。見つからなかった場合はエラー値「#VALUE!」を返す。

文字列　文字列表示　365　2021　2019　2016

リピート
REPT

指定した回数だけ文字列を表示する

文字列を指定した回数だけ繰り返して表示する。

書 式：　REPT(文字列, 繰り返し回数)

- [文字列]では、繰り返す文字列を指定する。
- [繰り返し回数]では、繰り返す回数を0～32737の範囲で指定する。0にすると空文字("")を返す。整数以外を指定した場合、小数点以下は切り捨てられる。

使用例 1 評価の数だけ「☆」を繰り返す

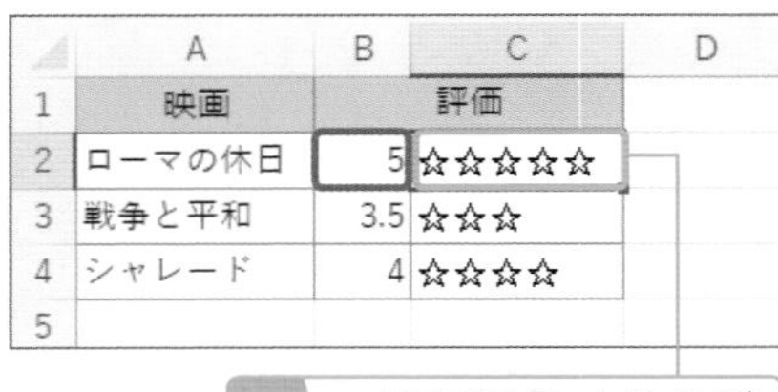

	A	B	C	D
1	映画	評価		
2	ローマの休日	5	☆☆☆☆☆	
3	戦争と平和	3.5	☆☆☆	
4	シャレード	4	☆☆☆☆	
5				

式　=REPT("☆",B2)

説明　セルB2の数だけ「☆」を繰り返す。小数点以下は切り捨てられるため「3.5」の場合は「☆」が3つ表示される。

文字列　文字列変換　365　2021　2019　2016

フィックスト
FIXED

数値に桁区切りカンマや小数点記号を付けて文字列に変換する

数値を、指定した桁数になるように四捨五入し、結果を桁区切りカンマ「,」と小数点「.」付けて文字列に変換する。

書 式：　FIXED(数値,[桁数],[桁区切り])

- [数値]では、対象となる数値を指定する。
- [桁数]では、小数点以下の桁数を指定する。指定方法はROUND関数と同じ。例えば、1にすると小数点以下第1位、0にすると1の位、-1にすると10の位になるように四捨五入する。省略時は、2とみなされる。
- [桁区切り]では、FALSEまたは省略すると桁区切りカンマを付ける。TRUEを指定すると桁区切りカンマを付けない。

Hint 数値を通貨やパーセント表示で文字列に変換したい場合は、TEXT関数を使う。

使用例1 数値を指定した桁数に四捨五入し、文字列に変換する

	A	B	C	D	E
1	数値	桁数	桁区切り	結果	
2	1234.567	1	あり	1,234.6	
3	1234.567	-1		1,230	
4	1234.567	0	なし	1235	
5					

式 =FIXED(A2,B2)

式 =FIXED(A4,B4,TRUE)

説明　セルD2では、セルA2の数値を小数点以下第1位まで表示するように四捨五入し、桁区切りカンマを表示する。セルD4では、セルA4の数値を1の位から表示するように四捨五入し、桁区切りカンマを表示しない。

関連

TEXT　数値に表示形式を設定して文字列に変換する ➡ p.187
ROUND　数値を指定した桁数になるように四捨五入する ➡ p.45

テキスト
TEXT

数値に表示形式を設定して文字列に変換する

数値に指定した表示形式を設定して文字列に変換する。

書 式：　TEXT(数値, 表示形式)

- [数値]では、表示形式を設定したい数値を指定する。
- [表示形式]では、書式記号を使って表示形式を文字列で指定する。例えば、「"#,##0"」のように書式記号を「"」で囲んで指定する。

使用例① 日付から曜日名を表示する

	A	B	C	D
1	日付	曜日1	曜日2	
2	2022/2/15	火曜日	Tuesday	
3	2022/2/16	水曜日	Wednesday	

式 =TEXT(A2,"aaaa")

式 =TEXT(A2,"dddd")

説明　セル B2 では、セル A2 の日付の曜日を表示形式「aaaa」で表示し、セル C2 では、同様に表示形式「dddd」で表示する。

使用例② 日付や金額を文字列と連結する

	A	B	C	D
1	日付	金額	連結	
2	2022/2/15	¥15,000	2022/2/15のお会計：¥15,000です	
3	2022/2/16	¥9,000	2022/2/16のお会計：¥9,000です	
4	2022/2/17	¥28,000	2022/2/17のお会計：¥28,000です	

式 =CONCAT(TEXT(A2,"yyyy/m/d")," のお会計：",
TEXT(B2,"¥#,##0")," です ")

説明　TEXT 関数を使って日付(A2)と金額(B2)に表示形式を設定し、文字列に変換して、CONCAT 関数で日付と金額と文字列を連結する。

関連　表示形式の設定 ➡ p.381

アレイ・トゥー・テキスト

ARRAYTOTEXT

配列を文字列に変換する

配列を文字列に変換して返す。文字列はそのまま、数値や論理値などの値は文字列に変換され、各データは半角の「,」で区切られる。

書式：　ARRAYTOTEXT(配列,[書式])

- [配列]では、文字列の配列に変換したい値を指定する。
- [書式]では、変換形式を指定する。0または省略の場合は、簡潔な形式となり、文字列はそのまま返る。1の場合は、正確な形式となり、なお、文字列は「" "」で囲われる。戻り値の前後が中カッコ「{}」で囲まれ、配列定数の形式となる。0、1ともに、数値や論理値など他のデータはそのまま変換され、日付時刻はシリアル値に変換される。

使用例 1 セル範囲の値を文字列の配列に変換する

	A	B	C	D	E	F
1	氏名	生年月日	年齢	正誤	エラー	
2	山本　桜子	1996/6/15	26	TRUE	#N/A	
3						
4	配列変換					
5	書式：0	山本　桜子, 35231, 26, TRUE, #N/A				
6	書式：1	{"山本　桜子",35231,26,TRUE,#N/A}				
7						

式 =ARRAYTOTEXT(A2:E2,1)

式 =ARRAYTOTEXT(A2:E2,0)

説明　セルB5では、セルA2～E2のデータを簡潔な形式(0)で文字列の配列に変換し、セルB6ではセルA2～E2のデータを正確な形式(1)で文字列の配列に変換している。

関連

VALUETOTEXT	任意の値を文字列に変換する	➡ p.189
CONCAT	複数の文字列を結合する	➡ p.176
TEXTJOIN	区切り記号で複数の文字列を結合する	➡ p.178

文字列 文字列変換 365 2021 2019 2016

バリュー・トゥー・テキスト
VALUETOTEXT

任意の値を文字列に変換する

値で指定したデータを文字列に変換して返す。文字列はそのまま返り、数値や論理値などの値は文字列に変換される。

書式： VALUETOTEXT(値,[書式])

- [値]では、文字列に変換したい値を指定する。
- [書式]では、変換形式を指定する。0または省略の場合は、簡潔な形式となり、文字列はそのまま返る。1の場合は、正確な形式となり、文字列は「" "」で囲われて返る。0, 1ともに数値や論理値など他のデータはそのまま文字列に変換され、日付時刻はシリアル値が文字列に変換される。

使用例1 セル内のデータを文字列に変換する

	A	B	C	D	E	F
1			文字列変換			
2			書式：0	書式：1		
3	氏名	山本　桜子	山本　桜子	"山本　桜子"		
4	生年月日	1996/6/15	35231	35231		
5	年齢	26	26	26		
6	正誤	TRUE	TRUE	TRUE		
7	エラー	#N/A	#N/A	#N/A		

式 =VALUETOTEXT(B3,0)

式 =VALUETOTEXT(B3,1)

説明 セルC3では、セルB3のデータを簡潔な形式(0)で文字列に変換し、セルD3ではセルB3のデータを正確な形式(1)で文字列に変換している。

文字列 文字列変換 365 2021 2019 2016

アスキー
ASC

全角文字を半角に変換する

全角の英数カナ文字(2バイト)を半角の英数カナ文字(1バイト)に変換する。

書式： =ASC(文字列)

[文字列]では、半角に変換したい英数カナ文字を含む文字列を指定する。文字列に含まれるひらがなや漢字は半角にはならない。例えば「=ASC("Ｅｘｃｅｌ関数コース")」とした場合、「Excel関数コース」を返す。

関連

ARRAYTOTEXT 配列を文字列に変換する ➡ p.188
TEXT 数値に表示形式を設定して文字列に変換する ➡ p.187

文字列　文字列変換　365　2021　2019　2016

ジス
JIS

半角文字を全角に変換する

半角の英数カナ文字(1 バイト)を全角の英数カナ文字(2 バイト)に変換する。

書 式：　=JIS(文字列)

[文字列]では、全角に変換したい英数カナ文字を含む文字列を指定する。例えば、「=JIS("Excel 基礎 2019")」とした場合、「Ｅｘｃｅｌ基礎２０１９」を返す。

文字列　文字列変換　365　2021　2019　2016

エン
YEN

数値を円通貨の文字列に変換する

数値を指定した桁数になるように四捨五入し、円の通貨書式(¥)を使って文字列に変換する。

書 式：　YEN(数値,[桁数])

- [数値]では、もととなる数値を指定する。例えば、「=YEN(1500)」とすると「¥1,500」を返す。
- [桁数]では、表示桁数を指定する。例えば「2」とした場合、小数点以下第 2 位まで表示されるように四捨五入する。指定方法は ROUND 関数と同じ。省略した場合は、0 とみなされる。

文字列　文字列変換　365　2021　2019　2016

ダラー
DOLLAR

数値をドル通貨の文字列に変換する

数値を指定した桁数になるように四捨五入し、ドルの通貨書式($)を使って文字列に変換する。

書 式：　DOLLAR (数値,[桁数])

- [数値]では、もととなる数値を指定する。例えば、「=DOLLAR(1500)」とした場合、「$1,500.00」を返す。
- [桁数]では、表示桁数を指定する。例えば「2」とした場合、小数点以下第 2 位まで表示されるように四捨五入する。桁数の指定方法は ROUND 関数と同じ。省略時は、2 とみなされる。

関連　ROUND　数値を指定した桁数になるように四捨五入する ➡ p.45

文字列　文字列変換　365　2021　2019　2016

バーツ・テキスト
BAHTTEXT

数値をタイ通貨の文字列に変換する

数値をタイ語の文字列に変換し、バーツ(baht)を表す接尾文字列を付加する。

書式：　BAHTTEXT(数値)

[数値]では、もととなる数値を指定する。例えば、「=BAHTTEXT(1500)」とした場合「หนึ่งพันห้าร้อยบาทถ้วน」を返す。

文字列　文字列変換　365　2021　2019　2016

ロウアー
LOWER

英字を小文字に変換する

文字列に含まれる英字の大文字をすべて小文字に変換する。

書式：　LOWER(文字列)

[文字列]では、もととなる文字列を指定する。英文字は全角、半角に関わらず変換される。例えば「=LOWER("Apple pie")」とした場合、「apple pie」を返す。

文字列　文字列変換　365　2021　2019　2016

アッパー
UPPER

英字を大文字に変換する

文字列に含まれる英字の小文字をすべて大文字に変換する。

書式：　UPPER(文字列)

[文字列]では、もととなる文字列を指定する。英文字は全角、半角に関わらず変換される。例えば「=UPPER("Apple pie")」とした場合、「APPLE PIE」を返す。

文字列　文字列変換　365 2021 2019 2016

プロパー
PROPER

英単語の頭文字だけ大文字に変換する

文字列に含まれる英単語の先頭文字や記号の次の文字を大文字に変換し、それ以外の英字はすべて小文字に変換する。

書式： PROPER(文字列)

[文字列]では、もととなる文字列を指定する。英文字は全角、半角にかかわらず変換される。例えば「=PROPER("Apple pie")」とした場合、「Apple Pie」を返す。

文字列　文字列変換　365 2021 2019 2016

ナンバー・ストリング
NUMBERSTRING

数値を漢字に変換する

数値を指定した形式で漢数字の文字列に変換する。

書式： NUMBERSTRING (数値, 形式)

- [数値]では、もととなる数値を指定する。
- [形式]では、変換する漢字の形式を 1 ～ 3 までの整数で指定する(下表参照)。例えば、「=NUMBERSTRING(12345,1)」とした場合、「一万二千三百四十五」を返す。

数値の形式

形式	変換文字（15432 の場合）	対応するセルの表示形式
1	一万五千四百三十二	[DBNum1]
2	壱萬伍阡四百参拾弐	[DBNum2]
3	一五四三二	[DBNum1] #

Hint この関数は、関数ライブラリから選択することができないため、手入力する必要がある。

ナンバー・バリュー

NUMBERVALUE

地域表示形式で表された数字を数値に変換する

ある地域の表示形式で表されている文字列の数字を、指定した小数点記号と桁区切り記号に基づいて通常使用する数値に変換する。

書式: NUMBERVALUE(文字列,[小数点記号],[桁区切り記号])

- [文字列]では、特定の国や地域で使用されている方法で数字を文字列で指定する。空文字("")の場合は、0を返す。
- [小数点記号]では、小数点記号として使用する記号を指定する。省略時は、現在のパソコンの設定になる。
- [桁区切り記号]では、3桁ごとの桁区切り記号として使用する記号を指定する。省略時は、現在のパソコンの設定になる。

Hint ドイツやフランスなどでは、桁区切り記号に「.」(ピリオド)、小数点記号に「,」(カンマ)が使われるように、日本やアメリカとは記号の使い方が異なる国や地域の表示形式の数字を変換したいときに使う。

使用例1 ヨーロッパ式の表示形式の数字をドル通貨の数値に変換する

	A	B	C	D
1	表記の種類	文字列	変換後（通貨：ドル）	
2	ドイツ表記	2.500,25	$2,500.25	
3				

式 =NUMBERVALUE(B2,",",".")

説明 「.」を桁区切り記号、「,」を小数点記号として表記されたセルB2の数字を数値に変換する。変換後、[ホーム] タブ→ [通貨表示形式] の [▼] → [$ 英語(米国)] をクリックしてドルの表示形式に設定している。

文字列　文字列変換　365 2021 2019 2016

バリュー
VALUE

数値を表す文字列を数値に変換する

数値を表す文字列を数値に変換する。他のアプリケーションから取り込んだデータが文字列として表示されたとき、数値に変換できる。

書 式：　VALUE(文字列)

[文字列]では、数値に変換したい文字列を指定する。数字、日付時刻、パーセント、通貨など、Excel が数値として認識する形式で入力されている文字列を指定する必要がある。変換できない場合は、エラー値「#VALUE!」を返す。

使用例 1 文字列として入力されている値を数値に変換する

	A	B	C
1	文字列	数値変換	
2	15000	15000	
3	$150.25	150.25	
4	15%	0.15	
5	令和4年10月9日	44843	
6	12:00	0.5	
7			

式 =VALUE(A2)

シリアル値が表示される

説明　セル A2 の文字列として入力されている数字を数値に変換する。日付や時刻は、数値に変換するとシリアル値が表示されるので、必要に応じて日付時刻の表示形式を設定する。

文字列　文字列比較　365 2021 2019 2016

イクザクト
EXACT

2 つの文字列が等しいかどうかを調べる

2 つの文字列を比較し、全く同じ場合は TRUE、そうでない場合は FALSE を返す。

書 式：　EXACT(文字列 1, 文字列 2)

- [文字列 1]では、比較したい文字列を指定する。
- [文字列 2]では、比較したいもう一方の文字列を指定する。例えば、「=EXACT("Apple","apple")」とした場合、等しくないので「FALSE」を返す。

Hint　大文字と小文字、全角と半角も区別される。

文字列 スペース削除 365 2021 2019 2016

トリム
TRIM

不要なスペースを削除する

各単語間のスペースは 1 つ残し、それ以外の不要なスペースをすべて削除する。

書 式： TRIM(文字列)

[文字列]では、もととなる文字列を指定する。例えば「=TRIM("　New　York ")」とした場合、単語間のスペースを 1 つだけ残し、「New York」を返す。

文字列 制御文字削除 365 2021 2019 2016

クリーン
CLEAN

印刷できない文字を削除する

指定した文字列から、改行記号やタブ記号などの印刷できない文字を削除する。

書 式： CLEAN(文字列)

[文字列]では、もととなる文字列が入力されているセルを指定する。

Hint ASCII コードの 0 ～ 31 に対応する制御文字を削除する。

使用例 1 改行文字を削除する

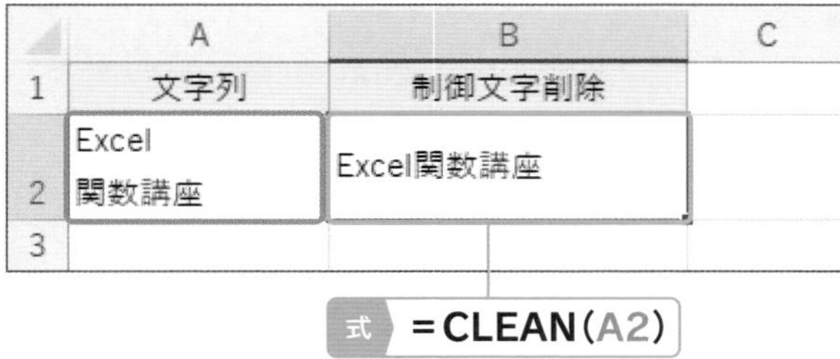

	A	B	C
1	文字列	制御文字削除	
2	Excel 関数講座	Excel関数講座	
3			

式 =CLEAN(A2)

説明 セル A2 に含まれる改行文字が削除され、1 行で表示される。

文字列　文字コード　365 2021 2019 2016

コード
CODE

指定した文字の文字コードを調べる

指定した文字列内の先頭文字の文字コード（ASCII または JIS）を 10 進数で返す。

書 式：　CODE（文字列）

［文字列］では、文字コードを調べる文字を指定する。複数文字を指定した場合は、先頭文字の文字コードを返す。

Hint 文字コードとは、コンピューターで文字を表示するために各文字に割り当てられている識別番号のことをいう。文字コードにはさまざまな種類があり、ASCII コードは、制御文字や半角の英数記号が割り当てられている文字コードで、世界で最も普及している。JIS コードは日本語を表示するために作成された文字コードの規格。

文字列　文字コード　365 2021 2019 2016

ユニコード
UNICODE

指定した文字の Unicode 番号を調べる

指定した文字列内の先頭文字の Unicode 番号を 10 進数の数値で返す。

書 式：　UNICODE（文字列）

［文字列］では、Unicode 番号を調べる文字列を指定する。複数文字を指定した場合は、先頭文字の文字コードを返す。

Hint Unicode とは、世界の主な言語のほとんどの文字を収録し通し番号をつけた、国際標準となっている文字コードの規格。

使用例 1　ASCII または JIS コードと Unicode を求める

	A	B	C	D
1	文字列	文字コード ASCII/JIS	文字コード UNICODE	
2	!	33	33	
3	A	65	65	
4	1	49	49	
5	あ	9250	12354	
6	伊	12363	20234	
7				

式 =CODE(A2)

式 =UNICODE(A2)

説明 セル B2 では、CODE 関数を使ってセル A2 の文字の ASCII/JIS コードを求める。セル C2 では、UNICODE 関数を使ってセル A2 の文字の Unicode 番号を求める。

文字列　文字コード　365　2021　2019　2016

キャラクター
CHAR

文字コードから文字を調べる

指定した文字コードに対応する文字を返す。

書式：　CHAR(数値)

[数値]では、調べたい文字の ASCII コードまたは JIS コードを 10 進数の数値で指定する。

Hint 文字コードが 16 進数でわかっている場合は、HEX2DEC 関数を使って 16 進数を 10 進数に変換したのち CHAR 関数を使う。

文字列　文字コード　365　2021　2019　2016

ユニコード・キャラクター
UNICHAR

UNICODE 番号から文字を調べる

指定した UNICODE 番号に対応する文字を返す。

書式：　UNICHAR(数値)

[数値]では、調べたい文字の UNICODE 番号を 10 進数の数値で指定する。

Hint 文字コードが 16 進数でわかっている場合は、HEX2DEC 関数を使って 16 進数を 10 進数に変換したのち UNICHAR 関数を使う。

使用例 1 文字コードから文字を調べる

	A	B	C	D	E
1	文字コード ASCII/JIS	文字		文字コード UNICODE	文字
2	49	1		49	1
3	9250	あ		12354	あ
4	19749	優		20778	優
5					

式 =CHAR(A2)

式 =UNICHAR(D2)

説明 セル B2 では、CHAR 関数を使ってセル A2 の ASCII/JIS コードから対応する文字を求める。セル E2 では、UNICHAR 関数を使ってセル D2 の Unicode 番号から対応する文字を求める。

関連 HEX2DEC　16 進数を 10 進数に変換する ➡ p.336

文字列 | 文字列抽出 | 365 | 2021 | 2019 | 2016

フォネティック
PHONETIC

文字列のふりがなを取り出す

セルまたはセル範囲に入力されている文字列からふりがなを取り出す。

書式： PHONETIC(参照)

[参照]では、ふりがなを取り出したい文字が入力されているセルまたはセル範囲を指定する。

Hint セルに入力されている値が数値と論理値(TRUE、FALSE)の場合は空文字("")を返す。また、アルファベットや記号、他ソフトで作成されたデータなど文字列がふりがな情報をもたない場合は、セル内の文字列がそのまま表示される。

使用例1 セル範囲に入力されている文字のふりがなを表示する

	A	B	C
1	姓	名	ふりがな
2	山本	桜子	ヤマモトサクラコ

式 =PHONETIC(A2:B2)

説明 セルA2～B2に入力されている文字列のふりがなを表示する。

文字列 | 文字列抽出 | 365 | 2021 | 2019 | 2016

ティー
T

文字列だけを取り出す

指定した値が文字列を参照している場合はその文字列を返し、文字列以外を参照している場合は空の文字列("")を返す。

書式： T(値)

[値]では、取り出したい文字列またはセル参照を指定する。

使用例1 セルに入力されている値から文字のみ表示する

	A	B	C	D
1	値	文字列抽出	値のデータ	
2	さくら	さくら	文字列	
3	2022/10/9		数式（=TODAY()）	
4	123		数値	
5	TRUE		論理値	

式 =T(A2)

説明 セルA2の文字列を表示する。セルA3～A5には文字列が入力されていないため、空文字("")となり何も表示されない。

論理関数

論理関数は、条件を満たす、満たさないで異なる結果を表示する関数や、TRUE、FALSE を結果として返す関数が用意されています。論理関数では、論理式の使用が主になります。ここでは、1 つまたは、複数の論理式を組み合わせる関数の種類やその用法を覚えましょう。

イフ
IF

条件を満たすかどうかで異なる値を返す

指定した条件式が成立する場合と、成立しない場合で異なる結果を表示する。

書 式：　IF(論理式, 真の場合,[偽の場合])

- [論理式]の結果がTRUEの場合は[真の場合]を返し、FALSEの場合は[偽の場合]の値を返す。
- [論理式]では、TRUEまたはFALSEを返す式を指定する。
- [真の場合]では、[論理式]がTRUEまたは0以外の場合に返す値や数式を指定する。
- [偽の場合]では、[論理式]がFALSEまたは0の場合に返す値や数式を指定する。省略時は、[論理式]がFALSEの場合「0」を返す。

使用例 1　年齢が20未満かどうか確認する

	A	B	C
1	氏名	年齢	年齢チェック
2	井上　紀子	32	
3	田島　亮	16	保護者確認
4	鈴木　義信	23	

式　=IF(B2<20,"保護者確認","")

説明　年齢(B2)が20未満の場合(B2<20)、「保護者確認」と表示し、そうでない場合は何も表示しない。何も表示しない場合は、「""」と指定する。

使用例 2　IF関数の中にIF関数を設定し、点数によって「A」「B」「C」の評価を表示する

	A	B	C
1	学生名	点数	評価
2	田中　早苗	86	A
3	山本　賢吾	60	C
4	飯田　直美	72	B

式　=IF(B2>=85,"A",IF(B2>=70,"B","C"))

説明　点数(B2)が85以上の場合は「A」と表示し、そうでない場合、さらにIF関数を設定し、点数が70以上の場合は「B」、そうでない場合は「C」と表示する。このように[偽の場合]にIF関数を追加することで、複数の条件を設定して段階的に判定ができる。

使用例 3 日付が「2023/1/4」以降の場合に「提出済」と表示する

	A	B	C
1	学生名	日付	確認(1/4以降提出)
2	田中　早苗	2023/1/27	提出済
3	山本　賢吾		
4	飯田　直美	2023/2/3	提出済
5	佐藤　孝之		

式 =IF(B2>=DATE(2023,1,4),"提出済","")

説明 セル B2 が「2023/1/4」以降の場合、「提出済」と表示する。日付を比較する場合は、シリアル値で比較をする必要があるため、DATE 関数を使って日付を指定する。「B2>="2023/1/4"」とした場合は正しい結果は得られない。

使用例 4 クラスが 3 年かどうかによって表示する値を変更する

	A	B	C	D
1	学生名	クラス	案内送付	
2	田中　早苗	2年1組	不要	
3	山本　賢吾	3年2組	要	
4	飯田　直美	1年3組	不要	
5	佐藤　孝之	3年1組	要	
6				

式 =IF(COUNTIF(B2,"3 年 *"),"要","不要")

説明 セル B2 のクラス名が「3 年から始まる」場合に「要」、そうでない場合に「不要」と表示する。論理式で「COUNTIF(B2,"3 年 *")」とすることで、「3 年」で始まる場合は 1 (TRUE)、そうでない場合は 0(FALSE)が返る。ワイルドカード文字を使って条件を設定したい場合に利用できる。

関連

IFS　複数の条件を段階的に判定した結果によって異なる値を返す ➡ p.206
DATE　年、月、日から日付を求める ➡ p.81

アンド
AND

複数の条件がすべて満たされているかどうかを調べる

引数で指定した論理式がすべて成立する(TRUE)の場合は TRUE を返し、1 つでも成立しない(FALSE)場合は FALSE を返す。IF 関数で複数条件を指定し、すべての条件を満たす場合とそうでない場合で異なる値を返したい場合の論理式として使用できる。

書 式： AND(論理式 1, [論理式 2]…)

[論理式]では、TRUE(0 以外)または FALSE(0)を返す数式を指定する。

Hint AND 関数は、下図のように条件 1(セル B2 の値が男性)と条件 2(セル C2 が 25 以上)があるとき、共に満たす交わりの部分のみ TRUE になり、それ以外は FALSE になる。このような論理演算を「論理積」という。

論理積

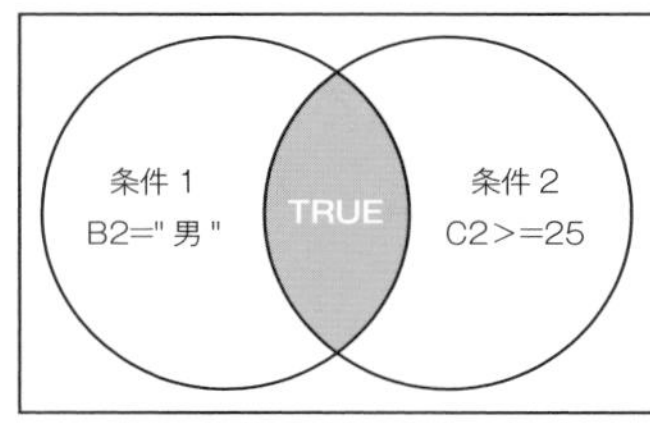

AND(B2=" 男 ",C2>=25)

使用例 1 社員の性別が「男」で年齢が「25 歳以上」の場合に「対象」と表示する

	A	B	C	D	E
1	社員番号	性別	年齢	成人病検診対象者	
2	1001	男	26	対象	
3	1002	男	23		
4	1003	男	38	対象	
5	1004	女	26		
6					

説明 性別(B2)が「男」かつ、年齢(C2)が「25 以上」の場合は「対象」と表示し、それ以外は何も表示しない。

式 =IF(AND(B2=" 男 ",C2>=25)," 対象 ","")

関連

IF 条件を満たすかどうかで異なる値を返す ➡ p.200
OR 複数の条件でいずれか 1 つを満たしているかどうかを調べる ➡ p.203

オア
OR

複数の条件でいずれか１つを満たしているかどうかを調べる

引数で指定した論理式のいずれか１つが成立する(TRUE)場合はTRUEを返し、すべて成立しない(FALSE)場合はFALSEを返す。IF関数で複数の条件のうち１つでも満たしている場合と、１つも満たしていない場合で異なる値を返したい場合の論理式として使用できる。

書 式：　OR(論理式1, [論理式2]…)

[論理式]では、TRUE(0以外)またはFALSE(0)を返す数式を指定する。最大255個まで指定できる。

Hint OR関数は、下図のように条件1(セルB2の値が男性)と条件2(セルC2の値が25以上)があるとき、どちらか１つでも満たす部分がTRUEになり、それ以外はFALSEになる。このような論理演算を「論理和」という。

論理和

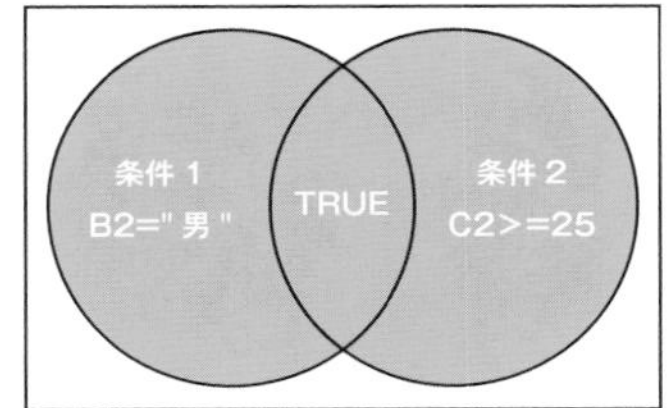

OR(B2="男",C2>=25)

使用例１ 社員の性別が「男」または、年齢が「25歳以上」の場合に「対象」と表示する

	A	B	C	D
1	社員番号	性別	年齢	人間ドッグ対象者
2	1001	男	26	対象
3	1002	男	23	対象
4	1003	男	38	対象
5	1004	女	26	対象

説明 性別(B2)が「男」または、年齢(C2)が「25以上」の場合は「対象」と表示し、それ以外は何も表示しない。

式 =IF(OR(B2="男",C2>=25),"対象","")

関連

IF　条件を満たすかどうかで異なる値を返す → p.200
AND　複数の条件がすべて満たされているかどうかを調べる → p.202

論理　条件　365　2021　2019　2016

ノット
NOT

TRUE の場合 FALSE、FALSE の場合 TRUE を返す

指定した論理式が TRUE の場合は FALSE を返し、FALSE の場合は TRUE を返す。

書 式：　NOT(論理式)

[論理式]では、TRUE(0 以外)または FALSE(0)を返す数式を指定する。

Hint　NOT 関数は、下図のように条件 1(セル B2 の値が A)が TRUE の場合、結果が反転し、FALSE の部分が TRUE になる。「NOT(B2="A")」は、比較演算子を使った「B2<>"A"」と同じ意味になる。このような論理演算を「否定」という。

否定

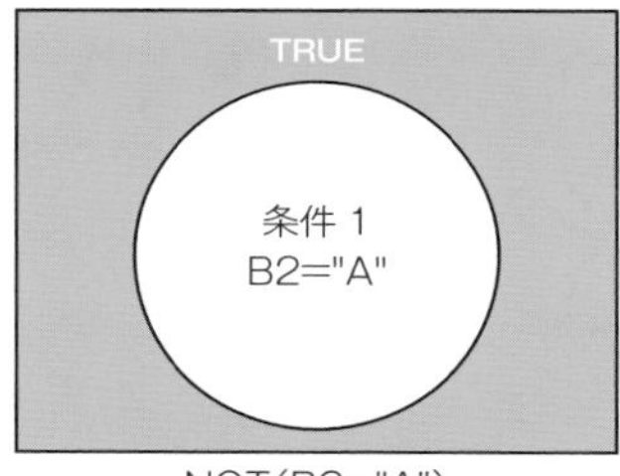

NOT(B2="A")

使用例 1　評価が A 以外の学生の[課題]欄に「課題配布」と表示する

	A	B	C	D
1	学生名	評価	課題	
2	田中　早苗	B	課題配布	
3	山本　賢吾	C	課題配布	
4	飯田　直美	A		
5	木村　純一	D	課題配布	
6				

式　**=IF(NOT(B2="A")," 課題配布 ","")**

説明　評価(B2)が「A」ではない場合は「課題配布」と表示し、それ以外は何も表示しない。

エクスクルーシブ・オア

XOR

2つの論理式で1つだけ満たすかどうか調べる

複数の論理式の結果、TRUEの数が奇数の場合はTRUE、偶数の場合はFALSEを返す。例えば、2つの論理式がある場合、どちらか一方が真(TRUE)で、もう一方が偽(FALSE)の場合のみTRUEとなり、両方とも真(TRUE)あるいは、両方とも偽(FALSE)の場合はFALSEを返す。

書 式： XOR(論理式1,[論理式2],…)

[論理式]では、TRUEまたはFALSEを返す数式を指定する。最大254個まで指定できる。

Hint XOR関数は、下図のように条件1(セルB2の値が合格)と条件2(セルC2の値が合格)の一方だけがTRUE場合にTRUEを返す。このような論理演算を「排他的論理和」という。

排他的論理和

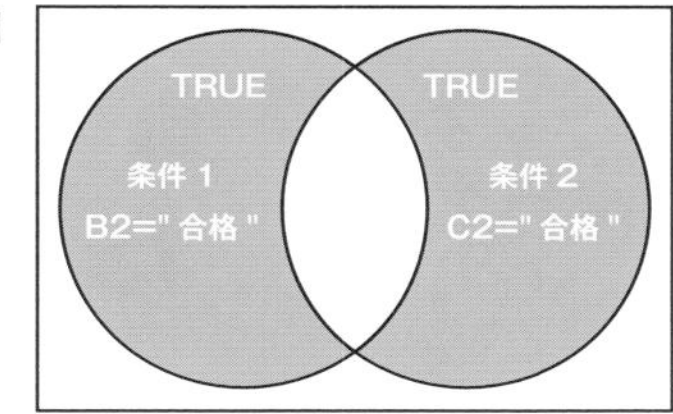

XOR(B2="合格",C2="合格")

使用例1 文法と読解のテストで一方だけ合格の学生に「1」と表示する

	A	B	C	D
1	学生名	文法	読解	1つだけ合格
2	田中　早苗	合格	不合格	1
3	山本　賢吾	不合格	不合格	
4	飯田　直美	不合格	合格	1
5	木村　純一	合格	合格	
6				

式 =IF(XOR(B2="合格",C2="合格"),"1","")

説明 文法(B2)と読解(C2)のどちらか一方だけ「合格」の場合は「1」と表示し、それ以外は何も表示しない。

イフス
IFS

複数の条件を段階的に判定した結果によって異なる値を返す

複数の条件を順番に成立するかどうかを判定し、最初に成立した条件に対応する結果を返す。

書式： IFS(論理式 1, 真の場合 1,[論理式 2, 真の場合 2],…, [TRUE, いずれの論理式も偽の場合])

- [論理式 1]が真(TRUE)の場合[真の場合 1]を返し、偽(FALSE)の場合は、次の[論理式 2]を判定し真の場合は[真の場合 2]を返す。このように、条件を順番に判定し真の場合の結果を返す。[論理式]と[真の場合]は必ずセットで指定する。
- [論理式]では、TRUE または FALSE を返す数式を指定する。最大 127 個まで追加できる。
- [真の場合]では、[論理式]が TRUE または 0 以外の場合に返す値や数式を指定する。
- [TRUE]では、いずれの[論理式]も満たさなかった場合の処理を指定する場合に「TRUE」を指定する。
- [いずれの論理式も偽の場合]では、いずれの[論理式]も満たさなかった場合に返す値や数式を指定する。

使用例 1 点数によって評価を A ～ D まで指定する

	A	B	C	D
1	学生名	点数	評価	
2	田中　早苗	86	A	
3	山本　賢吾	60	C	
4	飯田　直美	72	B	
5	木村　純一	50	D	
6				

式 =IFS(B2>=85,"A",B2>=70,"B",B2>=60,"C",TRUE,"D")

説明 セル B2 が 85 以上の場合「A」、70 以上の場合「B」、60 以上の場合「C」、いずれでもない場合「D」を表示する。いずれでもない場合は、論理式に「TRUE」を指定しているところがポイント。

関連 IF 条件を満たすかどうかで異なる値を返す ➡ p.200

スイッチ

SWITCH

指定した値に対応する値を表示する

検索値に対し、値の一覧を順番に評価し、最初に一致する値に対応する結果を返す。いずれにも一致しない場合に表示する結果を既定値として指定できる。

書 式： SWITCH(検索値, 値 1, 結果 1,[値 2, 結果 2],…,[既定値])

- [検索値]に対して、[値]の一覧を用意し、その[値]と同じかどうかを順番に判定して、同じ場合は対応する[結果]を表示する。同じ値がない場合は[既定値]の値を表示する。
- [検索値]では、検索する値を指定する。
- [値]では、[検索値]と同じかどうか判定する値を指定する。最大 126 まで指定できる。
- [結果]では、[値]が[検索値]と一致した場合に表示する値を指定する。
- [既定値]では、一致する値がなかった場合に表示する値を指定する。指定しなかった場合はエラー値「#N/A」を返す。

使用例 1 席種に対応した料金を表示する

	A	B	C
1	講演名	席種	料金
2	クラシックの王様	A	9,000
3	ピアノの夕べ	S	12,000
4	駅ピアノの達人	B	要確認
5			

式 =SWITCH(B2,"S",12000,"A",9000,"要確認")

説明 席種(B2)が「S」の場合は 12000、「A」の場合は 9000、それ以外は「要確認」と表示する。

関連 CHOOSE 引数のリストから値を取り出す ➡ p.225

論理　エラー　365 2021 2019 2016

イフ・エラー
IFERROR
結果がエラー値の場合に表示する値を指定する

数式がエラーになる場合、エラー値を表示する代わりに空の文字列や別の値を表示し、それ以外の場合は数式の結果を表示する。

書 式： IFERROR(値, エラーの場合の値)

- [値]では、エラーかどうか判定する数式やセル参照を指定する。
- [エラーの場合の値]では、[値]がエラーの場合に表示する内容を指定する。

使用例1 計算結果がエラーになる場合に「－」と表示する

	A	B	C	D
1	支店	前年度	今年度	伸び率
2	東支店	100	116	116%
3	西支店		135	－
4	南支店	150	120	80%
5	北支店		155	－

式 =IFERROR(C2/B2,"－")

説明 「C2/B2」の数式で、前年度の値(B2)が空欄の場合、エラー値「#DIV/0!」が表示される代わりに「－」が表示される。

Hint 使用例で、「=IF(B2="","－",C2/B2)」としても同じ結果になる。この式は、「B2が空欄」の場合は「－」と表示し、そうでない場合は「C2/B2」の結果を表示する。「C2/B2」でB2が空欄の時、エラー値「#DIV/0!」になるので、エラー値にならないようなIF関数を設定している。

論理　エラー　365 2021 2019 2016

イフ・ノン・アプリカブル
IFNA
結果がエラー値「#N/A」の場合に表示する値を指定する

数式がエラー値「#N/A」になる場合、エラー値を表示する代わりに空の文字列や別の値を表示し、それ以外の場合は数式の結果を表示する。VLOOKUP関数で検索値が存在しないときにエラー値「#N/A」が表示される代わりに空の文字列や別の値を表示するときによく使われる。

書 式： IFNA(値, エラーの場合の値)

- [値]では、エラー値「#N/A」かどうか判定する数式やセル参照を指定する。
- [エラーの場合の値]では、[値]がエラー値「#N/A」の場合に表示する内容を指定する。

関連 主なエラー値の種類 ➡ p.388

論理　論理値　365 2021 2019 2016

トゥルー
TRUE
常に「TRUE」を返す

TRUE 関数は常に論理値「TRUE」を返し、引数はない。この関数はほかの表計算ソフトとの互換性のために用意されている。Excel では、直接セルや数式に「TRUE」とだけ入力することができる。

書 式：　TRUE()

論理　論理値　365 2021 2019 2016

ファルス
FALSE
常に「FALSE」を返す

常に論理値の「FALSE」を返す。ほかの表計算ソフトとの互換性のために用意されている。Excel では、直接セルや数式に「FALSE」とだけ入力することができる。

書 式：　FALSE()

論理　数式定義　365 2021 2019 2016

レット
LET
計算結果に名前を割り当てる

数式内の計算結果などの値に名前を割り当てて、その名前を同じ数式内の別の計算で使用した結果を返す。

書 式：　LET(名前 1, 値 1,[名前 2, 値 2],…, 計算)

- [名前]を定義して[値]を代入し、値が代入された[名前]を[計算]の中で使って計算する。戻り値は、[計算]の結果となる。
- [名前]には、値を代入するための文字列を指定する。数値やセル参照と同じものは使うことができない。セル範囲に付ける名前の付け方と同じ規則で指定する。
- [値]には、[名前]に代入する値を指定する。数値、計算式、セル参照を指定する。[名前]と[値]は必ずセットで指定し、最大 126 個まで指定できる。
- [計算]には、結果を返す計算式を指定する。計算式では[名前]を値の代わりに使用できる。

Hint　LET 関数では、[名前]がプログラミング言語の変数の役割を担う。例えば、「=LET(a,1+2,b,3+4,a*b)」とした場合、a に「1+2」、b に「3+4」が代入され、a*b の結果「21」を返す。「1+2」や「3+4」のような中間の計算式の結果を a や b に代入して、[計算]の計算式内で使えるので、複雑な数式をシンプルに指定できる。なお、定義した[名前]は LET 関数内でのみ有効。

関連　VLOOKUP　別表を縦方向に検索してデータを取り出す ➡ p.218

数学／三角
日付／時刻
統計
文字列操作
論理
検索／行列・Web
キューブ
情報
データベース
財務
エンジニアリング
基礎知識
便利テクニック

使用例 1 計算結果の代入を行う

	A	B	C	D	E	F
1		原宿	新宿	渋谷		平均購入金額/人
2	金額	12,000	20,000	40,000		8,000
3	人数	3	2	4		

説明 SUM(B2:D2)の結果を「x」、SUM(B3:D3)の結果を「y」に代入し、「x/y」の計算をした結果を求める。

式 =LET(x,SUM(B2:D2),y,SUM(B3:D3),x/y)

論理　数式定義　365 2021 2019 2016

ラムダ
LAMBDA

引数と数式を定義してオリジナルの関数を作成する

引数と引数を使った数式を定義してオリジナルの関数を作成する。

書式：　LAMBDA([引数 1, 引数 2,…], 数式)(値 1, 値 2,…)

- [引数]では、[数式]で使用する引数を指定する。最大 253 個まで指定できる。
- [数式]では、結果として返す数式を指定する。
- [値]では、引数に代入する具体的な値を指定する。主に指定した引数と数式をテストする場合に利用する。

Hint 実際にオリジナルの関数を作成するには、[新しい名前]ダイアログで、作成した LAMBDA 関数に名前を付ける必要がある(p.211 コラム参照)。

使用例 1 LAMBDA 関数を使って BMI 値を求める

	A	B	C
1	身長(cm)	体重(Kg)	BMI値 (体重Kg÷(身長cm÷100)^2)
2	160	55	21.484375
3			

式 =LAMBDA(tall,weight,weight/(tall/100)^2)(A2,B2)

説明 引数 tall と引数 weight を使って、BMI 値を求める数式「weight/(tall/100)^2」を作成し、セル A2 とセル B2 の値をそれぞれ引数 tall と引数 weight にあてはめて計算した結果を求めている。

Hint BMI 値は「体重 kg ÷身長 m ÷身長 m」で求められます。この式を書き換えると「体重(kg)÷(身長 cm ÷ 100)^2」となることを利用して数式を定義しています。

COLUMN

LAMBDA 関数を名前に定義してブック内で使えるオリジナル関数を作成する

前ページの使用例では、セル A2 とセル B2 の値を使って BMI 値を求めています。単に BMI 値を求めるだけであれば、わざわざ LAMBDA 関数を使って BMI 値を求める必要はありません。LAMBDA 関数は、LAMBDA 関数内で定義した数式をオリジナルの関数として利用することができます。オリジナル関数を作成するには、[新しい名前] ダイアログで、作成した LAMBDA 関数に関数名を付けます。ここでは、使用例で作成した LAMBDA 関数を利用して、ブック内で使えるオリジナル関数「BMI」を作成する手順を説明します。

● オリジナル関数を作成する

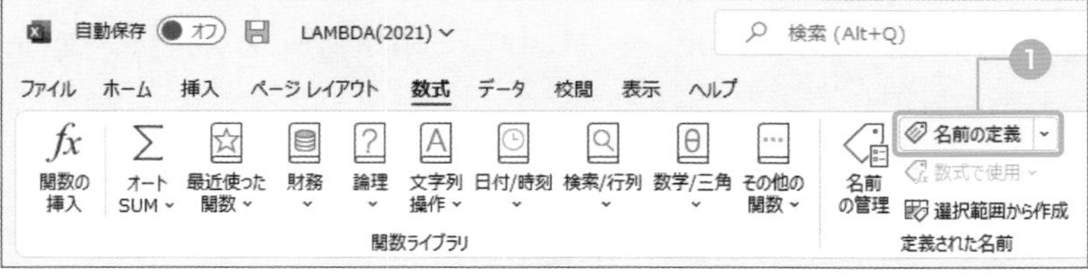

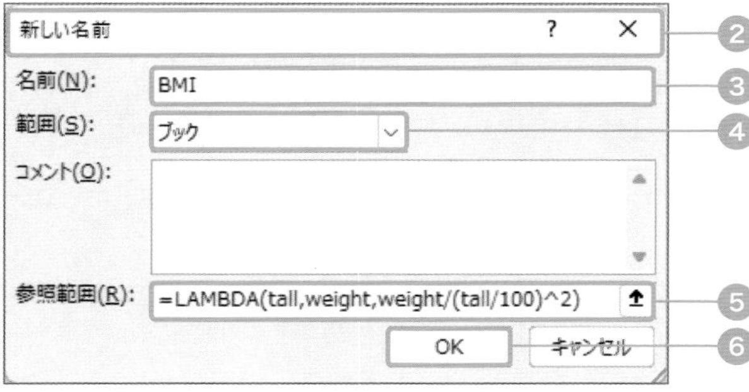

❶ [数式] タブ→ [名前の定義] をクリック
❷ [新しい名前] ダイアログが表示される
❸ [名前] にオリジナルの関数名(ここでは「BMI」)を入力する
❹ [範囲] が「ブック」であることを確認する
❺ [参照範囲] に数式を定義した LAMBDA 関数を入力する
❻ [OK] をクリック

- **オリジナル関数を使用する**

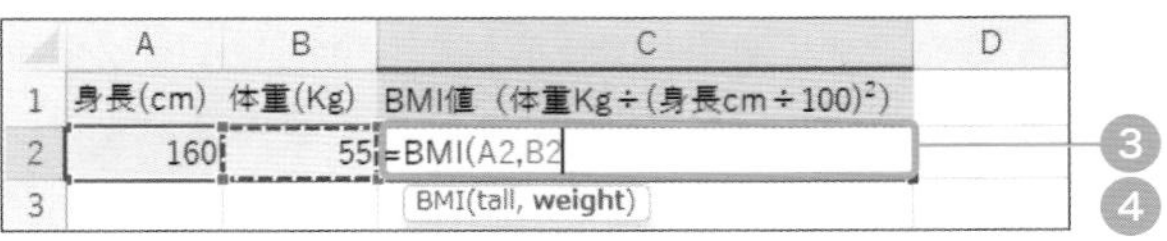

❶ 関数を入力するセルをクリックし、オリジナル関数の入力を開始する
❷ 途中まで入力するとつづりが一致する関数が一覧に表示される（ここでは「BMI」）ので、関数を選択して［Tab］キーを押す

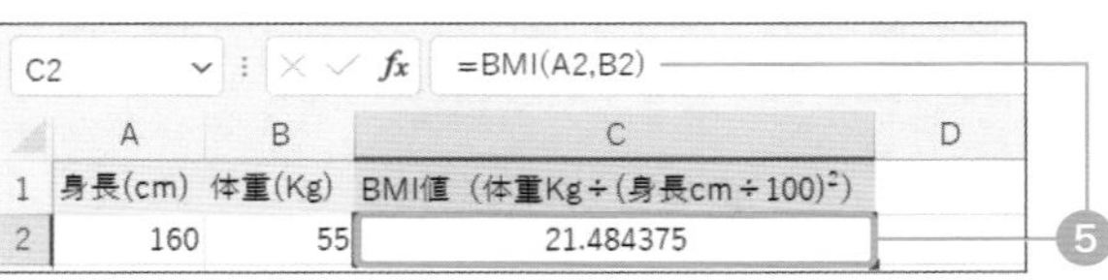

❸ 関数が入力されたら、続けて引数の値を指定する
❹「)」を入力し、［Enter］キーを押して関数の入力を確定する。

Hint 引数を入力するときに、他の Excel 関数と同様に関数の書式がポップヒントで表示されます。

❺ オリジナル関数が入力され、セルに結果が表示された。

論理　数式定義　365　2021　2019　2016

バイ・ロウ
BYROW
行単位でまとめて計算する

BYROW 関数は、配列の各行を引数として LAMBDA 関数に渡し、計算した結果を行の配列で返す。

書 式：　BYROW(配列,LAMBDA(行, 数式))

- ［配列］では、3 行で区切られる配列を指定する。
- ［LAMBDA(行, 数式)］では、配列の各行で行う数式を指定する。

使用例 1 テスト結果の表から個人平均を一気に求める

	A	B	C	D
1	NO	国語	数学	
2	1001	60	80	
3	1002	50	60	
4	1003	60	90	
5				
6	個人平均			
7	1001	70		
8	1002	55		

説明 セル範囲 B2 ～ C4 について、各行（2 ～ 4 行）の平均値を AVERAGE 関数で求めた結果を表示している。セル B7 の式がスピル機能により B8 ～ B9 まで自動で表示される。

式 **=BYROW(B2:C4,LAMBDA(x,AVERAGE(x)))**

論理　数式定義　365　2021　2019　2016

バイ・カラム

BYCOL

列単位でまとめて計算する

BYCOL 関数は、配列の各列を引数として LAMBDA 関数に渡し、計算した結果を列の配列で返す。

書式： BYCOL(配列,LAMBDA(列, 数式))

- [配列]では、列で区切られる配列を指定する。
- [LAMBDA(列, 数式)]では、配列の各列で行う数式を指定する。

使用例 1 テスト結果の表から科目平均を一気に求める

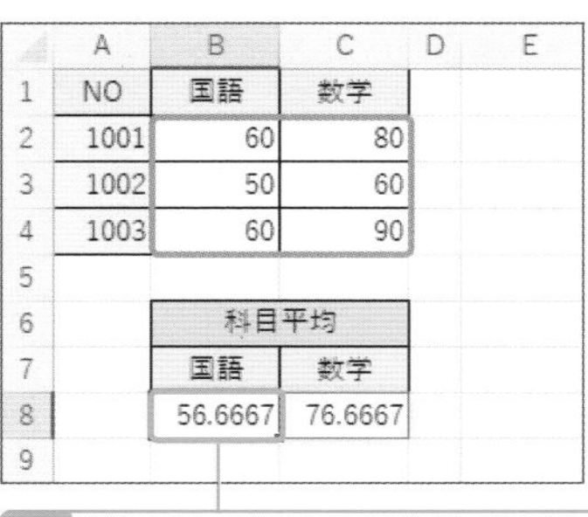

	A	B	C	D	E
1	NO	国語	数学		
2	1001	60	80		
3	1002	50	60		
4	1003	60	90		
5					
6		科目平均			
7		国語	数学		
8		56.6667	76.6667		
9					

説明 セル範囲 B2 ～ C4 について、各列（B ～ C 列）の平均値を AVERAGE 関数で求めた結果を表示している。セル B8 の式がスピル機能により C8 に自動で表示される。

式 **=BYCOL(B2:C4,LAMBDA(x,AVERAGE(x)))**

関連 LAMBDA 引数と数式を定義してオリジナルの関数を作成する ➡ p.210

論理　数式定義　365　2021　2019　2016

メイク・アレイ

MAKEARRAY

指定した行数、列数で計算した配列を作成する

行数と列数を指定して、各行列をLAMBDA関数に渡し、計算した結果を行と列に対応する位置に表示して配列を作成する。例えば、九九の表を作成するようなことができる。

書式：　MAKEARRAY(行数, 列数,LAMBDA(行, 列, 数式))

- [行数]では、作成する配列の行数を指定する。
- [列数]では、作成する配列の列数を指定する。
- [LAMBDA(行, 列, 数式)]では、配列の各行列で行う数式を指定する。例えば、「=MAKEARRAY(3,10,LAMBDA(row,col,row*col))」とした場合、行数が3、列数が10の配列が作成され、各行と各列を掛け合わせた結果が各セルに表示される。

使用例1 掛け算九九の表を作成する

	A	B	C	D	E	F	G	H	I	J
1	行数	列数								
2	9	9								
3										
4	1	2	3	4	5	6	7	8	9	
5	2	4	6	8	10	12	14	16	18	
6	3	6	9	12	15	18	21	24	27	
7	4	8	12	16	20	24	28	32	36	
8	5	10	15	20	25	30	35	40	45	
9	6	12	18	24	30	36	42	48	54	
10	7	14	21	28	35	42	49	56	63	
11	8	16	24	32	40	48	56	64	72	
12	9	18	27	36	45	54	63	72	81	
13										

式　**=MAKEARRAY(A2,B2,LAMBDA(row,col,row*col))**

説明　行数をセルA2(9)、列数をセルB2(9)の配列を作成し、配列内の各セルに「行×列」の計算結果を表示する。セルB４の式がスピル機能により、９行、９列の配列が自動で表示される。

関連　LAMBDA　引数と数式を定義してオリジナルの関数を作成する ➡ p.211

マップ

MAP

配列の値で計算した配列を作成する

配列(セル範囲)の各セルの値を使って LAMBDA 関数で計算し、その結果を配列で返す。

書 式:　AP(配列 1,[配列 2],…,LAMBDA(引数 1,[引数],…, 数式))

- [配列]では、計算で使用する配列を指定する。複数指定した場合は、各配列の同じ位置にある値どうしで計算される。最大 253 まで指定できる。配列のサイズが異なり、結果が求められない場合はそのセルにエラー値「#N/A」が表示される
- [LAMBDA(引数 1,[引数],…, 数式)]では、配列の値を引数に代入して数式で計算する。

使用例 1　個人の成績表から、回数別科目別の最高点の表を作成する

	A	B	C	D	E	F	G
1	Aさん	国語	数学		最高点	国語	数学
2	1回目	80	90		1回目	100	90
3	2回目	50	65		2回目	70	80
4	Bさん						
5	1回目	100	70				
6	2回目	60	55				
7	Cさん						
8	1回目	40	60				
9	2回目	70	80				
10							

式　**=MAP(B2:C3,B5:C6,B8:C9,LAMBDA(a,b,c,MAX(a,b,c)))**

説明　セル B2 ~ C3、セル B5 ~ C6、セル B8 ~ C9 の同じ位置にあるセルをそれぞれ引数 a,b,c に代入し、ＭＡＸ関数で３つのうちの最大値を求めている。セルＦ２の式がスピル機能により、セルＧ３まで自動で表示される。

関連　LAMBDA　引数と数式を定義してオリジナルの関数を作成する ➡ p.211

スキャン / リデュース

SCAN / REDUCE

配列の値を累積計算する

配列の各値を順番に LAMBA 関数の値に代入して数式で計算した結果を累積計算する。SCAN 関数は、累積計算の過程を配列で返す。REDUCE 関数は、累積計算の結果のみを返す。

書 式： SCAN(初期値, 配列,LAMBDA(累計, 値, 数式))
REDUCE(初期値, 配列,LAMBDA(累計, 値, 数式))

- [初期値]では、累積計算の初期値を指定する。
- [配列]では、計算のもととなる配列であるセル範囲を指定する。
- [LAMBDA(累計, 値, 数式)]では、値に各配列の値を順番に代入し、値を累積計算した結果を累加に代入する。

使用例 1 商品を 5%引きし、送料を加算した金額の累計を求める

	A	B	C	D	E	F
1	送料	500		累計(商品の5%引き)		
2		金額		経過あり	結果のみ	
3	商品A	1500		1925	5250	
4	商品B	2000		3825		
5	商品C	1500		5250		
6						

式 =REDUCE(B1,B3:B5,LAMBDA(gokei,atai,gokei+atai*0.95))

式 =SCAN(B1,B3:B5,LAMBDA(ruikei,atai,ruikei+atai*0.95))

説明 セル D3 では、セル B1(500)を初期値とし、配列(セル B3 ~ B5)の各値を、LAMBDA 関数の変数 atai に代入し 5% 引きした値を ruikei に加算することにより累積計算して、その過程をスピルにより自動的に配列で表示している。セル E3 では、セル B1(500)を初期値とし、配列(セル B3 ~ B5)の各値を、LAMBDA 関数の変数 atai に代入し 5% 引きした値を ruikei に加算することにより累積計算して、累積計算の最終的な結果のみを表示している。

関連 LAMBDA 引数と数式を定義してオリジナルの関数を作成する ➡ p.210

検索 / 行列・Web 関数

検索 / 行列関数には、表内にある特定のデータを求めたり、基準とするセルから指定した行数、列数移動した位置にある値を求めたりと、いろいろな方法でデータを検索できる関数や、セル、行、列を扱う関数が用意されています。また、URL エンコードなど、Web に関連する関数がいくつか Web 関数として用意されています。

検索 / 行列　データ検索　365 2021 2019 2016

ブイ・ルックアップ

VLOOKUP

別表を縦方向に検索してデータを取り出す

検索値を別表の 1 列目で下方向に検索し、見つかった行から指定した列にある値を返す。検索の型を指定して、完全一致するものを取り出したり、近似値を取り出したりできる。

書 式： VLOOKUP(検索値, 範囲, 列番号,[検索の型])

- [検索値]では、検索する値を指定する。
- [範囲]では、検索するセル範囲を指定する。1 列目に[検索値]を含む列を用意する。
- [列番号]では、値を取り出す列番号を指定する。[範囲]の 1 列目から 1，2，3…と数える。
- [検索の型]では、FALSE または 0 の場合は完全一致、TRUE または 1 を指定するか省略時は、近似値で求める。TRUE の場合、[範囲]の 1 列目に完全に一致する値がない場合は、検索値未満で最も大きな値が検索結果とみなされる。この場合、1 列目の値は小さい順で並べられている必要がある。

Hint 検索の型が FALSE(完全一致)の場合、検索値が範囲の 1 列目で見つからない場合や、空欄の場合はエラー値「#N/A」を返す。IFNA 関数や IFERROR 関数と組み合わせると、エラー値の場合に表示する値を指定できる。

使用例 1 商品の型番を縦方向に検索して商品名と価格を表示する

	A	B	C	D	E	F	G	H
1	型番	商品名	価格		型番	商品名	価格	
2	C1002	PCデスク	¥12,000		C1001	ワークデスク	¥15,000	
3					C1002	PCデスク	¥12,000	
4					C1003	ワークチェア	¥6,500	
5					C1004	PCチェア	¥8,000	
6								

式 =VLOOKUP($A2,$E$2:$G$5,2,FALSE)

式 =VLOOKUP($A2,$E$2:$G$5,3,FALSE)

説明 セル B2 の式は、型番(A2)の値を表(E2 ～ G5)の 1 列目で完全一致検索し、見つかった行の 2 列目の値を取り出す。セル C2 の式も同様に 3 列目の値を取り出している。

Hint 別シートにある表を[範囲]に使用する場合は、「シート名！セル範囲」の形式で指定できる。例えば、「Sheet1!E2:G5」のように設定する。

使用例 2 発売年と分類で製品情報を取り出す

	A	B	C	D	E	F	G	H
1	製品名検索			製品一覧				
2	発売年	分類		検索列	発売年	分類	製品名	
3	2021	チェア		2021デスク	2021	デスク	PCデスク	
4	製品名			2021チェア	2021	チェア	PCチェア	
5	PCチェア			2022デスク	2022	デスク	ワークデスク	
6				2022チェア	2022	チェア	ワークチェア	

式 =VLOOKUP(A3&B3,D3:G6,4,FALSE)

式 =E3&F3

説明 発売年(A3)と分類(B3)の組み合わせをもとに製品名を検索する。検索値に「A3 & B3」として、2つのセルの内容をつなぎ合わせた値を検索値として、表(D3 ~ G6)の1列目に「=E3&F3」として検索用として用意した列を使って製品名を検索している。複数の値をキーにして検索する場合に利用できる。

使用例 3 荷物のサイズから送料を求める

	A	B	C	D	E	F	G
2	サイズ	送料		サイズcm		送料	
3	61	¥1,000		0	60	¥800	
4				60.1	80	¥1,000	
5				80.1	100	¥1,250	
6				100.1	120	¥1,500	
7							

式 =VLOOKUP(A3,D3:F6,3,TRUE)

説明 サイズ(A3)を検索方法をTRUE：近似値に指定して、表(D3 ~ F6)の左端列で検索し、列番号3の値を検索する。セルA3(61)の値未満で最大の値を近似値として返すため、ここでは「60.1」が検索され、3列目の「¥1,000」が結果として返る。

関連

IFERROR 結果がエラー値の場合に表示する値を指定する ➡ p.208
IFNA 結果がエラー値「#N/A」の場合に表示する値を指定する ➡ p.208

エイチ・ルックアップ

HLOOKUP

別表を横方向に検索してデータを取り出す

検索値を別表の 1 行目で右方向に検索し、見つかった列から指定した列にある値を返す。検索の型を指定して、完全一致するものを取り出したり、近似値を取り出したりできる。

書 式： HLOOKUP(検索値, 範囲, 行番号,[検索の型])

- [検索値]では、検索する値を指定する。
- [範囲]では、検索するセル範囲を指定する。1 行目に[検索値]を含む行を用意する。
- [行番号]では、値を取り出す行番号を指定する。[範囲]の 1 行目から 1, 2, 3…と数える。
- [検索の型]では、FALSE または 0 の場合は完全一致、TRUE または 0 を指定するか省略時は、近似値で求める。TRUE の場合、[範囲]の 1 行目に完全に一致する値がない場合は、検索値未満で最も大きな値が検索結果とみなされる。この場合、1 行目は小さい順に並べ替えられている必要がある。

Hint 検索の型が FALSE(完全一致)の場合、検索値が範囲の 1 列目で見つからない場合や、空欄の場合はエラー値「#N/A」を返す。IFNA 関数や IFERROR 関数と組み合わせると、エラー値の場合に表示する値を指定できる。

使用例 1 商品の型番を横方向に検索して商品名を表示する

	A	B	C	D	E
1	型番	商品名	価格		
2	C1002	PCデスク	¥12,000		
3					
4	型番	C1001	C1002	C1003	C1004
5	商品名	ワークデスク	PCデスク	ワークチェア	PCチェア
6	価格	¥15,000	¥12,000	¥6,500	¥8,000

説明 セル B2 は、型番(A2)の値を表(B4 ～ E6)の 1 行目で完全一致で検索し、見つかった列の 2 行目の値を取り出す。

式 =HLOOKUP($A2,$B$4:$E$6,2,FALSE)

関連

IFERROR　結果がエラー値の場合に表示する値を指定する ➡ p.208
IFNA　結果がエラー値「#N/A」の場合に表示する値を指定する ➡ p.208

ルックアップ

LOOKUP…ベクトル形式

値を検索する範囲と取り出す範囲を別々に指定する

1 行または 1 列のみのセル範囲で指定した値を検索し、値が見つかると、見つかった位置と同じ位置にある別の行または列の値を返す。検索値を検索するセル範囲と取り出す値があるセル範囲を別々に指定できる。

書式： LOOKUP(検査値, 検索範囲, 対応範囲)

- [検索値]で指定した値を[検索範囲]で指定した 1 行または 1 列の中で探し、見つかった位置と同じ位置にある別の行または列の[対応範囲]のある値を返す。
- [検索値]では、検索する値を指定する。
- [検索範囲]では、検索されるセル範囲を 1 行または 1 列で指定する。値は小さい順に並んでいる必要がある。一致する値がない場合は、検索値未満で最も大きな値が検索結果とみなされる。この場合、小さい順に並べ替えられている必要がある。
- [対応範囲]では、値を取り出す 1 行または 1 列のセル範囲を指定する。取り出される値は[検索範囲]と同じサイズで指定する。

使用例 1 指定した順位のスイーツを取り出す

	A	B	C	D
1	順位	1		
2	スイーツ	レアチーズケーキ		
3				
4	スイーツ	ポイント	順位	
5	レアチーズケーキ	633	1	
6	モンブラン	569	2	
7	イチゴショート	501	3	
8	シュークリーム	460	4	
9	ガトーショコラ	423	5	
10	エクレア	296	6	
11				

式 =LOOKUP(B1,C5:C10,A5:A10)

説明　順位(B1)が 1 位の値を順位列(C5 ～ C10)の中で検索し、見つかった位置と同じ位置にある値をスイーツ列(A5 ～ A10)から取り出す。検索範囲と対応範囲(取り出す範囲)を別々に指定できることが確認できる。

ルックアップ
LOOKUP…配列形式

表の行列の長い方で検索し情報を取り出す

表の最初の行または列で指定した値を検索し、値が見つかると、表の最後の行または列の同じ位置にある値を返す。先頭列(縦)と先頭行(横)で長い方が検索対象になる。同じ場合は先頭列を対象とする。

書式： LOOKUP(検索値, 配列)

- [検索値]で指定した値を[配列]で指定したセル範囲の先頭列あるいは先頭行上端行の中で検索し、見つかった行または列の最終列または最終行にある値を返す。
- [検索値]では、検索する値を指定する。
- [配列]では、検索されるセル範囲を先頭列または先頭行に用意し、取り出す値は最終行または列に用意する。一致する値がない場合は、検索値未満で最も大きな値が検索結果とみなされる。小さい順に並べ替えられている必要がある。

使用例1 指定した月の売上金額を取り出す

	A	B	C
1	月(上半期)	2	
2	売上金額	¥13,590	
3			
4	月(上半期)	売上金額	
5	1	¥12,850	
6	2	¥13,590	
7	3	¥10,450	
8	4	¥18,620	
9	5	¥19,220	
10	6	¥17,960	
11			

式　=LOOKUP(B1,A5:B10)

説明　月(上半期)(B1)が「2」の値を、セル範囲(A5 ～ B10)の先頭列で検索し、見つかった行にある最終列の値を取り出す。この場合、セル範囲は行数が多いため、先頭列で検索し、最終列の値を返している。

エックス・ルックアップ

XLOOKUP

値を検索する範囲と取り出す範囲を別々に指定して情報を検索する

表や範囲または配列の中で値を検索し、見つかった行位置に対応する値を返す。戻り値に同じ行内にある複数の値をまとめて取り出せる。見つからなかった場合に表示する値や検索の方法などさまざまな設定をして検索できる。

書 式：　XLOOKUP(検索値, 検索範囲, 戻り値範囲, [見つからない場合],[一致モード],[検索モード])

- [検索値]では、検索する値を指定する。大文字 / 小文字、全角 / 半角は区別されない。
- [検索範囲]では、検索される配列定数またはセル範囲を 1 列で指定する。
- [戻り値範囲]では、値を取り出す配列定数またはセル範囲を指定する。取り出される値は[検索範囲]で検索された値と同じ行位置にある値になる。
- [見つからない場合]では、[検索値]が見つからなかった場合に表示する文字列を指定する。省略時には、[検索値]が見つからなかった場合はエラー値「#N/A」を返す。
- [一致モード]では、一致の方法を数値で指定する。

一致モード

0 または省略	完全一致（既定値）
－1	完全一致または次に小さい項目
1	完全一致または次に大きい項目
2	ワイルドカード文字との一致

- [検索モード]では、検索する方向を数値で指定する。

検索モード

1 または省略	先頭から末尾へ検索（既定値）
－1	末尾から先頭へ検索
2	バイナリ検索（検索範囲が昇順で並べ替えられている必要あり）
－2	バイナリ検索（検索範囲が降順で並べ替えられている必要あり）

Hint　[戻り値範囲]で複数列範囲指定した場合は、スピル機能により、自動的に隣のセルに関数が設定される。VLOOKUP 関数や HLOOKUP 関数のように参照する列や行ごとに列番号や行番号を指定して関数を設定する必要はない。

数学／三角
日付／時刻
統計
文字列操作
論理
検索／行列・Web
キューブ
情報
データベース
財務
エンジニアリング
基礎知識
便利テクニック

使用例 1 商品の型番から商品名と価格を取り出す（完全一致の場合）

	A	B	C	D	E	F	G	H
1	型番	商品名	価格		型番	商品名	価格	
2	C1002	PCデスク	12000		C1001	ワークデスク	¥15,000	
3					C1002	PCデスク	¥12,000	
4					C1003	ワークチェア	¥6,500	
5					C1004	PCチェア	¥8,000	
6								

式 **=XLOOKUP(A2,E2:E5,F2:G5,"－")**

説明 セルA2の型番（C1002）を型番列（E2:E5）の中で検索し、商品名列、価格列（F2:G5）内で同じ位置にある行内の値のセットを求める。見つからなかった場合は「－」を表示する。スピル機能により、自動的にセルC2に関数が設定され、値が表示される。

使用例 2 サイズから送料を求める（近似値の場合）

	A	B	C	D	E	F
2	サイズ	送料		サイズ	送料	
3	61	¥1,000		60	¥800	
4				80	¥1,000	
5				100	¥1,250	
6				120	¥1,500	
7						

式 **=XLOOKUP(A3,D3:D6,E3:E6,"－",1)**

説明 セルA3のサイズ（61）をサイズ列（D3:D6）で検索し、送料列（E3～E6）から取り出している。ここでは、一致する値がない場合は、検索値「61」の次に大きい値を返すので「80」となり、対応する値「¥1,000」が返っている。なお、120を超える値が検索値だった場合は、該当する値がないため「－」が返る。

チューズ

CHOOSE

引数のリストから値を取り出す

インデックス番号に対応する、値リストの値を返す。例えば、インデックス番号が 2 の場合、値リストの 2 番目の値を返す。

書式：　CHOOSE(インデックス, 値 1,[値 2],…)

- [インデックス]では、[値]リストのうち、何番目の値を取り出すのか 1、2、3…と整数で指定する。整数以外の数値の場合は、小数点以下は切り捨てられた整数とみなされる。
- [値]では、[インデックス]によって取り出される値を最大 254 まで指定できる。

Hint　値には、セル範囲を参照させることができる。例えば、「=SUM(CHOOSE(2,B2:B3,E2:E3,H2:H3))」とした場合、2 番目の「E2:E3」が SUM 関数のセル範囲となり「=SUM(E2:E3)」の結果を返す。

使用例 1 区分 NO から区分名を表示する

	A	B	C	D
1	日付	区分NO	区分	
2	2月1日(水)	1	営業日	
3	2月2日(木)	1	営業日	
4	2月3日(金)	3	特売日	
5	2月4日(土)	2	定休日	
6	2月5日(日)	2	定休日	
7	2月6日(月)	1	営業日	
8				

説明　区分 NO(B2)に入力された数値に対応した区分(1：営業日、2：定休日、3：特売日)を表示する。ここでは、1 なので 1 つ目の値である「営業日」が表示される。

式　=CHOOSE(B2," 営業日 "," 定休日 "," 特売日 ")

関連　SWITCH　指定した値に対応する値を表示する ➡ p.207

検索／行列　データ検索　365 2021 2019 2016

インデックス

INDEX

行と列で指定したセルの値を求める

指定したセル範囲の中で行位置と列位置の交差する位置にあるセルの値またはその値のセル参照を返す。

書式：　INDEX(参照,行番号,[列番号],[領域番号])

- [参照]では、検索範囲を指定する。複数の離れた範囲を指定できる。
- [行番号]では、[参照]で指定したセル範囲の上から何行目の値を取り出すか数値で指定する。
- [列番号]では、[参照]で指定したセル範囲の左から何列目の値を取り出すか数値で指定する。
- [領域番号]では、[参照]で複数の離れた範囲を指定した場合の領域番号を指定する。省略時は1とみなされる。

Hint

・[参照]で複数の範囲を指定する場合は、「=INDEX((B3:C7,D3:E7,F3:G7),3,1,2)」のように「()」で囲んで指定する。ここでは2つ目の領域(D3:E7)の3行1列目の値を返す。

・[行番号]または[列番号]で0または省略時は、[参照]内の指定した列全体または行全体のセル参照を返す。例えば「=SUM(INDEX(B3:C7,,2))」とした場合、INDEX関数で「B3:C7」の2列目となる「C3:C7」を参照し、「=SUM(C3:C7)」の結果を返す。

使用例1 講座一覧から指定した講座ID、NOの講座名を取り出す

	A	B	C	D	E
1	講座ID	1	2	3	
2	NO	Word	Excel	PowerPoint	
3	1	タイピング	Excel入門	PowerPoint入門	
4	2	Word入門	Excel応用	PowerPoint応用	
5	3	Word基礎	Excel関数	プレゼン実技	
6	4	Word長文作成	Excel集計	−	
7	5	Word作図	Excelマクロ	−	
8					
9	NO	4	Excel集計		
10	講座ID	2			

式 =INDEX(B3:D7,B9,B10)

説明　講座一覧(B3～D7)でセルB9(4行目)、セルB10(2列目)にある値を取り出す。

検索／行列　セル参照　365　2021　2019　2016

ロウ
ROW
セルの行番号を求める

指定したセルまたはセル範囲の先頭の行番号を返す。

書式：　ROW([範囲])

[範囲]では、セルまたはセル範囲を指定する。セル範囲を指定した場合は、上端行の行番号を返す。例えば「=ROW(C3:E6)」とした場合、「3」を返す。省略時は関数が設定されたセルの行番号を返す。

検索／行列　セル参照　365　2021　2019　2016

カラム
COLUMN
セルの列番号を求める

指定したセルまたはセル範囲の先頭の列番号を数値で返す。列番号は、A 列、B 列、C 列、…が順番に 1、2、3、…となる。

書式：　COLUMN([範囲])

[範囲]では、セルまたはセル範囲を指定する。セル範囲を指定した場合は、左端列の列番号の数値を返す。例えば「=COLUMN(D3:G6)」とした場合、「4」を返す。省略時は関数が設定されたセルの列番号の数値を返す。

使用例 1 縦と横の連番を自動で表示する

	A	B	C	D	E
1	NO	1	2	3	
2	1				
3	2				
4	3				
5					

式 =COLUMN()-1

式 =ROW()-1

説明　セル A2 に「=ROW()-1」と指定すると引数を省略しているため、ROW 関数は入力されているセルの行番号「2」が返り、「1」を引いて「1」となる。式をセル A3 ～ A4 にコピーすると自動的に連番が表示される。同様にセル B1 に「=COLUMN()-1」と指定すると列番号「2」から「1」を引いて「1」となる。式をセル C1 ～ D1 にコピーすると自動連番が表示される。

検索 / 行列　セル参照　365　2021　2019　2016

ロウズ
ROWS

セル範囲の行数を求める

指定したセル範囲に含まれる行数を返す。

書式： ROWS(範囲)

[範囲]では、行数を求めたいセル範囲または配列定数を指定する。

検索 / 行列　セル参照　365　2021　2019　2016

カラムズ
COLUMNS

セル範囲の列数を求める

指定したセル範囲に含まれる列数を返す。

書式： COLUMNS(範囲)

[範囲]では、列数を求めたいセル範囲または配列定数を指定する。

使用例 1 表の行数と列数を求める

	A	B	C	D
1	NO	Word	Excel	
2	1	タイピング	Excel入門	
3	2	Word入門	Excel応用	
4	3	Word基礎	Excel関数	
5	4	Word長文作成	Excel集計	
6				
7	行数	5		
8	列数	3		
9				

式 =ROWS(A1:C5)

式 =COLUMNS(A1:C5)

説明 セル B7 では ROWS 関数を使ってセル範囲 A1 ～ C5 に含まれる行数(5)を求めている。セル B8 では COLUMNS 関数を使って同様に列数(3)を求めている。

関連

ROW　セルの行番号を求める ➡ p.227
COLUMN　セルの列番号を求める ➡ p.227

アドレス
ADDRESS

行番号と列番号からセル参照の文字列を求める

指定した行番号と列番号からセル参照を返す。設定方法により、絶対参照、相対参照、複合参照を指定したり、参照形式を R1C1 形式や A1 形式にできる。

書 式: ADDRESS(行番号, 列番号,[参照の型],[参照形式],[シート名])

- [行番号]では、セル参照に使用する行番号を数値で指定する。
- [列番号]では、セル参照に使用する列番号を数値で指定する。
- [参照の型]では、絶対参照、複合参照、相対参照を数値で指定する。省略時は、絶対参照になる。

参照の型

値	内容
1	絶対参照(既定値)
2	行：絶対参照、列：相対参照
3	行：相対参照、列：絶対参照
4	相対参照

参照形式

値	内容
1 または TRUE	A1 形式(既定値)
0 または FALSE	R1C1 形式

- [参照形式]では、参照形式を A1 形式、R1C1 形式を指定する。省略時は、A1 形式になる。
- [シート名]では、同ブック内の別シート名や別ブックのシートを指定して外部参照式が設定できる。省略時は、同一シート内とみなされる。

設定例

関数（行：3、列：2）	設定内容	結果
=ADDRESS(3,2,4)	A1 形式。相対参照	B3
=ADDRESS(3,2)	A1 形式。絶対参照	$B$3
=ADDRESS(3,2,2,0)	R1C1 形式。行は絶対参照、列は相対参照	R3C[2]
=ADDRESS(3,2,1,0,"Sheet1")	R1C1 形式。Sheet1 への絶対参照	'Sheet1'!R2C3
=ADDRESS(3,2,1,1,"[Book1]Sheet1")	A1 形式。Book1 の Sheet1 への絶対参照	'[Book1]Sheet1'!$B$3

関連 セルの参照方式 ➡ p.362

エリアズ
AREAS

範囲や名前に含まれる領域の数を求める

指定した範囲の中に含まれる、セルやセル範囲の領域数を返す。

書式：　AREAS(範囲)

[範囲]では、1つ以上のセルやセル範囲または、名前を指定する。複数の領域を指定する場合は、「=AREAS(A1,C1:D2)」ではなく「=AREAS((A1,C1:D2))」のように範囲を()で囲んで指定する。

設定例

関数	設定内容	結果
=AREAS(C1:D2)	セル範囲 C1:D2	1
=AREAS((A1,C1:D2))	セル A1 とセル範囲 C1:D2	2
=AREAS(C1:D2,D2)	セル範囲 C1:D2 とセル D1 が交わる範囲	1
=AREAS(合計)	セル A1:A2 と C1:C2 に「合計」と名前が定義	2

使用例 1 合計範囲の数を調べる

	A	B	C	D
1	1-3月合計		4-6月合計	
2	¥12,000		¥18,000	
3				
4	7-9月合計		10-12月合計	
5	¥21,000		¥26,000	
6				
7	合計領域数		4	

説明　セル範囲 A1:A2、C1:C2、A4:A5C4:C5 の領域の数を求めている。

式　=AREAS((A1:A2,C1:C2,A4:A5,C4:C5))

COLUMN

ADDRESS 関数の参照の型と参照形式の組み合わせによるセル参照の違い

ADDRESS 関数では、第3引数の「参照の型」で絶対参照、複合参照、相対参照を指定し、第4引数の「参照形式」でセルの参照形式を A1 形式、R1C1 形式を指定する。ここでは、行番号が「8」、列番号が「6」の場合、「参照の型」と「参照形式」の組み合わせによって ADDRESS 関数が返すセル参照の違いをまとめる。例えば、相対参照、A1 形式にしたセル参照「F8」と表示したい場合は、「=ADDRESS(8,6,4,1)」と指定する。

	A	B	C	D	E	F
1	行番号	列番号	参照の型		参照形式	
2					0：R1C1形式	1：A1形式
3	8	6	1	絶対	R8C6	$F$8
4	8	6	2	行：絶対、列：相対	R8C[6]	F$8
5	8	6	3	行：相対、列：絶対	R[8]C6	$F8
6	8	6	4	相対	R[8]C[6]	F8

式　=ADDRESS(8,6,4,1)

インダイレクト
INDIRECT

セル参照の文字列をもとに間接的にセルの値を求める

「A1」のようなセル参照を表す文字列からそのセルの参照を返す。例えば、「=INDIRECT("A1")」とすると、セル A1 の値が返る。

書 式：　INDIRECT（参照文字列,[参照形式]）

- [参照文字列]では、セル参照を表す文字列(セル参照や名前)を指定する。セル参照を表す文字列が入力されているセルを参照することもできる。セル参照や名前に該当しない場合はエラー値「#REF!」を返す。
- [参照形式]では、参照文字列の形式が A1 形式の場合は TRUE または省略、R1C1 形式の場合は FALSE を指定する。

使用例 1 引数に指定した文字列「B3」に対応するセルの値を取り出す

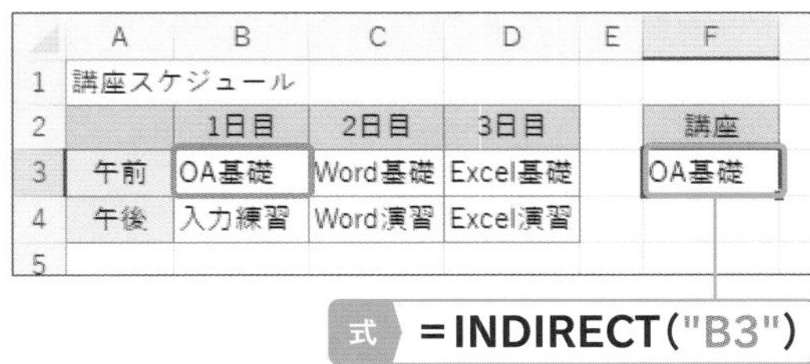

	A	B	C	D	E	F
1	講座スケジュール					
2		1日目	2日目	3日目		講座
3	午前	OA基礎	Word基礎	Excel基礎		OA基礎
4	午後	入力練習	Word演習	Excel演習		
5						

式 =INDIRECT("B3")

説明　引数に文字列で指定したセル("B3")にある値(OA 基礎)を表示する。

使用例 2 引数で指定したセルに入力されているセル参照の値を取り出す

	A	B	C	D	E	F	G	H
1	講座スケジュール							
2		1日目	2日目	3日目		セル参照	講座	
3	午前	OA基礎	Word基礎	Excel基礎		B3	OA基礎	
4	午後	入力練習	Word演習	Excel演習				
5								

式 =INDIRECT(F3)

説明　セル F3 に入力されているセル参照(B3)にある値を表示する。

関連 セルの参照方式 ➡ p.362

数学／三角
日付／時刻
統計
文字列操作
論理
検索／行列・Web
キューブ
情報
データベース
財務
エンジニアリング
基礎知識
便利テクニック

使用例 3 名前のセル範囲を参照して合計を求める

	A	B	C	D	E	F	G
1	ランチ売上						
2		Aランチ	Bランチ		名前	合計	
3	3月1日	100	80		Aランチ	250	
4	3月2日	150	120				

A ランチ　B ランチ

式 =SUM(INDIRECT(E3))

説明 セル E3 に入力されている値（A ランチ）が参照しているセル範囲（B3:B4）がINDIRECT 関数によって返され、SUM 関数の引数となって A ランチの合計が求められる。ここでは、あらかじめセル範囲 B3:B4 に「A ランチ」、セル範囲 C3:C4 に「B ランチ」とそれぞれ名前が定義されている。

使用例 4 区分（会員、一般）で表を切り替えて料金を検索する

	A	B	C	D	E	F	G	H	I
1	料金検索			会員			一般		
2	種別	区分		種別	料金		種別	料金	
3	レギュラー	会員		シニア	¥6,500		シニア	¥9,500	
4	料金			レギュラー	¥9,500		レギュラー	¥12,000	
5	¥9,500			ジュニア	¥4,500		ジュニア	¥6,500	

会員　一般

式 =VLOOKUP(A3,INDIRECT(B3),2,FALSE)

	A	B	C	D	E	F	G	H	I
1	料金検索			会員			一般		
2	種別	区分		種別	料金		種別	料金	
3	レギュラー	一般		シニア	¥6,500		シニア	¥9,500	
4	料金			レギュラー	¥9,500		レギュラー	¥12,000	
5	¥12,000			ジュニア	¥4,500		ジュニア	¥6,500	

説明 VLOOKUP 関数でセル A3 の種別「レギュラー」をセル B3 の区分「会員」で指定された名前の範囲の 1 列目で検索し、2 列目の値を取り出す。INDIRECT 関数で参照する名前（会員と一般）を切り替えることで、検索する表を切り替えられる。

関連
名前の定義 ➡ p.363
VLOOKUP 別表を縦方向に検索してデータを取り出す ➡ p.217

トランスポーズ
TRANSPOSE

行と列の位置を入れ替える

指定したセル範囲の行と列を入れ替えて表示する。元の表はそのままにして、別の場所に行列入れ替えた表を表示する。

書式：　TRANSPOSE(配列)

[配列]では、行と列を入れ替えたい表(セル範囲)を指定する。

Hint 配列数式として入力するため、先に[配列]のセル範囲の行と列を入れ替えた範囲を範囲選択したのち、式を入力して[Ctrl]＋[Shift]＋[Enter]キーを押す。なおMicrosoft365ではスピル機能により、左上端のセルに関数を入力するだけで、配列数式が自動入力される。

使用例1 講座スケジュールの行と列を入れ替える

	A	B	C	D	E	F	G	H	I
1	講座スケジュール								
2	日程	1日目	2日目	3日目		日程	午前	午後	
3	午前	OA基礎	Word基礎	Excel基礎		1日目	OA基礎	入力練習	
4	午後	入力練習	Word演習	Excel演習		2日目	Word基礎	Word演習	
5						3日目	Excel基礎	Excel演習	
6									

式 =TRANSPOSE(A2:D4)

説明 数式を入力するセル範囲F2:H5を選択し、「=TRANSPOSE(A2:D4)」と入力して[Ctrl]＋[Shift]＋[Enter]キーを押して配列数式として入力すると、数式バーには、{=TRANSPOSE(A2:D4)} と表示される。元の表とリンクしているので、元の表を変更すると連動して変更される。なお、Excel2021、Microsoft365では、先頭セル(F2)に関数を入力し、[Enter]キーを押せば、スピルによりセル範囲に自動入力される。

関連 配列数式 ➡ p.373

オフセット
OFFSET

基準とするセルから指定した行数、列数だけ移動したセルを参照する

基準とするセルから指定した行数、列数だけ移動したセルの値やセル参照を返す。

書 式： OFFSET(基準, 行数, 列数,[高さ],[幅])

- [基準]では、基準となるセルまたはセル範囲を指定する。セル範囲を指定した場合は、左上端のセルが基準となる。
- [行数]では、[基準]のセルから下方向に移動する数を指定する。負の数を指定すると上方向へ移動する。
- [列数]では、[基準]のセルから右方向に移動する数を指定する。負の数を指定すると左方向へ移動する。
- [高さ]、[幅]では、参照する範囲のそれぞれ行数、列数を指定する。これらを指定すると、セル参照が返るため、関数の引数でセル範囲を使用するときに使う。例えば、以下の使用例で「=SUM(OFFSET(E1,1,0,A2))」と指定した場合、セル E1 を基準として 1 行下のセルから、高さをセル A2 の値(3)としてセル範囲(E2:E4)を参照し、SUM 関数の範囲にして累計距離が求められる。

使用例 1 指定した区間の距離を取り出す

	A	B	C	D	E	F
1	区	距離		区間	距離Km	
2	3	7.5		1区	5	
3				2区	4.5	
4				3区	7.5	
5				4区	6	
6						

式 =OFFSET(E1,A2,0)

説明 セル E1 を基準として、セル A2 の値(3)だけ下のセルの値を表示する。

マッチ
MATCH

検索値の相対的な位置を求める

配列またはセル範囲内で指定した値を検索し、範囲内で何番目に見つかったか数字を返す。

書 式： MATCH(検査値, 検査範囲,[照合の型])

- 指定した[検査範囲]内で、[照合の型]に従い、[検査値]を検索して、一致するセルの相対的な位置を返す。
- [検査値]では、検査する値を指定する。
- [検査範囲]では、[検査値]を検索する範囲を1行または1列で指定する。
- [照合の型]では、検索の方法を数値で指定する。

照合の型

0	[検査値]と完全一致。[検索値]が文字列の場合は、ワイルドカード文字を使える
－1	[検査値]以上の最小値。[検査範囲]を降順に並べ替えておく必要がある
1または省略	[検査値]以下の最大値(既定値)。[検査範囲]を昇順に並べ替えておく必要がある

Hint 検索時に、大文字と小文字は区別されないが、全角と半角は区別される。

使用例① 人気ランクが1位の位置を調べる

元に戻す　クリップボード　フォント

B9　=MATCH(B8,D2:D6,0)

	A	B	C	D	E
1	NO	講座	希望者	人気ランク	
2	1	Excel入門	98	2	
3	2	Excel応用	76	4	
4	3	Excel関数	128	1	
5	4	Excel集計	89	3	
6	5	Excelマクロ	62	5	
7					

式 =MATCH(B8,D2:D6,0)

説明 セルB8の人気ランク(1)の値をセル範囲D2:D6の中で探し、完全一致で何番目にあるか調べる。

関連 ワイルドカード文字 ➡ p.370

数学／三角
日付／時刻
統計
文字列操作
論理
検索／行列・Web
キューブ
情報
データベース
財務
エンジニアリング
基礎知識
便利テクニック

使用例 ② 人気ランクが 1 位に一致する講座名を取り出す

	A	B	C	D	E
1	NO	講座	希望者	人気ランク	
2	1	Excel入門	98	2	
3	2	Excel応用	76	4	
4	3	Excel関数	128	1	
5	4	Excel集計	89	3	
6	5	Excelマクロ	62	5	
7					
8	人気ランク	1			
9	講座名	Excel関数			
10					

説明 MATCH 関数で、セル B8 の人気ランク(1)がセル範囲 D2:D6 の中で完全一致で何番目にあるか調べ、INDEX 関数でセル範囲 B2:B6 の講座一覧の中で見つかった行数の位置にある値を取り出す。

式 =INDEX(B2:B6,MATCH(B8,D2:D6,0))

検索 / 行列　相対位置　365　2021　2019　2016

エックス・マッチ
XMATCH

検索の方向を指定して検索値の相対的な位置を求める

配列またはセル範囲内で指定した値を検索し、範囲内で何番目に見つかったか数字を返す。検索する方向を上からだけでなく、下から検索することができる。

書 式： XMATCH(検索値, 検索範囲,[一致モード],[検索モード])

- 指定した[検査範囲]内で、[一致モード]と[検索モード]に従い、[検査値]を検索して、一致するセルの相対的な位置を返す。
- [検索値]では、検査する値を指定する。
- [検索範囲]では、[検索値]を検索する範囲を 1 行または 1 列で指定する。
- [一致モード]では、一致の方法を数値で指定する。

一致モード

0 または省略	完全一致(既定値)
－1	完全一致または次に小さい項目
1	完全一致または次に大きい項目
2	ワイルドカード文字との一致

- [検索モード]では、検索する方向を数値で指定する。省略時は 1 とみなされる。

関連 INDEX 行と列で指定したセルの値を求める ➡ p.226

検索モード

1 または省略	先頭から末尾へ検索(既定値)
−1	末尾から先頭へ検索
2	バイナリ検索(検索範囲が昇順で並べ替えられている必要あり)
−2	バイナリ検索(検索範囲が降順で並べ替えられている必要あり)

使用例 1 合格基準点を超える点数の相対的な位置を求める

	A	B	C	D	E	F
1	受験生	点数		合格基準点	185	
2	山崎　由紀	298		合格ライン	4	
3	田中　聡	231		合格者ライン	杉山　正親	
4	清水　健人	206				
5	杉山　正親	188				
6	金田　幸代	173				
7	村上　裕子	166				
8	稲生　京子	152				
9						

式 =XMATCH(E1,B2:B8,1)

式 =INDEX(A2:A8,E2)

説明 点数列のセル範囲 B2:B8 の中から合格基準点のセル E1(185)を、完全一致または次に大きい項目の一致モード(1)にして検索。完全一致する値がない場合は、次に大きい項目が検索されるため「188」が検索される。上から数えて 4 番目なので、「4」が返る。また、セル E3 では INDEX 関数を使って受験生(A2:A8)の上からセル E2(4)番目の値を取り出している。

ソート
SORT

データを並べ替えた結果を表示する

指定したセル範囲または配列定数の内容を並べ替えて表示する。元の表はそのままにして、別の場所に並べ替えた結果を表示する。

書式：　SORT(配列,[並べ替えインデックス],[順序],[並べ替え方向])

- [配列]で指定した範囲または配列定数の内容を並べ替える。並べ替え方法は[並べ替えインデックス]、[順序]、[並べ替え方向]の設定に従う。
- [配列]では、並べ替えのもととなるセル範囲または配列定数を指定する。
- [並べ替えインデックス]では、並べ替えの基準となる行または列の先頭を 1 として数値で指定する。省略時は、1 とみなされる。
- [順序]では、昇順の場合は 1（既定値）、降順の場合は -1 を指定する。
- [並べ替え方向]では、FALSE または省略時は、行で並べ替え、TRUE の場合は、列で並べ替える。

Hint
・並べ替えインデックスの行または列の値が文字列の場合は、ふりがな順ではなく、JIS コード順に並べ替えられる。

・表示する範囲の左上角のセルに関数を入力すれば、スピル機能により関数が自動入力され、並べ替えられた表が表示される。

使用例 1 講座の並び順を人気ランク順で並べ替える

	A	B	C	D	E	F	G	H	I	J
1	NO	講座	希望者	人気ランク		NO	講座	希望者	人気ランク	
2	1	Excel入門	98	2		1	Excel関数	128	1	
3	2	Excel応用	76	4		2	Excel入門	98	2	
4	3	Excel関数	128	1		3	Excel集計	89	3	
5	4	Excel集計	89	3		4	Excel応用	76	4	
6	5	Excelマクロ	62	5		5	Excelマク	62	5	
7										

式 **=SORT(B2:D6,3,1)**

説明　セル範囲 B2:D6 を、3 列目を基準に昇順（1）に行単位で並べ替えを行う。第 4 引数[並べ替え方向]を省略しているので、行で並べ替えられる。

ソート・バイ
SORTBY

複数の基準でデータを並べ替えた結果を表示する

指定したセル範囲または配列定数の内容を複数の基準を指定して並べ替えて表示する。元の表はそのままにして、別の場所に並べ替えた結果を表示する。

書 式： SORTBY(範囲, 基準 1,[順序 1],[基準 2, 順序 2],…)

- [範囲]で指定した範囲または配列定数の内容を[基準]に従って並べ替える。並べ替え方法は[順序]で指定する。
- [基準]と[順序]は、セットで指定する。
- [範囲]では、並べ替えの対象となるセル範囲または配列定数を指定する。
- [基準]では、並べ替えの基準となる範囲を指定する。複数指定する場合は、順序をセットで指定する。
- [順序]では、昇順の場合は 1 または省略し、降順の場合は -1 を指定する。

使用例 1 会員名簿の区分を昇順、年齢を降順で並べ替えて表示する

	A	B	C	D	E	F	G	H	I	J
1	NO	会員名	区分	年齢		NO	会員名	区分	年齢	
2	1	佐々木　義男	2	23		2	岡田　由美子	1	44	
3	2	岡田　由美子	1	44		6	成田　駿	1	30	
4	3	新城　里美	3	18		4	遠藤　幸助	2	27	
5	4	遠藤　幸助	2	27		1	佐々木　義男	2	23	
6	5	神崎　昇	3	49		5	神崎　昇	3	49	
7	6	成田　駿	1	30		3	新城　里美	3	18	
8										

式 =SORTBY(A2:D7,C2:C7,1,D2:D7,-1)

説明　会員名簿の表(A2:D7)を、区分の列(C2:C7)を昇順(1)で並べ替え、さらに年齢の列(D2:D7)を降順(-1)で並べ替える。並べ替える表を表示する範囲の左上角にあるセル(F2)に式を入力すると、スピル機能により関数が自動入力され、表全体に関数が設定され、並べ替えられた表が表示される。

フィルター
FILTER

条件を満たすデータを抽出する

定義した条件に基づいて、指定したセル範囲のデータを絞り込んで表示する。元の表はそのままにして、別の場所に抽出した表を表示する。

書 式：　FILTER(範囲, 条件,[いずれも満たさない場合の値])

- [範囲]では、抽出の対象となるセル範囲または配列定数を指定する。
- [条件]では、[範囲]から抽出する行を検索する条件を配列で指定する。
- [いずれも満たさない場合の値]では、[条件]に一致する値が見つからなかった場合に表示する値を指定する。

使用例 1 区分が A のデータを抽出して表示する

	A	B	C	D	E	F	G	H	I	J
1						区分	A			
2										
3	NO	会員名	区分	年齢		NO	会員名	区分	年齢	
4	1	佐々木　義男	B	23		2	岡田　由美子	A	44	
5	2	岡田　由美子	A	44		3	新城　里美	A	18	
6	3	新城　里美	A	18		6	成田　駿	A	30	
7	4	遠藤　幸助	B	27						
8	5	神崎　昇	C	49						
9	6	成田　駿	A	30						

式 =FILTER(A4:D9,C4:C9=G1,"")

説明 セル範囲 A4:D9 で、区分の列(C4:C9)がセル G1(A)の値の行を抽出して表示する、該当しない場合は、何も表示しない("")。先頭のセルに関数を入力すると、スピル機能により必要なだけ関数が自動入力される。

使用例 2 区分が A かつ、年齢が 20 以上のデータのみ抽出して表示する

	A	B	C	D	E	F	G	H	I	J
1						区分	A	年齢	20	
2										
3	NO	会員名	区分	年齢		NO	会員名	区分	年齢	
4	1	佐々木　義男	B	23		2	岡田　由美子	A	44	
5	2	岡田　由美子	A	44		6	成田　駿	A	30	
6	3	新城　里美	A	18						
7	4	遠藤　幸助	B	27						
8	5	神崎　昇	C	49						
9	6	成田　駿	A	30						
10										

式 =FILTER(A4:D9,(C4:C9=G1)*(D4:D9>=I1),"")

説明 セル範囲 A4:D9 で、区分の列(C4:C9)がセル G1(A)でかつ、年齢の列(D4:D9)がセル I1(20)以上の行を抽出して表示する、該当しない場合は、何も表示しない("")。

ユニーク

UNIQUE

重複するデータをまとめて取り出す

指定した範囲から重複する値を 1 つにまとめたり 1 つしかない値を取り出したりする。

書 式： UNIQUE(配列,[比較の方向],[回数])

- [配列]では、対象となるセル範囲または配列定数を指定する。
- [比較の方向]は、TRUE の場合は列を比較し、FALSE または省略時は行が比較される。
- [回数]は、TRUE の場合は 1 回だけ現れる値だけ取り出し、FALSE または省略時は複数回現れる値を 1 つにまとめて取り出す。

使用例 1 会員の所在地域の一覧と 1 人のみの地域の一覧を表示する

	A	B	C	D	E	F	G
1	NO	会員名	地域		地域		1人のみの地域
2	1	佐々木　義男	東京		東京		大阪
3	2	岡田　由美子	大阪		大阪		京都
4	3	新城　里美	福岡		福岡		
5	4	遠藤　幸助	東京		京都		
6	5	神崎　昇	福岡				
7	6	成田　駿	京都				

式 =UNIQUE(C2:C7)

式 =UNIQUE(C2:C7,,TRUE)

説明　セル E2 では、地域の列(C2:C7)で重複データをまとめた地域の一覧を表示し、セル G2 では、地域の列(C2:C7)で 1 回だけ現れた値の一覧を表示している。先頭のセルに関数を入力すると、スピル機能により必要なだけ関数が自動入力される。

COLUMN

FILTER 関数の[条件]の設定方法

・[条件]は、配列で指定するため「C4:C9="A"」という形式で条件式を指定する。これはセル C4 から C9 まで順番に A かどうかを判定し、A の場合は TRUE、A でない場合は FALSE が返り、{FALSE;TRUE;TRUE;FALSE;FALSE;TRUE} のような配列定数が返る。TRUE となる行が条件を満たしているとして表示される。

・複数の条件を AND 条件(かつ)にする場合は、「(C4:C9="A")*(D4:D9>=20)」のように「*」で条件をつなげる。

・複数の条件を OR 条件(または)にする場合は、「(C4:C9="A")+(D4:D9>=20)」のように「+」で条件をつなげる。

フィールド・バリュー

FIELDVALUE

株価や地理のデータを取り出す

株式や地理などのリンクされた外部データから種類(フィールド)を指定してデータを取り出す。

書式：　FIELDVALUE（値, フィールド名）

- [値]では、株式データや地理データを指定する。
- [フィールド名]では、取り出したいデータの種類を文字列で指定する。

Hint　この関数を使用する前に、[値]で使用する企業名や国名、都市名などが入力されているセルを選択し、[データ]タブ→[株式(英語)]または[地理(英語)]をクリックして外部データに接続しておく必要がある。外部データに接続されると、セルにアイコンが表示される。

使用例1 首都の人口と国名を取り出す

	A	B	C	D
1	首都		人口	国名
2	東京	Tokyo	13,988,129	Japan
3	北京	Beijing	21,893,095	China
4	ワシントン	Washington, D.C.	689,545	United States

式 =FIELDVALUE(B2,"Population")

式 =FIELDVALUE(B2,"Country/region")

説明　セルC2では、セルB2の首都名(Tokyo)から人口を取り出している。セルD2では、同様に国名を取り出している。

関連
数式の表示 ➡ p.415
TAKE / DROP　配列から連続した行数、列数を取り出す / 除外する ➡ p.245

検索 / 行列　データ抽出　365 2021 2019 2016

アール・ティー・ディー

RTD

RTD サーバーからデータを取り出す

コンポーネントオブジェクトモデル(COM)オートメーションサーバーを呼び出し、株価や為替レートなどのデータをリアルタイムで取得できる。この関数を利用するには、RTD サーバーが構築されている必要がある。

書 式： RTD(プログラム ID, サーバー, トピック 1,[トピック 2],…)

- [プログラム ID]では、RTD(RealTimeData)サーバーのプログラム ID を文字列で指定する。
- [サーバー]では、RTD サーバーが実行されているコンピューター名を文字列で指定する。RTD サーバーがローカルで実行されている場合は、空文字("")を指定できる。
- [トピック]では、リアルタイムデータとして取り出したいデータの項目名(トピック)を指定する。

検索 / 行列　データ抽出　365 2021 2019 2016

フォーミュラ・テキスト

FORMULATEXT

数式を文字列にして取り出す

指定したセルに入力されている数式を文字列として返す。

書 式： FORMULATEXT(参照)

[参照]では、数式が入力されているセル参照を指定する。参照したセルに数式が入力されていない場合はエラー値「#N/A」を返す。

Hint
・別のワークシートや、開いている別ブックのセルを参照することもできる。
・セル範囲を指定した場合、左上端のセルの数式を返す。

使用例 1 セルに入力されている数式を表示する

	A	B	C	D
1	期	売上		
2	前期	140		
3	後期	190		数式
4	合計	330		=SUM(B2:B3)
5	平均	165		=AVERAGE(B2:B3)
6	報告日	3月1日		#N/A
7				

式 =FORMULATEXT(B4)

式 =FORMULATEXT(B5)

式 =FORMULATEXT(B6)

説明 セル B4、B5、B6 に入力されている数式を文字列にして表示する。セル B6 には数式が入力されていないため、セル D6 はエラー値「#N/A」が表示される。

エクスパンド
EXPAND

配列のサイズを拡張する

配列を指定した行数と列数にして拡張する。拡張した結果、空のセルに表示する値を指定できる。結果はスピル機能により自動的に拡張して表示される。

書 式： EXPAND(配列, 行数, [列数], [空の場合])

- [配列]では、元となる配列やセル範囲を指定する。
- [行数]では、拡張後の行数を[配列]の行数以上の数で指定する。省略時は[配列]と同じとみなされる。
- [列数]では、拡張後の列数を[配列]の列数以上の数で指定する。省略時は[配列]と同じとみなされる。
- [空の場合]では、拡張した行や列に値がない場合は、エラー値「#N/A」が表示される。エラー値以外で表示したい値を指定する。

Hint [行数]または[列数]が[配列]より小さい場合、エラー値「#VALUE!」が表示されます。

使用例 1 セル範囲の行を拡張し、空のセルに「−」を表示する

	A	B	C	D	E	F	G
1							
2		商品A	商品B			商品A	商品B
3	1月	10	10		1月	10	10
4	2月	20	20		2月	20	20
5	3月				3月	−	−
6	4月				4月	−	−
7							
8							

式 =EXPAND(B3:C4,4,,"−")

説明 セルF3では、セル範囲B3～C4を4行に拡張し、列はもとのセル範囲と同じ(省略時)で、空のセルに「−」を表示している。

テイク / ドロップ

TAKE / DROP

配列から連続した行数、列数を取り出す / 除外する

TAKE 関数は、[配列]から指定した[行数]、[列数]の配列を先頭または末尾から取り出す。DROP 関数は、[配列]から指定した[行数]、[列数]の配列を先頭または末尾から除外する。結果はスピル機能により自動的に拡張して表示される。

書 式： TAKE(配列, 行数, [列数])
DROP(配列, 行数, [列数])

- [配列]では、もととなる配列やセル範囲を指定する。
- [行数]では、取り出すまたは除外する行数を指定する。省略時は元の配列を同じ行数とみなされる。負の値を指定した場合は、末尾から取り出す。
- [列数]では、取り出すまたは除外する行数を指定する。省略時は元の配列を同じ行数とみなされる。負の値を指定した場合は、末尾から取り出す。

使用例 1 売上表から 2020 年のみ取り出し / 関西と 2022 年を除外する

	A	B	C	D	E	F	G	H	I	J	K	L
1	売上表					●2020年のみ取出し			●関西と2022年を除外			
2	支店	2020	2021	2022		支店	2020		支店	2020	2021	
3	関東	100	200	300		関東	100		関東	100	200	
4	中部	120	220	320		中部	120		中部	120	220	
5	関西	140	240	340		関西	140					
6												

式 =TAKE(A2:D5,,2)

式 =DROP(A2:D5,-1,-1

説明 セル F2 では、セル範囲 A2 ～ D5 の表から行はそのまま(省略)、列は先頭から 2 列([支店]列から[2020]列まで)取り出している。セル I2 では、セル範囲 A2 ～ D5 の表の行の下から 1 行、列の右端から 1 列を除外して取り出している。

チューズ・ロウズ / チューズ・カラムズ

CHOOSEROWS / CHOOSECOLS

配列から指定した行や列を取り出す

CHOOSEROWS 関数は、配列から指定した位置にある行を取り出す。CHOOSECOLS 関数は、配列から指定した位置にある列を取り出す。結果はスピル機能により自動的に拡張して表示される。

書式：　CHOOSEROWS(配列, 行 1,[行 2,…])
CHOOSECOLS(配列, 列 1,[列 2,…])

- [配列]では、もととなる配列やセル範囲を指定する。
- [行]では、取り出す行番号を指定する。負の値を指定した場合は、末尾から数えた位置の行を取り出す。
- [列]では、取り出す列番号を指定する。負の値を指定した場合は、末尾から数えた位置の列を取り出す。

Hint　TAKE関数は、連続した行や列を取り出すのに対し、CHOOSEROWS関数、CHOOSECOLS関数は、離れた行や列を取り出すことができます。

使用例 1 売上表から年度の合計列と地区別合計行をそれぞれ取り出す

	A	B	C	D	E	F	G	H	I	J	K
1	売上表								●年度別合計		
2	地区	2021前期	2021後期	2021合計	2022前期	2022後期	2022合計		地区	2021合計	2022合計
3	関東A	120	180	300	150	220	370		関東A	300	370
4	関東B	150	200	350	200	250	450		関東B	350	450
5	関東計	270	380	650	350	470	820		関東計	650	820
6	関西A	100	170	270	180	200	380		関西A	270	380
7	関西B	110	150	260	220	240	460		関西B	260	460
8	関西計	210	320	530	400	440	840		関西計	530	840
9	●地区合計										
10	地区	2021前期	2021後期	2021合計	2022前期	2022後期	2022合計				
11	関東計	270	380	650	350	470	820				
12	関西計	210	320	530	400	440	840				
13											

式 =CHOOSEROWS(A2:G8,1,4,7)

式 =CHOOSECOLS(A2:G8,1,4,7)

説明　セル A10 では、セル A2 ～ G8 から、表の 1 行目(列見出し)、4 行目([関東計]行)、7 行目([関西系]行)を取り出して表示している。セル I2 では、セル A2 ～ G8 から、表の 1 列目(行見出し)、4 列目([2021 合計]列)、7 行目([2022 合計]列)を取り出して表示している。

関連　TAKE / DROP　配列から連続した行数、列数を取り出す / 除外する ➡ p.245

トゥ・ロウ/トゥ・カラム

TOROW / TOCOL

配列を 1 行または 1 列にまとめる

TOROW 関数は、配列を 1 行にまとめて取り出す。TOCOL 関数は配列を 1 列にまとめて取り出す。取り出し時に特定の文字を無視したり、配列の値を取り出す方向を指定したりできる。結果はスピル機能により自動的に拡張して表示される。

書 式：　TOROW(配列,[無視する値],[列方向に検索])
TOCOL(配列,[無視する値],[列方向に検索])

- [配列]では、もととなる配列やセル範囲を指定する。
- [無視する値]では、特定の値を無視するかどうか指定する(下表)。省略時は、すべて取り出す。
- [列方向に検索]では、TRUE の場合、配列を列方向に取り出す。FALSE または省略時は、行方向に取り出す。

値	内容
0 または省略	すべての値を取り出す
1	空白を無視する
2	エラーを無視する
3	空白とエラーを無視する

使用例 1 配列を 1 行、1 列にまとめる

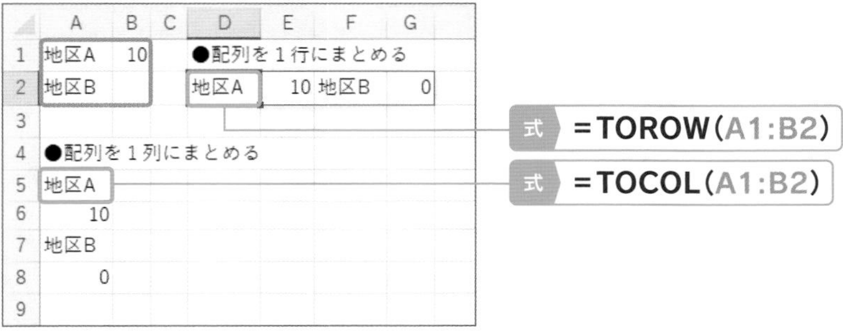

説明　セル D2 では、セル A1 ～ B2 を、すべての値を取り出す設定(第 2 引数省略)、行方向(第 3 引数省略)にデータを取り出し 1 行にまとめている。セル A5 では、セル A1 ～ B2 を、すべての値を取り出す設定(第 2 引数両略)、行方向(第 3 引数省略)にデータを取り出し 1 列にまとめている。第 2 引数を省略している場合、セル B2 のようにセルが空のときは「0」が表示される。

関連
WRAPROWS / WRAPCOLS　1 行や 1 列のデータを折り返して取り出す ➡ p.249

検索 / 行列　配列操作　365　2021　2019　2016

ブイ・スタック / エイチ・スタック

VSTACK / HSTACK

配列を縦方向または行方向に積み重ねて取り出す

VSTACK 関数は、指定した配列を縦方向に順番に連結させてより大きな配列を返す。HSTACK 関数は、指定した配列を水平方向に順番に連結させてより大きな配列を返す。結果はスピル機能により自動的に拡張して表示される。

書 式：　VSTACK(配列 1,[配列 2,…])
HSTACK(配列 1,[配列 2,…])

- [配列]では、連結させたい配列やセル範囲を指定する。指定した配列が結果の配列の列数または行数が足りない場合は、不足しているセルにエラー値「#N/A」が表示される。(※詳細はサンプルファイルを参照)

検索 / 行列　配列操作　365　2021　2019　2016

ストックヒストリー

STOCKHISTORY

株式銘柄の株価情報を取り出す

[金融商品]で指定した株式銘柄の株価情報(始値、終値、高値、安値、出来高)を、指定した日付と期間で取得し、結果をスピル機能による配列で表示する。

書 式：　STOCKHISTORY(金融商品, 最初の日付,[最後の日付],
[期間],[見出し],[取得情報 1],…[取得情報 6])

- [金融商品]では、金融商品のティッカーシンボル(銘柄コード)を指定する。例えば、マイクロソフト社の場合は「"MSFT"」と指定する。
- [最初の日付]では、株価情報を取り出す最初の日付を指定する。"2023/5/1" のように文字列で指定するか、セル参照、TODAY 関数のような関数を指定することもできる。
- [最後の日付]では、株価情報を取り出す最後の日付を指定する。省略時は、開始日と同じ日となる。指定方法は[最初の日付]と同じ。
- [期間]では、株価情報を取り出す期間を指定する。0 または省略時は日毎、1 は週次、2 は月次。
- [見出し]では、結果の上部に見出しを表示するかどうかを指定する。0 は見出しなし、1 または省略時は見出しを表示、2 は銘柄コードと見出しを表示する。
- [取得情報]では、取得して表示する情報を 0 ～ 5 の範囲で 6 つまで指定できる(右表参照)。すべて表示する場合は「0,1,2,3,4,5」と指定するが、日付と出来高だけであれば「0,5」のように必要な情報だけを指定できる。省略時は日付と終値「0,1」が表示される。

値	内容	値	内容
0	日付	3	高値
1	終値	4	安値
2	始値	5	出来高

関連　TOROW / TOCOL　配列を 1 行または 1 列にまとめる ➡ p.247

Hint ［金融商品］で、4文字の ISO市場識別コードと「：」(コロン)に続けて銘柄コード(例："XNAS：MSFT")を指定すると特定の取引所を参照できます。指定しなかった場合は、既定の取引所が指定されたことになります。

Hint 例えば、「= STOCKHISTORY("MSFT","2023/5/1")」と指定した場合、マイクロソフト社の「2023/5/1」の終値を取り出します。(※詳細はサンプルファイルを参照)

検索 / 行列　配列操作　365 2021 2019 2016

ラップ・ロウズ / ラップ・カラムズ

WRAPROWS / WRAPCOLS

1 行や 1 列のデータを折り返して取り出す

WRAPROWS 関数は、1 行または 1 列で指定したセル範囲から指定した行数で折り返して取り出す。WRAPCOLS 関数は、1 行または 1 列で指定したセル範囲から指定した列数で折り返して取り出す。結果はスピル機能により自動的に拡張して表示される。

書 式：　WRAPROWS(ベクトル, 折り返す数,[空の場合])
WRAPCOLS(ベクトル, 折り返す数,[空の場合])

- ［ベクトル］では、もととなるセル範囲を 1 行または 1 列で指定する。
- ［折り返す数］では、折り返す行数または列数を指定する。
- ［空の場合］では、折り返した結果空になるセルに表示する値を指定する。省略時は、エラー値「#N/A」を返す。

使用例 1　1 行のデータを 2 行、または 2 列で折り返して表示する

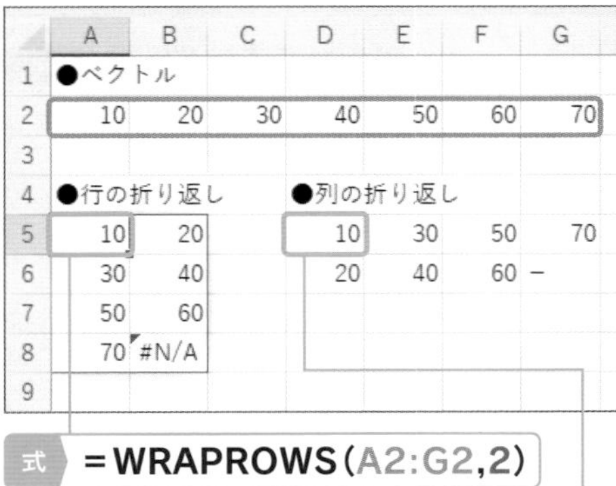

	A	B	C	D	E	F	G
1	●ベクトル						
2	10	20	30	40	50	60	70
3							
4	●行の折り返し			●列の折り返し			
5	10	20		10	30	50	70
6	30	40		20	40	60	－
7	50	60					
8	70	#N/A					
9							

式 =WRAPROWS(A2:G2,2)

式 =WRAPCOLS(A2:G2,2,"－")

説明 セル A5 では、セル A2 ～ G2 の 1 行のデータを、2 列で折り返して表示する。第 3 引数を省略しているので空のセル B8 にエラー値「#N/A」が表示される。セル D5 では、セル A2 ～ G2 の 1 行のデータを、2 行で折り返して表示する。空のセル G6 には「－」が表示される。

関連

TOROW / TOCOL　配列を 1 行または 1 列にまとめる ➡ p.247
VSTACK / HSTACK　配列を縦方向または行方向に積み重ねて取り出す ➡ p.248

検索 / 行列　URL エンコード　365　2021　2019　2016

エンコード・ユーアールエル

ENCODEURL

文字列を URL 形式にエンコードする

指定した文字列を URL エンコードして返す。URL エンコードとは、URL で使えない文字を URL で使える形式に変換すること。Excel for Mac では使用できない。

書 式：　ENCODEURL（文字列）

[文字列] では、URL エンコードしたい文字列を指定する。例えば、「=ENCODEURL("Excel 関数 ")」とした場合、URL エンコードされた文字列「Excel%E9%96%A2%E6%95%B0」を返す。

検索 / 行列　Web　365　2021　2019　2016

ウェブサービス

WEBSERVICE

Web サービスを利用してデータを取得する

指定したインターネットまたはイントラネット上の Web サービスからデータを取得する。取得されるデータは、XML 形式または JSON 形式のデータ。Excel for Mac では使用できない。

書 式：　WEBSERVICE（URL）

[URL] では、Web サービスを提供している Web サイトの URL を指定する。

検索 / 行列　Web　365　2021　2019　2016

フィルター・エックスエムエル

FILTERXML

XML 文書から必要な情報を取得する

指定した XML 形式のデータから、XML のパスにあるデータを取り出す。指定されたパスが複数ある場合は、複数のデータが配列として返る。Excel for Mac では使用できない。

書 式：　FILTERXML（XML, パス）

- [XML] では、XML 形式のデータが入力されているセルを参照するか、文字列を指定する。
- [パス] では、取り出したいデータが含まれる XML のパス（標準 XPath 形式の文字列）を指定する。

ハイパーリンク
HYPERLINK
ハイパーリンクを作成する

指定したリンク先にジャンプするハイパーリンクを作成する。URL を指定して Web サイトを開いたり、別ブックのパスを指定してブックを開いたりできる。

書 式： HYPERLINK (リンク先,[別名])

- [リンク先]では、URL やファイルのパスなど、リンク先を表す文字列を指定する。
- [別名]では、セルに表示する文字列を指定する。省略時は、[リンク先]で指定した文字列が表示される。

リンク先の指定例

リンク内容	設定例
Web ページ	https://www.sbcr.jp/pc/
UNC パス(¥¥ サーバー名 ¥ 共有フォルダー ¥ ファイル名)	¥¥sv1¥work¥ 報告 .xlsx
別ブック	F:¥work¥ 報告 .xlsx
ブック内の別シートにあるセル	Sheet2!B2

Hint ハイパーリンクが設定されたセルを選択する場合は、セル上でマウスポインターの形が✚になるまでマウスボタンを押し続ける。

使用例 1 Web ページを表示するハイパーリンクを作成する

	A	B
1	Webサイト	
2	SBクリエイティブ/PC・IT書籍	
3		

式 **=HYPERLINK("https://www.sbcr.jp/pc/","SB クリエイティブ /PC・IT 書籍 ")**

説明 セルに「SB クリエイティブ /PC・IT 書籍」と表示して、URL「https://www.sbcr.jp/pc/」へのハイパーリンクを設定する。

検索 / 行列　ピボットテーブル　365　2021　2019　2016

ゲット・ピボット・データ

GETPIVOTDATA

ピボットテーブル内のデータを取り出す

ピボットテーブルで集計したデータを取り出す。ピボットテーブル以外のセルに集計結果を表示したいときに利用できる。

書式：　GETPIVOTDATA (データフィールド, ピボットテーブル, [フィールド 1, アイテム 1],[フィールド 2, アイテム 2],…)

- [データフィールド]では、取り出したい値のデータフィールドを文字列で指定する。
- [ピボットテーブル]では、データを取り出すピボットテーブルを指定する。通常ピボットテーブルの左上角のセルを指定する。
- [フィールド]では、データを取り出すフィールド名を指定する。(例：商品名)
- [アイテム]では、[フィールド]の中の要素を指定する。(例：緑茶)

Hint　GETPIVOTDATA 関数は、関数を入力したいセルに「=」とタイプし、ピボットテーブル内のデータをクリックして[Enter]キーを押すだけで自動入力できる。ただし、[ピボットテーブル分析]タブの[ピボットテーブル]→[オプション]の▼でGETPIVOT の生成にチェックが付いている必要がある。

使用例 1 ピボットテーブルから商品の売上合計金額を取り出す

	A	B	C	D	E
1	合計 / 金額	列ラベル			
2	行ラベル	コーヒー	紅茶	緑茶	総計
3	恵比寿	3,250	3,250	4,400	10,900
4	渋谷	3,200	3,250	8,400	14,850
5	上野	2,400	3,250	5,600	11,250
6	新宿	2,600	3,300	4,200	10,100
7	代々木	4,800	1,650	2,800	9,250
8	総計	16,250	14,700	25,400	56,350
9					
10	緑茶				
11	¥25,400				

式　**=GETPIVOTDATA("金額",$A$1,"商品名",A10)**

説明　セル A1 にあるピボットテーブルの[金額]データフィールドを対象に、[商品名]フィールドの[緑茶]の値を取り出す。第 4 引数でセル A10 を参照しているため、セル A10 の値を「コーヒー」にすれば、コーヒーの値が取り出せる。

キューブ関数

キューブ関数は、SQL サーバーなどの外部のデータベースに接続してデータや集計結果を取り出したり、テーブルを複数取り込んで作成された Excel データモデルに対してデータや集計結果を取り出したりする関数です。また、Excel の表からピボットテーブルを作成するときに Excel データモデルを作成できるため、ここではそれを使って動作確認しています。

マイクロソフト社の SQL サーバーのデータベースに接続して使用する場合は、Microsoft SQL Server Analysis Services が必要です。SQL サーバーは大規模データを扱う企業用のサーバーとして利用されています。

キューブ・メンバー

CUBEMEMBER

キューブ内のメンバーや組を取り出す

キューブのメンバーまたは組を返す。キューブ内にメンバーまたは組が存在することを確認するために使用する。

書式： CUBEMEMBER(接続名, メンバー式,[キャプション])

- [接続名]でデータベースに接続し、[メンバー式]で指定したメンバーまたは組を返す。指定したメンバーまたは組が存在する場合は、[キャプション]で指定した文字列が表示される。
- [接続名]では、キューブへの接続名を表す文字列を指定する。ブック内のExcelデータモデルに接続する場合は、「"ThisWorkbookDataModel"」と指定する。
- [メンバー式]では、キューブの一意のメンバーを表す多次元式(MDX)の文字列を指定する。例えば、「売上表の中の商品名の中のトートバッグ」を指定する場合は、「"[売上表].[商品名].[トートバッグ]"」と記述する。
- [キャプション]では、[メンバー式]で指定した内容が見つかった場合に表示される文字列を指定する。省略時は、組の最後のメンバーの値が使用される。見つからなかった場合は、「#N/A」を返す。

使用例 1 Excelデータモデルから指定したメンバーを取り出す

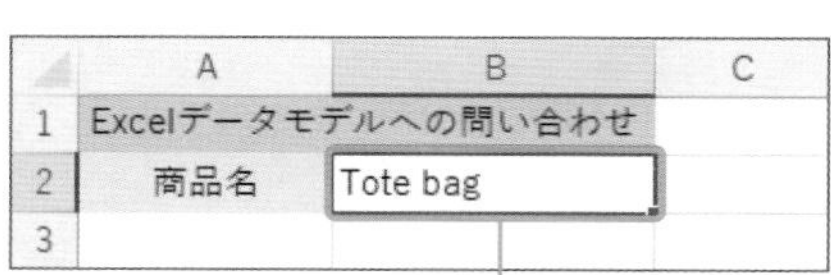

	A	B	C
1	Excelデータモデルへの問い合わせ		
2	商品名	Tote bag	
3			

式 **=CUBEMEMBER("ThisWorkbookDataModel", "[範囲].[商品名].[トートバッグ]","Tote bag")**

説明 ブック内に作成したExcelデータモデルにメンバー「トートバッグ」が見つかったので「Tote bag」と表示された。ここで第3引数を省略すると、最後のメンバー名「トートバッグ」と表示される。

キューブ・バリュー

CUBEVALUE

キューブから集計値を求める

接続名を使ってキューブに接続し、指定したメンバー式の集計値を返す。

書式：　CUBEVALUE(接続名, [メンバー式 1], [メンバー式 2], …)

- [接続名]では、キューブへの接続名を表す文字列を指定する。
- [メンバー式]では、キューブの一意のメンバーまたは組を表す多次元式(MDX)の文字列を指定する。メンバー式はCUBEMEMBER関数で指定したメンバーやCUBESET関数で定義したセットを指定することもできる。集計値「合計 / 金額」を使う場合は、「[Measures].[合計 / 金額]」のように指定する。

使用例 1　Excelデータモデルからトートバッグの売上合計を取り出す

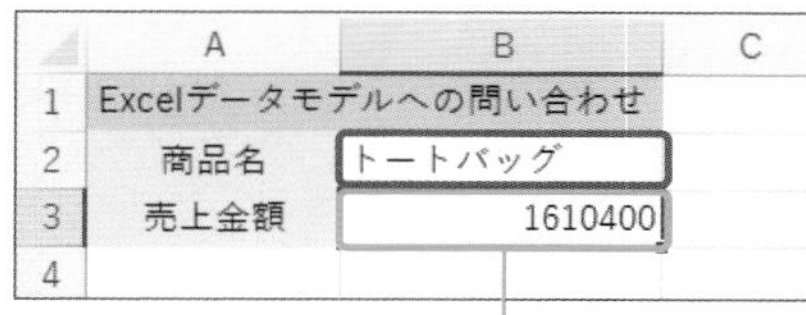

	A	B	C
1	Excelデータモデルへの問い合わせ		
2	商品名	トートバッグ	
3	売上金額	1610400	
4			

式　**=CUBEVALUE("ThisWorkbookDataModel",B2,"[Measures].[合計 / 金額]")**

説明　ブック内に作成したExcelデータモデルからセルB2のメンバー「トートバッグ」と集計値「合計 / 金額」からトートバッグの売上合計が表示される。セルB2に商品名「トートバッグ」を取り出すCUBEMEMBER関数が設定されており、これをメンバー式に使っている。

Hint　[接続名]や[メンバー式]を入力するときに、選択肢が表示される。使用する項目を選択しながら式を入力できる。なお、メンバー式で最後のメンバーが表示されない場合は直接手入力する必要がある。

COLUMN

• Excel データモデルを用意する

本書では、Excel 上の表からピボットテーブルを作成するときに作成したデータモデルに接続して動作確認をしている。以下の手順で操作する。

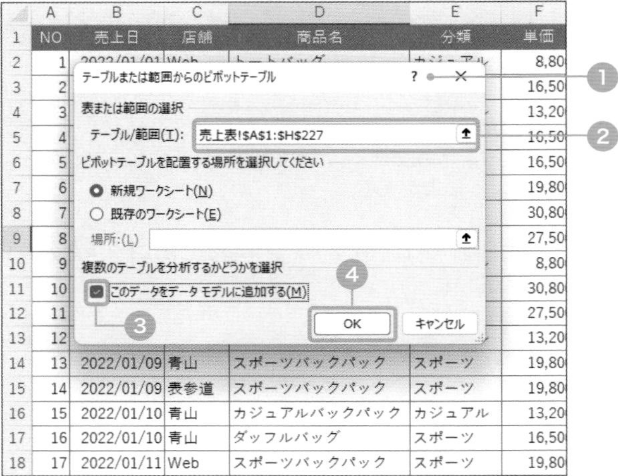

❶ 表内でクリックし、[挿入]タブ→[ピボットテーブル]をクリックして[ピボットテーブルの作成]ダイアログを表示する。
❷ [テーブル / 範囲]で表全体が指定されていることを確認する。
❸ [このデータをデータモデルに追加する]にチェックを付ける。
❹ [OK]をクリック。

• ピボットテーブルをキューブ関数に変換する

上記の操作に続けてピボットテーブルを作成した場合、ピボットテーブルをキューブ関数に変換できる。キューブ関数を記述するときの参考になる。

❶ ピボットテーブル内をクリック

❷ コンテキストタブの[ピボットテーブル分析]タブ→[OLAP ツール]→[数式に変換]をクリック

D2 =CUBERANKEDMEMBER("ThisWorkbookDataModel",D1,1)

	A	B	C	D	E	F
1	商品名	合計 / 金額	❸	売上トップ	商品数	
2	カジュアルバックパック	1689600		ブリーフケース	6	
3	スポーツバックパック	2871000				
4	ダッフルバッグ	2260500				
5	トートバッグ	1610400				
6	ビジネスバックパック	3190000				
7	ブリーフケース	4404400				
8	総計	16025900				

❸ ピボットテーブルの集計結果がキューブ関数に置き換わる

※本書ではピボットテーブルの作成や操作についての解説はしていません。

COLUMN

キューブについて

「キューブ」は、キューブ関数で接続するデータベースのことをいう。このデータベースで扱えるデータは、行と列で構成される2次元の表だけでなく、3次元以上のデータが扱える。例えば、日付、商品名、店舗のデータを組み合わせたデータが取り出せる。これら、分析対象の軸となる項目を「ディメンション」、数量、金額のような集計の対象となる項目を「メジャー」と呼ぶ。ディメンション上にある値を「メンバー」、ディメンションとメンバーの組み合わせを「組」といい、複数の組のまとまりを「セット」という。
特定のメンバーや組を指定するのに、多次元式(MDX)の文字列を使う。例えば、「売上」表の「商品名」(ディメンション)にある「トートバッグ」(メンバー)を指定するには、「[売上].[商品名].[トートバッグ]」と記述する。

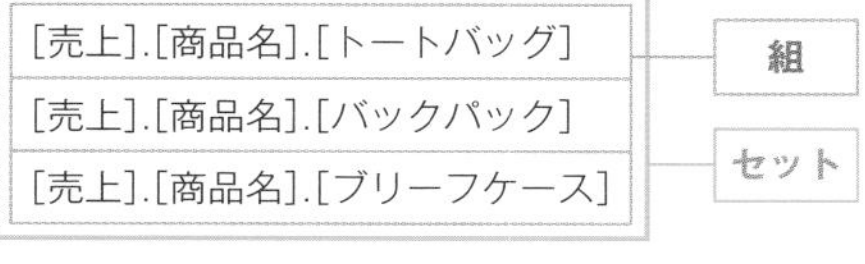

キューブ・セット

CUBESET

キューブから組やメンバーのセットを取り出す

接続したキューブから、メンバーや組のセットを、指定した方法で取り出す。

書 式：　CUBESET(接続名, セット式,[キャプション],[並べ替え順序], [並べ替えキー])

- [接続名]では、キューブへの接続名を表す文字列を指定する。
- [セット式]では、メンバーまたは組のセットを表すセット式の文字列を指定する。セット内の 1 つ以上のメンバー、組、またはセットを含む Excel のセル範囲を指定することもできる。
- [キャプション]では、定義されている場合、キューブのキャプションの代わりにセルに表示される文字列を指定する。
- [並べ替え順序]では、並べ替えの種類を数値で指定する。省略時は、並べ替えを実行しない(下表参照)。

並べ替えの種類

値	内容
0	既存の順序を維持
1	[並べ替えキー]で昇順に並べ替え
2	[並べ替えキー]で降順に並べ替え
3	アルファベットの昇順に並べ替え
4	アルファベットの降順に並べ替え
5	元のデータの昇順に並べ替え
6	元のデータの降順に並べ替え

Hint　p.259 の使用例にあるセル D1 の CUBESET 関数では、セット式にセル範囲 A2 ～ A7 を指定し、セル B1 の列を降順(2)で並べ替えたセットを取り出し、セルには「売上トップ」と表示している。セル D1 を参照することで取り出したセットに対して様々な問い合わせができる。なお、セル範囲 A2 ～ A7、セル B1 では CUBEMEMBER 関数でメンバーを取り出し、セル範囲 B2 ～ B8 では CUBEVALUE 関数を使って集計されている(※詳細はサンプルファイル参照)。

- [並べ替えキー]では、並べ替えに使うキーを指定する。[並べ替え順序]が 1 または 2 の場合に指定する。

キューブ　キューブ　365 2021 2019 2016

キューブ・ランクト・メンバー

CUBERANKEDMEMBER

指定した順位のメンバーを取り出す

指定したセット内から指定した順位のメンバーを取り出す。

書 式: CUBERANKEDMEMBER(接続名, セット式, ランク, [キャプション])

- [接続名]では、キューブへの接続名を表す文字列を指定する。
- [セット式]では、セット式を表す文字列を指定する。CUBESET 関数や CUBESET 関数が入力されているセルを参照することもできる。
- [ランク]では、取り出したいメンバーの順位(上からの順番)を指定する。
- [キャプション]では、セルに表示する文字列を指定する。省略時は、取り出したメンバー名が表示される。

キューブ　キューブ　365 2021 2019 2016

キューブ・セット・カウント

CUBESETCOUNT

キューブセット内にある項目数を求める

セット内の項目の個数を返す。

書 式: CUBESETCOUNT(セット)

[セット]では、キューブセットを指定する。CUBESET 関数または、CUBESET 関数が入力されているセルへの参照を指定できる。

使用例 1 商品数と売上金額が 1 番の商品名を取り出す

	A	B	C	D	E
1	商品名	合計 / 金額		売上トップ	商品数
2	カジュアルバックパック	1689600		ブリーフケース	6
3	スポーツバックパック	2871000			
4	ダッフルバッグ	2260500			
5	トートバッグ	1610400			

式 =CUBESETCOUNT(D1)

式 =CUBERANKEDMEMBER("ThisWorkbookDataModel",D1,1)

式 =CUBESET("ThisWorkbookDataModel",A2:A7,"売上トップ",2,B1)

説明 セル E2 では、セル D1 の CUBESET 関数からセットの項目数(商品数)を取り出す。セル D2 では、Excel データモデルに対してセル D1 の CUBESET 関数でセットを参照し、セット内の上から 1 つ目にあるメンバーを返す。

キューブ　キューブ　365 2021 2019 2016

キューブ・メンバー・プロパティ

CUBEMEMBERPROPERTY

キューブからメンバーのプロパティの値を求める

キューブ内のメンバープロパティの値を返す。キューブ内にメンバー名が存在することを確認し、メンバーのプロパティの値を取得できる。

書 式： CUBEMEMBERPROPERTY(接続名, メンバー式, プロパティ)

- [接続名]では、キューブへの接続名を表す文字列を指定する。
- [メンバー式]では、キューブのメンバーを表す多次元式(MDX)の文字列を指定する。
- [プロパティ]では、プロパティ名を表す文字列またはプロパティ名を含むセルへの参照を指定する。

キューブ　キューブ　365 2021 2019 2016

キューブ・ケーピーアイ・メンバー

CUBEKPIMEMBER

主要業績評価指標（KPI）のプロパティを求める

主要業績評価指標(KPI)のプロパティを返し、KPI 名をセルに表示する。ブックが Microsoft SQL Server 2005 Analysis Services 以降のデータに接続されている場合にのみ利用できる。

書 式： CUBEKPIMEMBER(接続名, KPI 名, KPI のプロパティ, [キャプション])

- [接続名]では、キューブへの接続名を表す文字列を指定する。
- [KPI 名]では、キューブ内の KPI の名前を表す文字列を指定する。
- [KPI のプロパティ]では、求めたい KPI のプロパティを整数値指定する。

整数値	内容
1	KPI 名
2	目標値
3	ある時点での KPI の状態
4	一定期間の値のメジャー
5	KPI に割り当てられる相対的重要度
6	KPI の一時的な内容

- [キャプション]では、プロパティ値の代わりにセルに表示する文字列を指定する。

情報関数

情報関数では、セルに入力されている値が文字列なのか、数値なのかなどセルの内容を調べたり、セルに設定されている表示形式を調べたりと、データやセルに関するさまざまな情報を取得する関数や、シートやブック、使用環境の情報を返す関数がまとめられています。

情報　IS 関数　365　2021　2019　2016

イズ・ナンバー

ISNUMBER

数値かどうか調べる

指定した値が数値の場合 TRUE を返し、数値でない場合は FLASE を返す。

書 式：　ISNUMBER(テストの対象)

[テストの対象]では、数値かどうか調べたい値または、数式、セル参照を指定する。例えば、「=ISNUMBER(7)」と指定した場合、「TRUE」を返す。

使用例 1 注文数が数値のとき、金額を計算する

	A	B	C	D	E
1	注文表				
2	商品名	注文数	価格	金額	
3	商品A	在庫なし	1,500		
4	商品B	15	2,000	30,000	
5	商品C		2,500		
6					

式　**=IF(ISNUMBER(B3),B3*C3,"")**

説明　セル B3 の値が数値の場合、注文数×価格(B3*C3)の計算をし、そうでない場合は、何も表示しない。ここでは、セル B3 には文字列が入力されているため、ISNUMBER の戻り値は FALSE になり、何も表示されない。

情報　IS 関数　365　2021　2019　2016

イズ・イーブン

ISEVEN

偶数かどうか調べる

指定した数値が偶数の場合 TRUE を返し、奇数の場合 FALSE を返す。

書 式：　ISEVEN(テストの対象)

[テストの対象]では、偶数かどうか調べたい値または、数式、セル参照を指定する。例えば「=ISEVEN(3)」と指定した場合、「FALSE」が返る。また、参照したセルが空白の場合は「TRUE」を返す。

情報　IS 関数　365　2021　2019　2016

イズ・オッド

ISODD

奇数かどうか調べる

指定した数値が奇数の場合 TRUE を返し、偶数の場合 FALSE を返す。

書 式：　ISODD(テストの対象)

[テストの対象]では、偶数かどうか調べたい値または、数式、セル参照を指定する。例えば「=ISODD(3)」と指定した場合、「TRUE」を返す。また、参照したセルが空白の場合は「FALSE」を返す。

情報　IS 関数　365　2021　2019　2016

イズ・テキスト

ISTEXT

文字列かどうか調べる

指定した値が文字列の場合は TRUE を返し、文字列でない場合は FALSE を返す。

書 式：　ISTEXT(テストの対象)

[テストの対象]では、文字列かどうか調べたい値または、数式、セル参照を指定する。例えば「=ISTEXT(3)」と指定した場合、「FALSE」を返す。また、参照したセルが空白の場合は「FALSE」を返す。

使用例 1 注文数が数値のとき金額を計算し、文字列のときは「要確認」と表示する

	A	B	C	D	E
1	注文表				
2	商品名	注文数	価格	金額	
3	商品A	在庫なし	1,500	要確認	
4	商品B	15	2,000	30,000	
5	商品C		2,500		

式 =IF(ISNUMBER(B3),B3*C3,IF(ISTEXT(B3),"要確認",""))

説明 セル B3 の値が数値の場合、注文数×価格(B3*C3)の計算をし、そうでない場合は、セル B3 の値が文字列の場合、「要確認」と表示し、それ以外は何も表示しない。ここでは、セル B3 の値について、IF 関数の条件で ISNUMBER 関数を使い、数値かどうかを判定し、数値でない場合はさらに IF 関数を使って、条件で ISTEXT 関数を使い文字列かどうかの判定をしている。数値の場合、文字列の場合、それ以外の場合分けで表示する値を切り替えている。

情報 IS 関数 365 2021 2019 2016

イズ・ノン・テキスト

ISNONTEXT

文字列以外かどうか調べる

指定した値が文字列でない場合は TRUE を返し、文字列の場合は FALSE を返す。

書 式： ISNONTEXT(テストの対象)

[テストの対象]では、文字列でないかどうか調べたい値または、数式、セル参照を指定する。例えば「=ISNONTEXT(FALSE)」と指定した場合、「FALSE」は論理値であり、文字列ではないため「TRUE」を返す。また、数値、論理値、エラー値、セルが空白の場合は、TRUE を返す。

情報 IS 関数 365 2021 2019 2016

イズ・ブランク

ISBLANK

空白セルかどうか調べる

指定したセルが空白セルの場合は TRUE、空白セルでない場合は FALSE を返す。

書 式： ISBLANK(テストの対象)

[テストの対象]では、空白かどうか調べたいセル参照を指定する。見かけ上空白の場合、例えば、IF 関数の結果、空白になっていたり、スペースが入力されたりしている場合は「FALSE」を返す。

使用例 1 セルになにも入力されていないかチェックする

	A	B	C	D	E
1	空欄チェック				
2	NO	値	結果		
3	1		×		
4	2		○		
5	3		×		
6					

式 =IF(ISBLANK(B3),"○","×")

説明 セル B3 が空欄の場合「○」と表示し、そうでない場合は「×」と表示する。セル B3 では、何も入力されていないように見えるが、全角スペースが入力されている。そのため「×」と表示される。なお、セル B4 は何も入力されていないため「○」と表示され、セル B5 は、IF 関数の結果として何も表示されていない。数式が入力されているため「×」と表示される。

イズ・ロジカル

ISLOGICAL

論理値かどうか調べる

指定した値が論理値(TRUE、FALSE)の場合は TRUE、論理値でない場合は FALS を返す。

書 式： ISLOGICAL(テストの対象)

[テストの対象]では、論理値かどうか調べたい値または、数式、セル参照を指定する。例えば「=ISLOGICAL(5>10)」と指定した場合、「5>10」は論理式、結果は論理値「FALSE」であるため、「TRUE」を返す。

情報 IS 関数 365 2021 2019 2016

イズ・フォーミュラ

ISFORMULA

数式かどうか調べる

指定したセルに数式が入力されている場合は TRUE、数式でない場合は FALSE を返す。

書 式： ISFORMULA(参照)

[参照]では、数式が入力されているかどうか調べたいセル参照を指定する。

情報 IS 関数 365 2021 2019 2016

イズ・リファレンス

ISREF

セル参照かどうかを調べる

指定した値がセル参照の場合は TRUE、セル参照でない場合は FALSE を返す。

書 式： ISREF(テストの対象)

[テストの対象]では、セル参照かどうか調べたい値を指定する。引数に指定する値に名前を指定できる。例えば、「ISREF(売上)」とした場合、「売上」が名前として定義されていれば「TRUE」を返す。「=ISREF(XXA10)」とした場合、セル XXA10 は存在しないため「FALSE」を返す。

関連

FORMULATEXT 数式を文字列にして取り出す ➡ p.243
ERROR.TYPE エラーの種類を調べる ➡ p.274
論理式 ➡ p.369

情報　IS 関数　365　2021　2019　2016

イズ・エラー

ISERR

エラー値が「#N/A」以外かどうか調べる

指定した値が「#N/A」を除くエラー値の場合は TRUE、そうでない場合は FALSE を返す。

書 式：　ISERR(テストの対象)

[テストの対象]では、「#N/A」を除くエラー値かどうか調べたい値または、数式、セル参照を指定する。例えば「=ISERR(#VALUE!)」は TRUE、「=ISERR(#N/A)」や「=ISERR(10)」は FALSE を返す。

情報　IS 関数　365　2021　2019　2016

イズ・エラー

ISERROR

エラー値かどうか調べる

ISERROR 関数は、[テストの対象]で指定した値が任意のエラー値（#N/A、#VALUE!、#REF!、#DIV/0!、#NUM!、#NAME?、#NULL! など）の場合 TRUE を返し、それ以外は FALSE を返す。

書 式：　ISERROR(テストの対象)

[テストの対象]では、エラー値かどうか調べたい値または、数式、セル参照を指定する。

情報　IS 関数　365　2021　2019　2016

イズ・ノン・アプリカブル

ISNA

エラー値「#N/A」かどうか調べる

指定した値がエラー値「#N/A」の場合は TRUE、エラー値「#N/A」でない場合は FALSE を返す。

書 式：　ISNA(テストの対象)

[テストの対象]では、エラー値「#N/A」かどうか調べたい値または、数式、セル参照を指定する。

情報　IS 関数　365 2021 2019 2016

イズ・オミッティド
ISOMITTED
LAMBDA 関数の引数が省略されているかどうか調べる

LAMBDA 関数の引数が省略されている場合は TRUE、省略されていない場合は FALSE が返る。

書式： ISOMITTED(引数)

- [引数]では、省略されているかどうかを調べたい LAMBDA 関数の引数を指定する。例えば、「=LAMBDA(a,b,IF(ISOMITTED(b),a+10,a+b))(1,2)」とした場合、引数 a は 1、引数 b は 2 となるので、引数 b は省略されていない。よって ISOMITTED 関数は FALSE となり、「a+b」が計算されて「3」が返る。また、「=LAMBDA(a,b,IF(ISOMITTED(b),a+10,a+b))(1,)」とした場合、引数「b」が省略されているので ISOMITTED 関数は TRUE となり、「a+10」が計算され「11」が返る。

情報　エラー値　365 2021 2019 2016

ノン・アプリカブル
NA
エラー値「#N/A」を返す

NA 関数は、エラー値「#N/A」を表示する。エラー値「#N/A」は、使用できる値がない場合などに表示されるエラー値を意味する。セルに直接「#N/A」と入力しても同じ結果になる。

書式： NA()

引数なし。

COLUMN

IS 関数のまとめ

IS 関数は、引数で指定した値を判定し、結果によって TRUE または FALSE を返す。IF 関数の論理式で使うことが多く、IS 関数の結果が TRUE か FALSE かによって、IF 関数の戻り値を切り替えることができる。例えば、「=IF(ISNUMBER(A1),A1*10," − ")」とした場合、セル A1 の値が数値の場合は「A1*10」の計算結果を表示し、そうでない場合は「−」を表示する。
また、「=IF(ISERROR(A1/B1)," − ",A1/B1)」とした場合、計算式「A1/B1」がエラーになる場合に「−」を表示し、そうでない場合は「A1/B1」の計算結果を表示する。なお、この計算は IFERROR 関数(p.208)を使って「=IFERROR(A1/B1," − ")」と指定することもできる。

関連　LAMBDA　引数と数式を定義してオリジナルの関数を作成する ➡ p.210

シート
SHEET

値が何番目のシートにあるのか調べる

指定した値が左から何番目のシートに含まれるか数値を返す。非表示のシートやグラフシートも含めて数える。

書式：　SHEET（[値]）

[値]では、セル参照、セル範囲、名前、ワークシート名、テーブル名などを指定する。省略すると、SHEET 関数が入力されているシートの番号を返す。

使用例① いろいろな値が何番目のシートにあるのか調べる

	A	B	C
1	参照セル	シート番号	
2	セルA2	2	
3	総務シートのセルA1	3	
4			
5	シート	シート番号	
6	経理	4	
7	営業	5	
8			
9			

式 =SHEET(A2)
式 =SHEET(総務!A1)
式 =SHEET("経理")
式 =SHEET(T(A7))

説明
セル B2：「A2」は 1 番目のシートにあるので 1 が返る。
セル B3：「総務 !A1」は総務シートのセル A1 は 2 番目のシートにあるので 2 が返る。
セル B6：文字列「経理」はシート名で 3 番目にあるので 3 が返る。
セル B7：「T(A7)」で、セル A7 の値を文字列として返し、「営業」はシート名で 4 番目にあるので 4 が返る。
セル A7：「営業」とシート名が入力されている場合、「=SHEET(A7)」とすると、セル A7 のあるシート番号「1」が返ってしまうので、T 関数でセル A7 を文字列に変換することでシート名として認識させることができる。

関連
T　文字列だけを取り出す ➡ p.198
SHEETS　シートの数を調べる ➡ p.269

シーツ
SHEETS
シートの数を調べる

指定された範囲に含まれるシート数を返す。非表示のシートやグラフシートなどすべてのシートを含めて数える。

書式：　SHEETS（[範囲]）

[範囲]では、シート数を調べたい範囲を指定する。ワークシートに加えて、グラフミートなど他の種類のシートでも数える。また指定した範囲内に非表示のシートがある場合、非表示シートも数える。省略すると、ブックに含まれるすべてのシート数を返す。

使用例 1 指定した範囲に含まれるシート数を調べる

	A	B	C
1	シート数(総務-営業)		
2	3		
3			
4			
5			

Sheet1　総務　経理　営業

式 =SHEETS(総務:営業!A1)

説明 指定した範囲(総務シートから営業シートのセルA1)に含まれるシート数「3」が返る。ここで引数を省略して「=SHEETS()」とした場合は全シート数「4」が返る。

セル
CELL

セルの情報を取得する

セルの情報(書式、位置、内容)を返す。

書式: CELL(検査の種類,[対象範囲])

- [対象範囲]のセルから[検査の種類]で指定した情報(セルの書式、位置、内容)を返す。
- [検査の種類]では、取得したい情報の種類を文字列で指定する(表参照)。
- [対象範囲]では、情報を取得したいセル参照またはセル範囲を指定する。セル範囲を指定した場合は、左上角のセルの情報を返す。

検査の種類

検査の種類	戻り値
"address"	セルのセル番地(絶対参照)
"col"	セルの列番号(左から何列目)
"color"	セルに負数に対する色に書式が設定されている場合は 1、設定されていない場合は 0
"contents"	セルに表示されている値
"filename"	セルを含むブックのフルパス名。ブックが保存されていない場合は空白文字列("")
"format"	セルの表示形式に対応する書式コード(表参照)。セルが負数に対応する色で書式設定されている場合、末尾に「"-"」が付く。正数またはすべての値をかっこで囲む書式が設定されている場合、末尾に「"()"」が付く(※)
"parentheses"	正の値またはすべての値をかっこで囲む書式がセルに設定されている場合は 1。設定されていない場合は 0(※)
"prefix"	セル内の文字列配置を指定する文字列定数。左詰めの場合は「'」、右詰めの場合は「"」、中央揃えの場合は「^」、両揃えの場合は「¥」、それ以外の場合は空の文字列「""」(※)
"protect"	セルがロックされていない場合は 0、ロックされている場合は 1(※)
"row"	セルの行番号
"type"	セルに入力されているデータが空白の場合は「"b"」(Blank の頭文字)、文字列の場合は「"l"」(Label の頭文字)、その他のデータの場合は「"v"」(Value の頭文字)
"width"	セル幅。単位は標準フォントの 1 文字の幅(※)

※:Web 用 Excel、Excel Mobile、Excel Starter ではサポートされていません。

- 対象範囲のセルの書式を変更した場合、[数式]タブ→[再計算実行]をクリックするか、[F9]キーを押して再計算する必要がある。

主な表示形式と書式コード（第 1 引数が "format" の場合の戻り値）

セルの表示形式	戻り値（書式コード）
G/ 標準	G
# ?/? または # ??/??	
0	F0
0.00	F2
#,##0	,0
$#,##0_);($#,##0)	
$#,##0_); [赤] ($#,##0)	,0-
#,##0.00	,2
$#,##0.00_);($#,##0.00)	
$#,##0.00_); [赤] ($#,##0.00)	,2-
¥#,##0_);(¥#,##0)	C0
¥#,##0;¥-#,##0	
¥#,##0_); [赤] (¥#,##0)	C0-
¥#,##0; [赤] ¥-#,##0	
¥#,##0.00; [赤] ¥-#,##0.00	C2-
0%	P0
0.00%	P2

セルの表示形式	戻り値（書式コード）
0.00E+00	S2
0.E+00	S0
d-mmm-yy	D1
m/d/yy	
yyyy/m/d	
yyyy" 年 "m" 月 "d" 日 "	
yyyy/m/d h:mm	
mmm-yy	D2
d-mmm	D3
mm/dd	
m" 月 "d" 日 "	
ggge" 年 "m" 月 "d" 日 "	D4
h:mm:ss AM/PM	D6
h:mm AM/PM	D7
h:mm:ss	D8
h" 時 "mm" 分 "ss" 秒 "	
h:mm	D9
h" 時 "mm" 分 "	

使用例 1 セルの情報を取得する

	A	B	C	D	E
1	日付		検査の種類	結果	
2	10月13日		"address"	$A$2	
3			"col"	1	
4			"row"	2	
5			"format"	D3	
6					

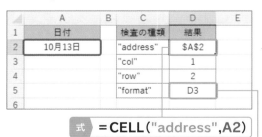

式 **=CELL("address",A2)**

式 **=CELL("format",A2)**

説明 セル D2 では、セル A2 のアドレスを絶対参照で取得する。セル D5 では、セル A2 の表示形式を調べ、戻り値に書式コード「D3」（上表参照）を取得している。

インフォ
INFO

Excel の動作環境を調べる

Excel の現在の操作環境について、引数で指定した種類の情報を返す。例えば、カレントフォルダーのパス名や OS のバージョンなどを求められる。

書 式： INFO(検査の種類)

[検査の種類]では、調べたい内容を文字列で指定する(下表参照)。

検査の種類

検査の種類	戻り値
"directory"	カレントフォルダーのパス名
"numfile"	開いているワークシートの枚数
"origin"	現在ウィンドウに表示されている範囲の左上隅の可視セルの絶対セル参照が "$A:" で始まる文字列として返される（Lotus 1-2-3 R3.x との互換性を保つためのもの）
"osversion"	使用している OS のバージョン
"recalc"	再計算のモード（" 自動 " または " 手動 "）
"release"	使用している Excel のバージョン
"system"	動作環境の名前：（Macintosh："mac"、Windows："pcdos"）

使用例 1 Excel の動作環境を調査する

	A	B	C	D
1	検査の種類		結果	
2	カレントフォルダー	"directory"	C:¥Work¥	
3	現在開いているワークシート数	"numfile"	2	
4	OSのバージョン	"osversion"	Windows (32-bit) NT 10.00	
5	再計算モード	"recalc"	自動	
6	Excelのバージョン	"release"	16.0	
7	動作環境	"system"	pcdos	
8				

説明 カレントフォルダーを表示する。

式 =INFO("directory")

タイプ
TYPE
データの種類を調べる

引数で指定した値のデータの種類を数値で返す。IF関数などと組み合わせて、セルに入力されている値のデータの種類を調べて異なる処理を実行する場合に使える。なお、参照するセルに数式が入力されている場合は、数式の結果となる値のデータの種類が返る。

書式： TYPE(値)

[値]では、データの種類を調べたい値やセル参照を指定する(下表参照)。

データの種類

データの種類	戻り値
数値	1
文字列	2
論理値	4
エラー値	16
配列	64

使用例 1 セルに入力されたデータの種類を調べる

	A	B	C
1	値	データの種類	
2	3月1日	1	
3	100	1	
4	春	2	
5	TRUE	4	
6	#N/A	16	
7			

式 =TYPE(A2)

説明 セルA2の値のデータの種類を調べ、1(数値)が返る。日付データはExcelでは数値として扱われるため「1」となる。

関連 IF 条件を満たすかどうかで異なる値を返す ➡ p.200

情報　情報抽出　365　2021　2019　2016

エラー・タイプ

ERROR.TYPE

エラーの種類を調べる

引数で指定したエラー値に対応する数値を返す。エラーでない場合は、エラー値「#N/A」を返す。

書式：　ERROR.TYPE(エラー値)

[エラー値]では、エラー値を調べたい値や数式、セル参照を指定する(下表参照)。

エラー値

エラー値	戻り値
#NULL!	1
#DIV/0!	2
#VALUE!	3
#REF!	4
#NAME?	5
#NUM!	6
#N/A	7

エラー値	戻り値
#GETTING_DATA	8
#SPILL!	9
#CONNECT!	10
#BLOCKED!	11
#UNKNOWN!	12
#FIELD!	13
#CALC!	14

情報　数値変換　365　2021　2019　2016

ナンバー

N

引数を対応する数値に変換する

引数で指定した値を数値に変換する。数値の場合はそのままの数値が返り、日付はシリアル値を返す。それ以外はデータの種類に対応する数値を返す。この関数は、他の表計算プログラムとの互換性を維持するために用意されている。

書式：　N(値)

[値]では、変換する値を指定する。N関数では、次の規則に従って値が変換される(下表参照)。

値

値	戻り値
数値	そのままの数値
組み込み書式で表示された日付	日付のシリアル値
TRUE	1
FALSE	0
エラー値	指定したエラー値
その他(文字列など)	0

データベース関数

データベース関数は、データベース形式の表の中で、別表で指定した条件を満たすデータを集計します。使用する上でのポイントは別表で条件を正しく設定することです。条件式の記述方法や複数条件の指定方法をマスターすれば、いろいろな集計が可能になります。

ディー・アベレージ

DAVERAGE

別表の条件を満たすレコードの平均を求める

別表に用意した検索条件を使って、データベースを検索し、条件に一致したレコード(行)の指定したフィールド(列)にある数値の平均値を返す。

書 式： DAVERAGE(データベース, フィールド, 検索条件)

- [データベース]では、データベースを構成するセル範囲を指定する。
- [フィールド]では、平均する値のある列の列見出しをセル番地、列見出しの文字列、列番号のいずれかで指定する。
- [検索条件]では条件用の表のセル範囲を指定する。表の1行目にはフィールドの列見出しと同じ見出しを指定し、次の行に条件式を設定する。

使用例 1 最寄り駅が「新宿」の平均賃料を求める

	A	B	C	D	E	F
1	物件NO	物件名	最寄り駅	徒歩	賃料	
2	1001	SPマンション	新宿三丁目	5	¥180,000	
3	1002	HDハイツ	初台	10	¥150,000	
4	1003	グランデ新宿	新宿	9	¥120,000	
5	1004	マンションSKZ	下北沢	8	¥100,000	
6	1005	新宿グレードハイツ	西新宿	15	¥95,000	
7	1006	YYGマンション	新宿	12	¥90,000	
8						
9	最寄り駅	平均賃料				
10	=新宿	¥105,000				
11						

式 **=DAVERAGE(A1:E7,E1,A9:A10)**

説明 データベース(A1:E7)内で条件(A9:A10)「最寄り駅が新宿」を満たすレコードのフィールド(E1)の値の平均を求める。

関連 データベース関数の基礎知識 ➡ p.277

COLUMN

データベース関数の基礎知識

データベース関数は、データベース（集計対象の表）を検索条件（条件用の表）で検索し、条件に一致したデータをフィールド（集計対象の列）の値で集計する。集計方法によってDSUM関数、DAVERAGE関数などのデータベース関数が用意されている。フィールドを指定するには、列見出しの文字列("賃料")、セル番地（E1）または、左から数えた列番号（5）のいずれかで指定する。

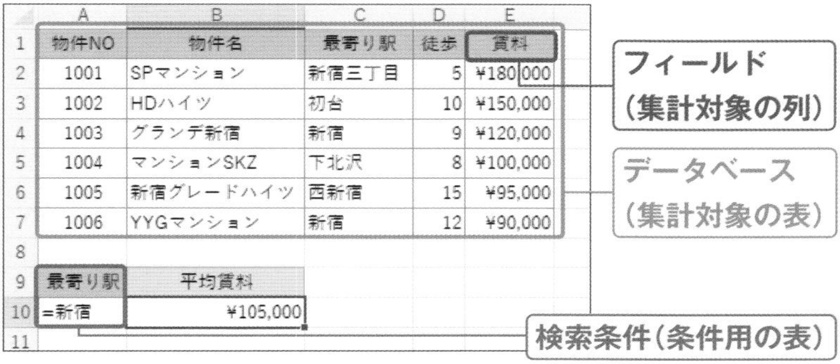

	A	B	C	D	E
1	物件NO	物件名	最寄り駅	徒歩	賃料
2	1001	SPマンション	新宿三丁目	5	¥180,000
3	1002	HDハイツ	初台	10	¥150,000
4	1003	グランデ新宿	新宿	9	¥120,000
5	1004	マンションSKZ	下北沢	8	¥100,000
6	1005	新宿グレードハイツ	西新宿	15	¥95,000
7	1006	YYGマンション	新宿	12	¥90,000
8					
9	最寄り駅	平均賃料			
10	=新宿	¥105,000			
11					

フィールド（集計対象の列）

データベース（集計対象の表）

検索条件（条件用の表）

● 条件用の表（検索条件）

条件用の表の列見出しは、データベースの列見出しと同じものを使用する。1行目に見出し、2行目以降に条件を入力する。条件行が空白の場合は、全レコードが集計対象になる。また、複数の条件を組み合わせる場合は、指定した条件をすべて満たすのか（AND条件）、指定した条件のいずれか1つでも満たすのか（OR条件）によって表の作成方法が異なる。

・AND条件（同じ行に条件を設定）

例1）最寄り駅が「新宿」かつ徒歩が「10分以内」

最寄り駅	徒歩
＝新宿	<=10

例2）賃料が「100,000以上」かつ「150,000未満」

賃料	賃料
>=100000	<150000

・OR 条件(異なる行に条件を設定)

例 1)最寄り駅が「初台」または「下北沢」

最寄り駅
＝初台
＝下北沢

例 2)徒歩が「10 分以内」または、賃料が「100,000 以内」

徒歩	賃料
<=10	
	<=100000

● 条件の設定方法

条件が日付とか数値の場合は、「>=5」(5 以上)や「<=2021/3/5」(2021/3/5 以前)のようにそのまま入力できるが、文字列の場合「新宿」と指定すると「新宿で始まる」という意味になる。そのため、「新宿」だけでなく「新宿三丁目」も条件に一致することになる。完全一致させるには「="= 新宿 "」と指定する。このときセルには「= 新宿」と表示される。
また、「*」(0 文字以上の任意の文字の代用)や「?」(任意の 1 文字の代用)のようなワイルドカード文字を使うこともできる。以下の表を参考に正しく条件設定できるようにしよう。

条件式	意味	抽出例
="= 月 "	「月」と完全一致	月
="= 月 *"	「月」で始まる	月、月初、月曜日
="=* 月 "	「月」で終わる	月、新月、花鳥風月
="=* 月 *"	「月」を含む	月、雨月物語
="= 月 ?"	「月」で始まる 2 文字	月初、月末
="=? 月 "	「月」で終わる 2 文字	如月、霜月
="="	未入力	

ディー・サム
DSUM

別表の条件を満たすレコードの合計を求める

別表に用意した検索条件を使って、データベースを検索し、条件に一致したレコード（行）の指定したフィールド（列）にある数値の合計を返す。

書 式：　DSUM(データベース, フィールド, 検索条件)

- [データベース]では、データベースを構成するセル範囲を指定する。
- [フィールド]では、合計する値のある列の列見出しをセル番地、列見出しの文字列、列番号のいずれかで指定する。
- [検索条件]では条件用の表のセル範囲を指定する。表の1行目にはフィールドの列見出しと同じ見出しを指定し、次の行に条件式を設定する。

使用例 1 日付が 2022/10/1 ～ 10/3 までの売上合計を求める

	A	B	C	D	E
1	日付	商品	種別	金額	
2	2022/10/1	トレーナー	トップス	¥6,800	
3	2022/10/2	レギンス	ボトムス	¥4,000	
4	2022/10/3	パーカー	トップス	¥8,000	
5	2022/10/4	トレーナー	トップス	¥6,500	
6	2022/10/5	パーカー	トップス	¥8,000	
7	2022/10/6	ハーフパンツ	ボトムス	¥3,000	
8					
9	日付	日付	合計金額		
10	>=2022/10/1	<=2022/10/3	¥18,800		
11					

式 =DSUM(A1:D7,D1,A9:B10)

説明 データベース(A1:D7)内で条件(A9:B10)「日付が 2022/10/1 以降かつ 2022/10/3 以内」を満たすレコードのフィールド(D1)の合計を求める。

データベース　最大値／最小値　365 2021 2019 2016

ディー・マックス
DMAX

別表の条件を満たすレコードの最大値を求める

別表に用意した検索条件を使って、データベースを検索し、条件に一致したレコード（行）の指定したフィールド（列）にある数値の最大値を返す。

書 式：　DMAX（データベース, フィールド, 検索条件）

- ［データベース］では、データベースを構成するセル範囲を指定する。
- ［フィールド］では、最大値を求める値のある列の列見出しをセル番地、列見出しの文字列、列番号のいずれかで指定する。
- ［検索条件］では条件用の表のセル範囲を指定する。表の 1 行目にはフィールドの列見出しと同じ見出しを指定し、次の行に条件式を設定する。

データベース　最大値／最小値　365 2021 2019 2016

ディー・ミニマム
DMIN

別表の条件を満たすレコードの最小値を求める

別表に用意した検索条件を使って、データベースを検索し、条件に一致したレコード（行）の指定したフィールド（列）にある数値の値の最小値を返す。

書 式：　DMIN（データベース, フィールド, 検索条件）

- ［データベース］では、データベースを構成するセル範囲を指定する。
- ［フィールド］では、最小値を求める値のある列の列見出しまたは列番号を指定する。
- ［検索条件］では、条件用の表のセル範囲を指定する。表の 1 行目にはフィールドの列見出しと同じ見出しを指定し、次の行に条件式を設定する。

使用例 1　英語と数学の点数の最大値と最小値を求める

	A	B	C	D	E	F	G	H
1	日付	種別	科目	点数		科目		
2	4月11日	確認	英語	81		英語		
3	4月28日	実力	数学	88		数学		
4	6月15日	定期	英語	96				
5	7月1日	実力	国語	73		最大値	最小値	
6	7月15日	定期	数学	68		96	68	
7	9月1日	実力	英語	70				
8								

式 =DMAX(A1:D7,D1,F1:F3)

式 =DMIN(A1:D7,D1,F1:F3)

説明　データベース(A1:D7)内で条件(F1:F3)「科目が英語または数学」を満たすデータのフィールド(D1)の最大値と最小値をそれぞれ求める。

ディー・カウント
DCOUNT

別表の条件を満たすレコードの数値の個数を求める

別表に用意した検索条件を使って、データベースを検索し、条件に一致したレコード（行）のフィールド（列）の中で数値の個数を返す。

書式：　DCOUNT（データベース, フィールド, 検索条件）

- ［データベース］では、データベースを構成するセル範囲を指定する。
- ［フィールド］では、数値の個数を求める値のある列の列見出しをセル番地、列見出しの文字列、列番号のいずれかで指定する。
- ［検索条件］では、条件用の表のセル範囲を指定する。表の 1 行目にはフィールドの列見出しと同じ見出しを指定し、次の行に条件式を設定する。

使用例 1 点数が 80 点以上の回数

	A	B	C	D	E	F	G
1	日付	種別	科目	点数		点数	
2	4月11日	確認	英語	81		>=80	
3	4月28日	実力	数学	88			
4	6月15日	定期	英語	96		回数	
5	7月1日	実力	国語	73		3	
6	7月15日	定期	数学	68			
7	9月1日	実力	英語	70			
8							

式 =DCOUNT(A1:D7,D1,F1:F2)

説明　データベース（A1:D7）内で条件（F1:F2）「点数が 80 以上」を満たすデータのフィールド（D1）内の数値の個数を求める。

関連　データベース関数の基礎知識 ➡ p.277

ディー・カウント・エー

DCOUNTA

別表の条件を満たすレコードの個数を求める

別表に用意した検索条件を使って、データベースを検索し、条件に一致したレコード（行）の指定したフィールド（列）の中で空白でないセルの個数を返す。

書 式： DCOUNTA（データベース, フィールド, 検索条件）

- ［データベース］では、データベースを構成するセル範囲を指定する。
- ［フィールド］では、空白以外のセルの個数を求める列の列見出しをセル番地、列見出しの文字列、列番号のいずれかで指定する。
- ［検索条件］では、条件用の表のセル範囲を指定する。表の 1 行目にはフィールドの列見出しと同じ見出しを指定し、次の行に条件式を設定する。

使用例 1 定期テストの回数を求める

	A	B	C	D	E	F	G
1	日付	種別	科目	点数		種別	
2	4月11日	確認	英語	81		定期	
3	4月28日	実力	数学	88			
4	6月15日	定期	英語	96		回数	
5	7月1日	実力	国語	73		2	
6	7月15日	定期	数学	68			
7	9月1日	実力	英語	70			
8							

式 =DCOUNTA(A1:D7,B1,F1:F2)

説明 データベース(A1:D7)内で条件(F1:F2)「種別が定期」を満たすデータのフィールド(B1)内のデータの個数を求める。

関連 データベース関数の基礎知識 ➡ p.277

ディー・プロダクト

DPRODUCT

別表の条件を満たすレコードの積を求める

別表に用意した検索条件を使って、データベースを検索し、条件に一致したレコード(行)の指定したフィールド(列)にある数値の積を返す。

書式：　DPRODUCT(データベース, フィールド, 検索条件)

- [データベース]では、データベースを構成するセル範囲を指定する。
- [フィールド]では、積を求める値のある列の列見出しをセル番地、列見出しの文字列、列番号のいずれかで指定する。
- [検索条件]では、条件用の表のセル範囲を指定する。表の 1 行目にはフィールドの列見出しと同じ見出しを指定し、次の行に条件式を設定する。

使用例① 科目「英語」の出欠の有無を調べる

	A	B	C	D	E	F	G
1	日付	種別	科目	出欠		科目	
2	4月11日	確認	英語	1		英語	
3	4月28日	実力	数学	1			
4	6月15日	定期	英語	0		出欠の有無	
5	7月1日	実力	国語	1		欠席あり	
6	7月15日	定期	数学	1			
7	9月1日	実力	英語	1			
8	※出席：1、欠席：0						
9							

式　**=IF(DPRODUCT(A1:D7,D1,F1:F2)=0,"欠席あり","出席済み")**

説明　データベース(A1:D7)内で条件(F1:F2)「科目が英語」を満たすデータのフィールド(D1)内の数値の積を求める。0 の場合、欠席している日があり、1 の場合はすべて出席していることがわかる。IF 関数の条件に設定して、0 の場合は「欠席あり」、そうでない場合は「出席済み」と表示している。

ディー・スタンダード・ディビエーション・ピー

DSTDEVP

別表の条件を満たすレコードの標準偏差を求める

別表に用意した検索条件を使って、データベースを検索し、条件に一致したレコード（行）の指定したフィールド（列）にある数値を母集団とみなして標準偏差を返す。

書 式： DSTDEVP（データベース, フィールド, 検索条件）

- ［データベース］では、データベースを構成するセル範囲を指定する。
- ［フィールド］では、標準偏差を求める値のある列の列見出しをセル番地、列見出しの文字列、列番号のいずれかで指定する。
- ［検索条件］では、条件用の表のセル範囲を指定する。表の 1 行目にはフィールドの列見出しと同じ見出しを指定し、次の行に条件式を設定する。

使用例 1 テスト結果から性別が「男」のときの標準偏差を求める

	A	B	C	D	E	F	G	H	I
1	NO	性別	英語	数学	国語	合計		性別	
2	1	男	78	80	70	228		男	
3	2	男	90	49	100	239			
4	3	女	52	66	75	193		標準偏差	
5	4	男	85	51	78	214		19.62244	
6	5	女	87	67	84	238			
7	6	女	95	51	66	212			
8	7	女	57	84	58	199			
9	8	男	84	55	45	184			
10	9	男	65	76	92	233			
11	10	女	44	92	90	226			
12									

式 **=DSTDEVP(A1:F11,F1,H1:H2)**

説明 データベース(A1:F11)内で条件(H1:H2)「性別が男」を満たすデータのフィールド(F1)内の値を母集団とみなし、標準偏差を求める。

データベース　標準偏差　365 2021 2019 2016

ディー・スタンダード・ディビエーション
DSTDEV

別表の条件を満たすレコードの不偏標準偏差を求める

別表に用意した検索条件を使って、データベースを検索し、条件に一致したレコード(行)の指定したフィールド(列)にある数値を母集団の標本とみなして不偏標準偏差(母集団の標準偏差の推定値)を返す。

書式:　DSTDEV(データベース, フィールド, 検索条件)

- [データベース]では、データベースを構成するセル範囲を指定する。
- [フィールド]では、不偏標準偏差を求める値のある列の列見出しをセル番地、列見出しの文字列、列番号のいずれかで指定する。
- [検索条件]では、条件用の表のセル範囲を指定する。表の1行目にはフィールドの列見出しと同じ見出しを指定し、次の行に条件式を設定する。

データベース　分散　365 2021 2019 2016

ディー・バリアンス・ピー
DVARP

別表の条件を満たすレコードの分散を求める

別表に用意した検索条件を使って、データベースを検索し、条件に一致したレコード(行)の指定したフィールド(列)にある数値を母集団とみなして分散を返す。

書式:　DVARP (データベース, フィールド, 検索条件)

- [データベース]では、データベースを構成するセル範囲を指定する。
- [フィールド]では、分散を求める値のある列の列見出しをセル番地、列見出しの文字列、列番号のいずれかで指定する。
- [検索条件]では、条件用の表のセル範囲を指定する。表の1行目にはフィールドの列見出しと同じ見出しを指定し、次の行に条件式を設定する。

データベース　分散　365 2021 2019 2016

ディー・バリアンス
DVAR

別表の条件を満たすレコードの不偏分散を求める

別表に用意した検索条件を使って、データベースを検索し、条件に一致したレコード(行)の指定したフィールド(列)にある数値を母集団の標本とみなして、不偏分散(母集団の分散の推定値)を返す。

書式:　DVAR (データベース, フィールド, 検索条件)

- [データベース]では、データベースを構成するセル範囲を指定する。
- [フィールド]では、不偏分散を求める値のある列の列見出しをセル番地、列見出しの文字列、列番号のいずれかで指定する。
- [検索条件]では、条件用の表のセル範囲を指定する。表の1行目にはフィールドの列見出しと同じ見出しを指定し、次の行に条件式を設定する。

ディー・ゲット
DGET

別表の条件を満たす値を1つ抽出する

別表に用意した検索条件を使って、データベースを検索し、条件に一致したレコード(行)の指定したフィールド(列)にある値を1つ取り出す。

書式： DGET(データベース, フィールド, 検索条件)

- [データベース]では、データベースを構成するセル範囲を指定する。
- [フィールド]では、取り出したい値のある列の列見出しをセル番地、列見出しの文字列、列番号のいずれかで指定する。
- [検索条件]では、条件用の表のセル範囲を指定する。表の1行目にはフィールドの列見出しと同じ見出しを指定し、次の行に条件式を設定する。

Hint 検索条件を満たすレコードが見つからなかった場合はエラー値「#VALUE!」が返り、複数見つかった場合は、エラー値「#NUM!」を返す。そのため、DGET関数は、重複しない値を持つフィールドを対象に使用する。

使用例1 成績表の中から順位が1位の氏名を取り出す

	A	B	C	D	E	F	G	H	I
1	氏名	英語	数学	国語	合計	順位		順位	
2	清水　望	78	80	70	228	3		1	
3	山崎　貴子	90	49	100	239	1			
4	加藤　伸介	52	66	75	193	7		氏名	
5	小宮　徹	85	51	78	214	4		山崎　貴子	
6	関口　哲也	87	67	84	238	2			
7	大山　恭子	95	51	66	212	5			
8	本宮　桜	57	84	58	199	6			
9	近藤　啓介	84	55	45	184	8			
10									

式 =DGET(A1:F9,A1,H1:H2)

説明 データベース(A1:F9)内で条件(H1:H2)「順位が1位」を満たすデータのフィールド(A1)内の値を取り出す。

財務関数

財務関数には、ローンの毎月の返済額を求める、積立貯金で目標金額までの積立回数を求めるなどの計算ができたり、利付債の利回りや経過利息といった、投資に関するさまざまな計算で使用できるものが多く用意されています。

ペイメント
PMT

定期的なローン返済や積立額を求める

一定の利率と期間で定期支払いをする元利均等返済のローンや積立貯蓄の場合の定期支払額を返す。

書 式： PMT(利率, 期間, 現在価値,[将来価値],[支払期日])

- [利率]では、利率を指定する。月払いの場合は年利÷12で指定する。
- [期間]では、支払回数の合計を指定する。月払いの場合は、年数×12を指定する。
- [現在価値]では、ローンの場合は借入金、貯蓄の場合は頭金を指定する。
- [将来価値]では、ローンの場合は支払い完了後の残高(完済の場合は0)、貯蓄の場合は最終的な目標金額を指定する。省略時は、0とみなす。
- [支払期日]では、期首の場合は1、期末の場合は0。省略時は、0とみなす。

使用例 1 ローンの毎月の返済金額を求める

	A	B	C
1	ローン返済		
2	借入金	¥200,000	
3	利率（年）	4.0%	
4	期間（月）	12	
5	毎月の返済額	¥-17,030	
6			

式 =PMT(B3/12,B4,B2,0,0)

説明 年利4%(B3/12)、返済期間12カ月(B4)で、200,000円(B2)借り入れたときの毎月の支払金額を求める。定期返済が月単位であるため、年利を12で割って月利にしている。

関連

PPMT　ローン返済額の元金相当分を求める ➡ p.290
IPMT　ローン返済額の金利相当分を求める ➡ p.291

COLUMN

財務関数では、支払い分は「−」（マイナス）、受け取り分は「+」（プラス）で表示する。PMT 関数は、支払い分の金額なので、結果は「−」になる。マイナス表記にしたくない場合は、関数の前に「−」を付加して符号を逆転する。

財務関数では、期間と利率の単位を定期支払いの単位と一致させる。例えば、定期支払いが月単位の場合は、利率を月利、期間を月数に換算する。

COLUMN

ローン返済方法には、元利均等返済と元金均等返済がある。元利均等返済は、毎回の返済額が一定で返済額に占める元金と利息の割合は変化する。元金均等返済は、元金を返済期間で均等に割り、残高に応じて利息を計算する。そのため当初の返済額が多く、徐々に減少する。

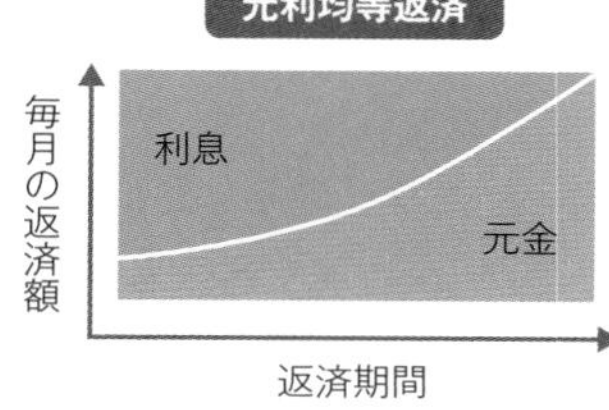

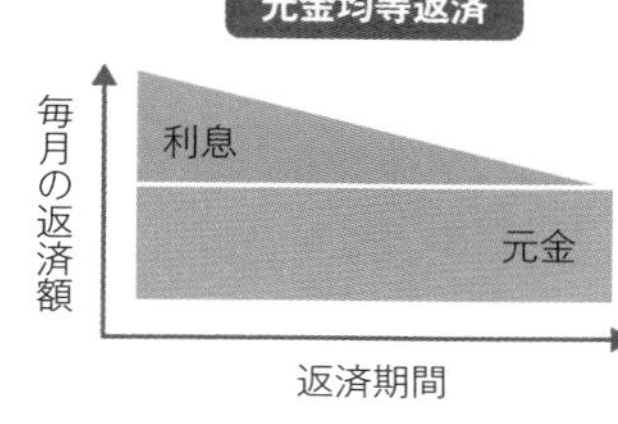

プリンシパル・ペイメント

PPMT

ローン返済額の元金相当分を求める

元利均等返済をしているとき、指定した回数のときの支払金額に含まれる元金を返す。

書 式： PPMT(利率, 期, 期間, 現在価値,[将来価値],[支払期日])

- [利率]では、利率を指定する。月払いの場合は年利÷12 で指定する。
- [期]では、何回目の支払いかを 1 ～[期間]の範囲で指定する。
- [期間]では、支払回数の合計を指定する。月払いの場合は、年数×12 を指定する。
- [現在価値]では、ローンの場合は借入金、貯蓄の場合は頭金を指定する。
- [将来価値]では、ローンの場合は支払い完了後の残高(完済の場合は 0)、貯蓄の場合は最終的な目標金額を指定する。省略時は、0 とみなされる。
- [支払期日]では、期首の場合は 1、期末の場合は 0。省略時は、0 とみなされる。

使用例 1 各返済回数の支払金額に含まれる元金を求める

	A	B	C	D	E
1	ローン返済			回数	元金相当額
2	借入金	¥200,000		1	¥-16,363
3	利率（年）	4.0%		2	¥-16,418
4	期間（月）	12		3	¥-16,473
5	毎月の返済額	¥-17,030		4	¥-16,527
6				5	¥-16,583
7				6	¥-16,638
8				7	¥-16,693
9				8	¥-16,749
10				9	¥-16,805
11				10	¥-16,861
12				11	¥-16,917
13				12	¥-16,973

式 **=PPMT($B$3/12,D2,$B$4,$B$2)**

説明　年利 4 %(B3/12)、返済期間 12 カ月(B4)で、200,000 円(B2) 借り入れたとき、各返済回(D2)の返済額に含まれる元金相当分を求める。定期返済が月単位であるため、年利を 12 で割って月利にしている。

関連　PMT　定期的なローン返済や積立額を求める ➡ p.288

インタレスト・ペイメント

IPMT

ローン返済額の金利相当分を求める

元利均等返済をしているとき、指定した回数のときの支払金額に含まれる金利を返す。

書 式: IPMT(利率, 期, 期間, 現在価値,[将来価値],[支払期日])

- [利率]では、利率を指定する。月払いの場合は年利÷12 で指定する。
- [期]では、何回目の支払いかを 1 ～[期間]の範囲で指定する。
- [期間]では、支払回数の合計を指定する。月払いの場合は、年数×12 を指定する。
- [現在価値]では、ローンの場合は借入金、貯蓄の場合は頭金を指定する。
- [将来価値]では、ローンの場合は支払い完了後の残高(完済の場合は 0)、貯蓄の場合は最終的な目標金額を指定する。省略時は、0 とみなされる。
- [支払期日]では、期首の場合は 1、期末の場合は 0。省略時は、0 とみなされる。

Hint PMT 関数(定期支払額) = PPMT 関数(元金相当額) + IPMT 関数(利息相当額)という関係が成り立つ。

使用例 1 各返済回数の支払金額に含まれる利息を求める

	A	B	C	D	E
1	ローン返済			回数	金利相当額
2	借入金	¥200,000		1	¥-667
3	利率（年）	4.0%		2	¥-612
4	期間（月）	12		3	¥-557
5	毎月の返済額	¥-17,030		4	¥-502
6				5	¥-447
7				6	¥-392
8				7	¥-337
9				8	¥-281
10				9	¥-225
11				10	¥-169
12				11	¥-113
13				12	¥-57

式 =IPMT($B$3/12,D2,$B$4,$B$2)

説明 年利 4 %(B3/12)、返済期間 12 カ月(B4)で、200,000 円(B12)借り入れたとき、各返済回(D2)の返済額に含まれる金利相当分を求める。定期返済が月単位であるため、年利を 12 で割って月利にしている。

キュムラティブ・プリンシパル

CUMPRINC

ローン返済額の元金返済額累計を求める

元利均等返済をしているとき、指定した期間の返済で支払われる元金の累計を返す。

書式： CUMPRINC(利率, 期間, 現在価値, 開始期, 終了期, 支払期日)

- [利率]では、利率を指定する。月払いの場合は年利÷ 12 で指定する。
- [期間]では、支払回数の合計を指定する。月払いの場合は、年数×12 を指定する。
- [現在価値]では、借入金を指定する。
- [開始期]では、累計金額を求める最初の期を指定する。
- [終了期]では、累計金額を求める最後の期を指定する。
- [支払期日]では、期首の場合は 1、期末の場合は 0 を指定する。

使用例1 初回返済から各返済回数までの元金相当額累計を求める

	A	B	C	D	E
1	ローン返済			回数	元金相当累計
2	借入金	¥200,000		1	¥-16,363
3	利率（年）	4.0%		2	¥-32,781
4	期間（月）	12		3	¥-49,254
5	毎月の返済額	¥-17,030		4	¥-65,781
6				5	¥-82,364
7				6	¥-99,002
8				7	¥-115,695
9				8	¥-132,444
10				9	¥-149,249
11				10	¥-166,110
12				11	¥-183,027
13				12	¥-200,000
14					

式 =CUMPRINC($B$3/12,$B$4,$B$2,1,D2,0)

説明 年利 4%(B3/12)、返済期間 12 カ月(B4)で、200,000 円(B2)借り入れたとき、初回から指定した返済回(D2)の間に含まれる元金相当分累計を求める。定期返済が月単位であるため、年利を12 で割って月利にしている。

キュムラティブ・インタレスト・ペイメント

CUMIPMT

ローン返済額の金利支払額累計を求める

元利均等返済をしているとき、指定した期間の返済で支払われる金利の累計を返す。

書式：　CUMIPMT(利率, 期間, 現在価値, 開始期, 終了期, 支払期日)

- [利率]では、利率を指定する。月払いの場合は年利÷12 で指定する。
- [期間]では、支払回数の合計を指定する。月払いの場合は、年数×12 を指定する。
- [現在価値]では、借入金を指定する。
- [開始期]では、累計金額を求める最初の期を指定する。
- [終了期]では、累計金額を求める最後の期を指定する。
- [支払期日]では、期首の場合は 1、期末の場合は 0 を指定する。

使用例 1 初回返済から各返済回数までの金利相当額累計を求める

	A	B	C	D	E
1	ローン返済			回数	金利相当累計
2	借入金	¥200,000		1	¥-667
3	利率（年）	4.0%		2	¥-1,279
4	期間（月）	12		3	¥-1,836
5	毎月の返済額	¥-17,030		4	¥-2,339
6				5	¥-2,786
7				6	¥-3,178
8				7	¥-3,515
9				8	¥-3,796
10				9	¥-4,021
11				10	¥-4,190
12				11	¥-4,303
13				12	¥-4,360
14					

説明　年利 4%(B3/12)、返済期間 12 カ月(B4)で、200,000 円(B2)借り入れたとき、初回から指定した返済回(D2)の間に含まれる金利相当分累計を求める。定期返済が月単位であるため、年利を 12 で割って月利にしている。

式　=CUMPRINC($B$3/12,$B$4,$B$2,1,D2,0)

数学／三角 日付／時刻 統計 文字列操作 論理 検索／行列・Web キューブ 情報 データベース 財務 エンジニアリング 基礎知識 便利テクニック

財務　積立・ローン返済　365 2021 2019 2016

ナンバー・オブ・ピリオド
NPER

目標金額に達成するまでの積立回数または返済回数を求める

一定の利率と期間で定期支払いをする元利均等返済のローンや積立貯蓄で、目標金額になるまでに必要な支払回数を返す。

書 式： NPER(利率, 定期支払額, 現在価値,[将来価値],[支払期日])

- [利率]では、利率を指定する。
- [定期支払額]では、毎回の支払額(積立額)を指定する。支払金額は、負の数値で指定する。
- [現在価値]では、ローンの場合は借入金、貯蓄の場合は頭金を指定する。
- [将来価値]では、ローンの場合は支払い完了後の残高(完済の場合は0)、貯蓄の場合は最終的な目標金額を指定する。省略時は、0とみなされる。
- [支払期日]では、期首の場合は1、期末の場合は0。省略時は、0とみなされる。

使用例1 借入金を完済するまでの返済回数を求める

	A	B	C
1	ローン返済		
2	借入金	¥200,000	
3	利率（年）	4.0%	
4	月支払額	¥-30,000	
5	返済回数	6.753086951	
6			

式 =NPER(B3/12,B4,B2)

説明 年利4%(B3/12)、200,000円(B2)借り入れ、毎月の返済額を30,000円(B4)としたとき、完済するまでの返済回数を求める。定期返済が月単位であるため、年利を12で割って月利にしている。

財務　積立・ローン返済　365 2021 2019 2016

イズ・ペイメント
ISPMT

元金均等返済における金利相当分を求める

元金均等返済の場合に、指定した期における金利相当額を返す。表計算ソフトLOTUS1-2-3との互換性維持のために準備された関数。

書 式： ISPMT(利率, 期, 期間, 現在価値)

- [利率]では、利率を指定します。月払いの場合は年利÷12で指定する。
- [期]では、何回目の支払いかを初回を0とし、[期間]−1までの範囲で指定する。
- [期間]では、支払回数の合計を指定する。月払いの場合は、年数×12を指定する。
- [現在価値]では、借入金を指定する。

レート
RATE

積立やローン返済の利率を求める

一定期間の投資(ローンや積立)に対する利率を求める。例えば、50 万円貸し付けて、1 年間、月 45,000 円で返済した場合の貸付金利を求めることができる。

書 式: RATE(期間, 定期支払額, 現在価値, [将来価値], [支払期日], [推定値])

- [期間]では、支払回数の合計を指定する。月払いの場合は、年数×12 を指定する。
- [定期支払額]では、毎回の支払額(積立額)を指定する。支払金額は、負の数値で指定する。
- [現在価値]では、ローンの場合は借入金、貯蓄の場合は頭金を指定する。
- [将来価値]では、ローンの場合は支払い完了後の残高(完済の場合は 0)、貯蓄の場合は最終的な目標金額を指定する。省略時は、0 とみなされる。
- [支払期日]では、期首の場合は 1、期末の場合は 0。省略時は、0 とみなされる。
- [推定値]では、利率の推定値を指定する。省略時は、10% とみなされる。

使用例 1 積立の利率を求める

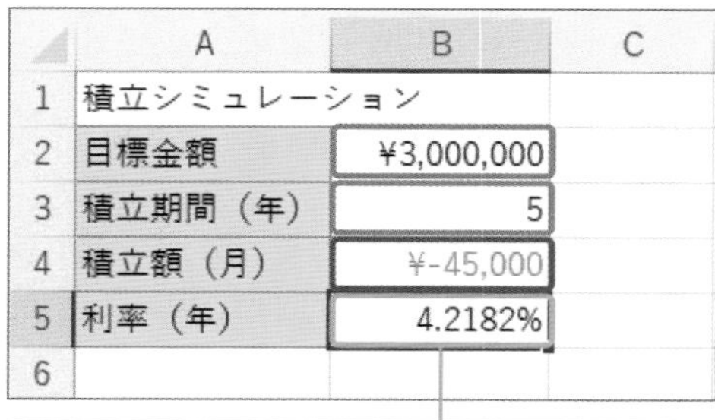

	A	B	C
1	積立シミュレーション		
2	目標金額	¥3,000,000	
3	積立期間（年）	5	
4	積立額（月）	¥-45,000	
5	利率（年）	4.2182%	
6			

式 **=RATE(B3*12,B4,0,B2)*12**

説明 5 年間(B3*12)、毎月の積立額を 45,000 円(B4)とした場合、頭金は 0、目標金額を 300 万円(B3)とした場合の利率を求める。戻り値は月利になるため、12 をかけて年利にしている。

プレゼント・バリュー

PV

現在価値を求める

一定の利率でローンや積立の支払いを定期的に行う場合の現在価値を返す。ローンの場合は借入可能金額、積立の場合は頭金が求められる。

書 式： PV(利率, 期間, 定期支払額,[将来価値],[支払期日])

- [利率]では、期間を通して一定の利率を指定する。
- [期間]では、支払回数の合計を指定する。月払いの場合は、年×12を指定する。
- [定期支払額]では、毎回の支払額(積立額)を指定する。支払金額は、負の数値で指定する。
- [将来価値]では、ローンの場合は支払い完了後の残高。完済の場合は0。貯蓄の場合は最終的な目標金額を指定する。省略時は、0とみなされる。
- [支払期日]では、期首の場合は1、期末の場合は0。省略時は、0とみなされる。

使用例 1 ローンの借り入れ可能金額を求める

	A	B	C
1	住宅ローン借り入れ可能額		
2	毎月の返済額	¥-80,000	
3	利率（年）	3%	
4	期間（年）	30	
5	借入可能金額	¥18,975,151	
6			

式 **=PV(B3/12,B4*12,B2,0)**

説明 年利3%(B3/12)で30年間(B4*12)、毎月80,000円(B2)返済する場合に借入可能金額を求める。ローンを完済するので第4引数の将来価値を0としている。

フューチャー・バリュー

FV

将来価値を求める

一定の利率でローンや積立の支払いを定期的に行う場合の将来価値を返す。ローンの場合は残高、積立の場合は受取額が求められる。

書 式： FV(利率, 期間, 定期支払額,[現在価値],[支払期日])

- [利率]では、期間を通して一定の利率を指定する。
- [期間]では、支払回数の合計を指定する。月払いの場合は、年数×12 を指定する。
- [定期支払額]では、毎回の支払額(積立額)を指定する。支払金額は、負の数値で指定する。
- [現在価値]では、ローンの場合は借入金、貯蓄の場合は頭金を指定する。
- [支払期日]では、期首の場合は 1、期末の場合は 0。省略時は、0 とみなされる。

使用例 1 積立貯蓄の満期受取金額を求める

	A	B	C
1	積立貯蓄の満期時受取予定額		
2	積立額（月）	¥-50,000	
3	利率（年）	3.0%	
4	積立期間（年）	5	
5	満期時受取金額	¥3,232,336	
6			

式 **=FV(B3/12,B4*12,B2,0)**

説明 年利 3%(B3/12)で 5 年間(B4*12)、毎月 50,000 円(B2)積み立てた場合の満期時受取金額を求める。頭金は 0 とするため第 4 引数の現在価値を 0 としている。

財務　現在価値・将来価値　365　2021　2019　2016

フューチャー・バリュー・スケジュール

FVSCHEDULE

利率が変動する場合の投資の将来価値を求める

利率が変動する場合の投資や預金の将来価値を求める。

書 式： FVSCHEDULE(元金, 利率配列)

- [元金]では、投資額または預入金を指定する。他の財務関数と異なり、支払額を正の数で指定する。
- [利率配列]では、投資期間内の変動金利を、各期の利率が入力されているセル範囲または配列定数で指定する。例えば、100 万円を 1 年目 2%、2 年目 2.5%、3 年目 3% の変動金利で投資する場合、「=FVSCHEDULE(1000000,{0.02,0.025,0.03})」と指定する。（※詳細はサンプルファイルを参照）

財務　現在価値・将来価値　365　2021　2019　2016

レリバント・レート・オブ・インタレスト

RRI

投資金額と満期時目標金額から利率を求める

投資期間と投資金額から、満期時の目標金額を受け取るための複利の利率（等価利率）を求める。RRI 関数は、数式「(将来価値 / 現在価値)^(1/ 期間)-1」で表される。

書 式： RRI(期間, 現在価値, 将来価値)

- [期間]では、投資期間を指定する。求めたい利率の期間と単位を同じにする。例えば期間が 5 年の場合、年利を求める場合は 5、月利を求める場合は 60(5×12)を指定する。
- [現在価値]では、投資金額（元金）を指定する。他の財務関数と異なり、支払金額を正の数で指定する。
- [将来価値]では、満期時に受け取りたい目標金額を指定する。

使用例 1 投資金額と目標金額から利率を求める

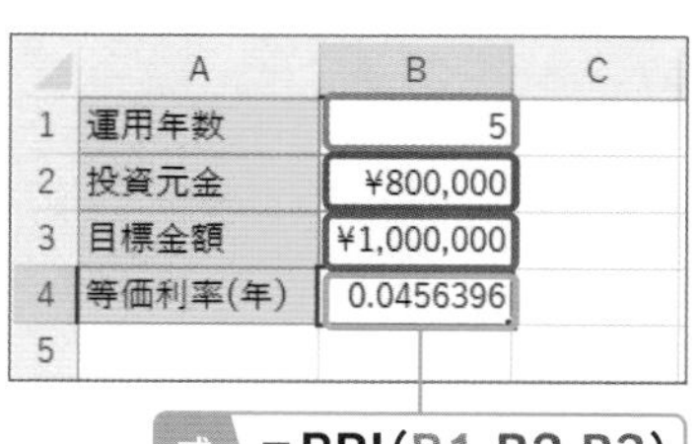

	A	B	C
1	運用年数	5	
2	投資元金	¥800,000	
3	目標金額	¥1,000,000	
4	等価利率(年)	0.0456396	
5			

式 =RRI(B1,B2,B3)

説明　運用年数を 5 年(B1)、投資元金を 80 万円(B2)、満期時受取目標額を 100 万円(B3)とする場合の等価利率を求める。

関連　PDURATION　投資金額が目標額になるまでの期間を求める ➡ p.299

財務 現在価値・将来価値 365 2021 2019 2016

ピリオド・デュレーション

PDURATION

投資金額が目標額になるまでの期間を求める

引数で指定した現在価値と利率で、将来価値になるまでの期間を求める。例えば、10万円の投資が年利2.5%で運用される場合、12万円になるまでの年数(7.38年)を求められる。

書式: PDURATION(利率, 現在価値, 将来価値)

- [利率]では、投資の利率を指定する。
- [現在価値]では、現在価値を指定する。
- [将来価値]では、目標とする将来価値を指定する。

財務 正味現在価値 365 2021 2019 2016

ネット・プレゼント・バリュー

NPV

定期キャッシュフローの正味現在価値を求める

割引率と将来行われる一連の支払いや収益(キャッシュフロー)から、投資の正味現在価値を求める。正味現在価値とは、将来の収支の額を現在の価値に換算したもので投資を判断する指標の一つ。

書式: NPV(割引率, 値1,[値2],…)

- [利率]では、投資期間を通じて一定の割引率を指定する。
- [値]では、支払い(負の値)と収益(正の値)を表す金額を指定する。定期的に各期末に発生するものとし、指定する順番がキャッシュフローの順番になる。

Hint

- 最初のキャッシュフローが1期目の期首に発生する場合、そのキャッシュフローを引数として指定せずに、NPV関数の計算結果に加算する。例えば、使用例で最初のキャッシュフロー(A4)が1期目の期首に発生する場合は、「=NPV(B1,B4:D4)+A4」と指定する。
- 正味現在価値が0の場合、投資しても利益は出ないことを意味する。0以上なら利益があり、大きいほどいいとされる。

使用例 1 定期的に収益がある場合の正味現在価値を求める

	A	B	C	D
1	年間割引率	10%	正味現在価値	¥90,499
2				
3	初期投資額	1年目	2年目	3年目
4	¥-1,000,000	¥350,000	¥400,000	¥600,000
5				

式 =NPV(B1,A4:D4)

説明 100万円の投資と3年間の収益(A4:D4)が定期的にあり、年間割引率を10%(B1)とした場合の正味現在価値を求める。

関連 RRI 投資金額と満期時目標金額から利率を求める ➡ p.298

財務　正味現在価値　365 2021 2019 2016

エクストラ・ネット・プレゼント・バリュー

XNPV

不定期キャッシュフローの正味現在価値を求める

不定期なキャッシュフローに対する正味現在価値を求める。

書 式： XNPV(割引率, 値, 日付)

- [割引率]では、割引率を指定する。
- [値]では、不定期に発生するキャッシュフローを指定する。支払いは負の値、収益は正の値で指定する。
- [日付]では、キャッシュフローが発生した日付が入力されているセル範囲または配列定数を指定する。

使用例 1 不定期に収益がある場合の正味現在価値を求める

	A	B	C	D	E
1	年間割引率	10%	正味現在価値	¥255,374	
2					
3	初期投資額	1回目	2回目	3回目	
4	¥-1,000,000	¥350,000	¥400,000	¥600,000	
5	2019/1/1	2019/3/1	2019/10/30	2020/2/1	
6					

式 = XNPV(B1,A4:D4,A5:D5)

説明　100 万円の投資と 3 回の収益(A4：D4)がそれぞれ不定期(A5：D5)にあり、年間割引率を 10％(B1)とした場合の正味現在価値を求める。

関連　NPV　定期キャッシュフローの正味現在価値を求める ➡ p.299

インターナル・レート・オブ・リターン
IRR

定期キャッシュフローから内部利益率を求める

月次や年次など定期的に発生するキャッシュフローに対する内部利益率を返す。内部利益率は、投資を判断する指標の一つ。NPV 関数の計算結果が「0」になるときの割引率と同じになる。

書 式：　IRR(範囲,[推定値])

- [範囲]では、定期的に発生する支出(負の数)と収益(正の数)を含む配列定数またはセル範囲を指定する。値の順序がキャッシュフローの順序とみなされる。正の数と負の数がそれぞれ 1 つ以上含まれている必要がある。
- [推定値]では、内部利益率の推定値を指定する。省略時は、10% とみなされる。

使用例 1 投資の内部利益率を求める

	A	B	C	D	E
1	内部利益率	7%			
2					
3	初期投資額	1年目	2年目	3年目	4年目
4	¥-1,000,000	¥350,000	¥400,000	¥250,000	¥150,000
5					

式 =IRR(A4:E4)

説明 一連の定期的なキャッシュフロー(A4：E4)から内部利益率を求める。

関連
XIRR　不定期キャッシュフローから内部利益率を求める ➡ p.302
MIRR　定期キャッシュフローから修正内部利益率を求める ➡ p.303

財務　内部利益率　365　2021　2019　2016

エクストラ・インターナル・レート・オブ・リターン

XIRR

不定期キャッシュフローから内部利益率を求める

不定期なキャッシュフローに対する内部利益率を求める。

書 式：　XIRR(範囲, 日付,[推定値])

- [範囲]では、不定期に発生する支出(負の数)と収益(正の数)を含む配列定数またはセル範囲を指定する。正の数と負の数がそれぞれ 1 つ以上含まれている必要がある。
- [日付]では、[範囲]で指定した金額に対応する日付を指定する。
- [推定値]では、推定される内部利益率を指定する。省略時は、10% とみなされる。

使用例 1 不定期の投資の内部利益率を求める

	A	B	C	D	E	F
1	内部利益率	21%				
2						
3	初期投資額	1回目	2回目	3回目	4回目	
4	¥-1,000,000	¥350,000	¥400,000	¥250,000	¥150,000	
5	2019/1/1	2019/3/1	2019/10/30	2020/2/1	2020/4/1	
6						
7						

式 =XIRR(A4:E4,A5:E5)

説明　キャッシュフロー(A4：E4)がそれぞれ不定期(A5:E5)にある場合の内部利益率を求める。

関連　IRR　定期キャッシュフローから内部利益率を求める ➡ p.301

モディファイド・インターナル・レート・オブ・リターン

MIRR

定期キャッシュフローから修正内部利益率を求める

一連の定期的なキャッシュ フローに対する修正内部利益率を返します。修正内部利益率は、初期投資の借入利率や収益の再投資に対する利率を考慮して求めた内部利益率のこと。

書 式：　MIRR (範囲, 安全利率, 危険利率)

- [範囲]では、定期的に発生する支出(負の数)と収益(正の数)を含む配列定数またはセル範囲を指定する。値の順序がキャッシュフローの順序とみなされる。正の数と負の数がそれぞれ 1 つ以上含まれている必要がある。
- [安全利率]では、支払額(負のキャッシュフロー)に対する利率を指定する。
- [危険利率]では、収益額(正のキャッシュフロー)に対する利率を指定する。

使用例 1 借入と再投資を考慮した修正内部利益率を求める

	A	B	C	D	E	F
1	借入(安全利率)	10%	再投資(危険利率)	12%		
2						
3	初期投資額	1回目	2回目	3回目	4回目	
4	¥-1,000,000	¥350,000	¥400,000	¥250,000	¥150,000	
5						
6	修正内部利益率	9%				
7						

式 **=MIRR(A4:E4,B1,D1)**

説明　初期投資の借入利率 10%(B1)、収益の再投資の利率 12%(D1)を考慮し、定期的なキャッシュフロー(A4:E4)のときの修正内部利益率を求める。

関連　IRR　定期キャッシュフローから内部利益率を求める ➡ p.301

財務　利率　365 2021 2019 2016

エフェクト
EFFECT

実効年利率を求める

指定された名目年利率と 1 年あたりの複利計算回数をもとに実効年利率を返す。実効年利率とは、1 年で複数回の利払いが複利で適用される場合の実質的な年利率。名目年利率とは、元の表面上の年利率。

書 式：　EFFECT(名目利率, 複利計算回数)

- [名目利率]では、名目年利率を指定する。
- [複利計算回数]では、1 年あたりの複利計算回数を指定する。1 年複利の場合は 1、半年複利の場合は 2 と指定する。

財務　利率　365 2021 2019 2016

ノミナル
NOMINAL

名目年利率を求める

指定された実効年利率と 1 年あたりの複利計算回数をもとに名目年利率を返す。実効年利率とは、1 年で複数回の利払いが複利で適用される場合の実質的な年利率。名目年利率とは、元の表面上の年利率。

書 式：　NOMINAL(実効利率, 複利計算回数)

- [実効利率]では、実効年利率を指定する。
- [複利計算回数]では、1 年あたりの複利計算回数を指定する。1 年複利の場合は 1、半年複利の場合は 2 と指定する。

財務　ドル　365 2021 2019 2016

ダラー・デシマル
DOLLARDE

分数表記のドル価格を小数表記に変換する

分数で表記されたドル価格を 10 進数の小数表記に変換する。小数表記のドル価格は、証券の価格などに使用される。

書 式：　DOLLARDE(整数部と分子部, 分母)

- [整数部と分子部]では、分数の整数部と小数部を小数点で区切って指定する。
- [分母]では、分数の分母となる整数を指定する。

Hint　例えば、ドル価格が「10 3/4」の場合、「=DOLLARDE(10.3,4)」と指定すると、10 進数の小数表記に変換した数値「10.75」を返す。

関連　DOLLARFR　小数点表記のドル価格を分数表記に変換する ➡ p.305

財務　ドル　365 2021 2019 2016

ダラー・フラクション

DOLLARFR

小数表記のドル価格を分数表記に変換する

10 進数の小数表記のドル価格を分数表記に変換する。

書 式： DOLLARFR(小数値, 分母)

- [小数値]では、小数で表された数値を指定する。
- [分母]では、分数の分母となる整数を指定する。

Hint 小数表記の「10.75」を、分母を 4 として分数表記に変換する場合、「=DOLLARDE(10.75,4)」と指定し、「整数部 . 分子部」の形式で「10.3」を返す。

財務　減価償却費　365 2021 2019 2016

ディクライニング・バランス

DB

減価償却費を旧定率法で求める

資産の減価償却費を定率法で求める。ここで使われている定率法は 2007 年 3 月 31 日までの旧定率法に基づいている。

書 式： DB(取得価額, 残存価額, 耐用年数, 期間,[月])

- [取得価額]では、資産の購入価格を指定する。
- [残存価額]では、耐用年数が終了した時点での資産の価格を指定する。
- [耐用年数]では、資産の耐用年数を指定する。
- [期間]では、減価償却費を計算する期間を耐用年数と同じ単位で指定する。
- [月]では、資産を購入した年度の月数を指定する。省略時は、12 とみなされる。

Hint DB 関数の定率法では、1 期間の減価償却費は「(取得価額 - 前期までの償却累計額) * 償却率」という数式で計算される。

財務　減価償却費　365 2021 2019 2016

ダブル・ディクライニング・バランス

DDB

減価償却費を倍額定率法で求める

倍額定率法または指定したその他の手法を使用して、指定した期間における資産の減価償却費を返す。

書 式： DDB(取得価額, 残存価額, 耐用年数, 期間, [率])

- [取得価額]では、資産購入時の価格を指定する。
- [残存価額]では、耐用年数終了時の資産の価格を指定する。
- [耐用年数]では、資産の耐用年数を指定する。
- [期間]では、減価償却費を計算する期間を耐用年数と同じ単位で指定する。
- [率]では、減価償却率を指定する。省略時は、2 とみなされ、倍額定率法で計算が行われる。

財務　減価償却費　365 2021 2019 2016

バリアブル・ディクライニング・バランス

VDB

倍額定率法で減価償却費を求める

倍額定率法または指定された方法を使用して、特定の期における資産の減価償却費を返す。

書式：　VDB(取得価額, 残存価額, 耐用年数, 開始期, 終了期,[率],[切り替えなし])

- [取得価額]では、資産を購入した時点での価格を指定する。
- [残存価額]では、耐用年数が終了した時点での資産価格(資産の救済価額）を指定する。
- [耐用年数]では、資産の耐用年数を指定する。
- [開始期]では、減価償却費の計算対象となる最初の期を耐用年数と同じ単位で指定する。
- [終了期]では、減価償却費の計算対象となる最後の期を耐用年数と同じ単位で指定する。
- [率]では、減価償却率を指定する。省略時は 2 とみなし、倍額定率法で計算される。
- [切り替えなし]では、減価償却費が定率法による計算の結果より大きくなった時に、自動的に定額法に切り替えるか論理値で指定する。TRUE は切り替えを行わず、FALSE または省略時は、切り替えが行われる。

財務　減価償却費　365 2021 2019 2016

ストレート・ライン

SLN

定額法で減価償却費を求める

定額法を使用して、資産の 1 期あたりの減価償却費を返す。ここで使われている定額法は 2007 年 3 月 31 日以前に取得した資産に適用される。

書式：　SLN(取得価額, 残存価額, 耐用年数)

- [取得価額]では、資産購入時の価格を指定する。
- [残存価額]では、耐用年数が終了時点の資産価格を指定する。
- [耐用年数]では、資産の耐用年数を指定する。

財務　減価償却費　365 2021 2019 2016

サム・オブ・イヤーズ・ディジッツ

SYD

減価償却費を算術級数法で求める

算術級数法を使用して、特定の期における減価償却費を返す。

書 式：　SYD(取得価額, 残存価額, 耐用年数, 期)

- [取得価額]では、資産購入時の価格を指定する。
- [残存価額]では、耐用年数が終了時の資産価格を指定する。
- [耐用年数]では、資産の耐用年数を指定する。
- [期]では、減価償却費を求める期を指定する。

財務　減価償却費　365 2021 2019 2016

アモリティスモン・デクレレシフ・コンスタビリテ / アモリティスモン・リネール・コンスタビリテ

AMORDEGRC / AMORLINC

フランスの会計システムで減価償却費を求める

フランスの会計システムで各会計期における減価償却費を返す。資産を会計期の途中に購入した場合、日割り計算による減価償却費が計上される。ただし、AMORDEGRC 関数は、資産の耐用年数に応じて一定の減価償却係数が計算に適用される。

書 式：　AMORDEGRC(取得価額, 購入日, 開始期, 残存価額, 期, 率, [基準])
AMORLINC(取得価額, 購入日, 開始期, 残存価額, 期, 率, [基準])

- [取得価額]では、資産の購入価格を指定する。
- [購入日]では、資産の購入日を指定する。
- [開始期]では、最初の会計期が終了する日付を指定する。
- [残存価額]では、耐用年数が終了した時点での資産の価格を指定する。
- [期]では、会計年度を指定する。
- [率]では、減価償却率を指定する。
- [基準]では、1 年を何日として計算するかを指定する(下表参照)。

基準(1年の日数)

基準	1 年の日数
0 または省略	360 日（NASD 方式）
1	実際の日数
3	365 日
4	360 日（ヨーロッパ方式）

財務 証券

365 2021 2019 2016

デュレーション
DURATION

利付債のデュレーションを求める

利付債で額面を 100 と仮定するマコーレー・デュレーションを求める。

書 式： DURATION(受渡日, 満期日, 利率, 利回り, 頻度,[基準])

- [受渡日]では、債券の受渡日(購入日)を指定する。
- [満期日]では、債券の満期日(償還日)を指定する。
- [利率]では、債券の年利を指定する。
- [利回り]では、債券の利回りを指定する。
- [頻度]では、年間の利払回数を指定する。年 1 回の場合は 1、年 2 回の場合は 2、四半期ごとの場合は 4 を指定する。
- [基準]では、計算に使用する基準日数(月 / 年)を示す数値を指定する(下表参照)。

基準(月 / 年)

基準	基準日数 (月 / 年)
0 または省略	30 日 /360 日 (NASD 方式)
1	実際の日数 / 実際の日数
2	実際の日数 /360 日
3	実際の日数 /365 日
4	30 日 /360 日 (ヨーロッパ方式)

Hint DURATION 関数と MDURATION 関数は、次のような関係になる。

$$\frac{\text{DURATION}}{1+\left(\dfrac{\text{市場利回り}}{\text{年間の利息支払}}\right)}=\text{MDURATION}$$

モディファイド・デュレーション

MDURATION

利付債の修正デュレーションを求める

利付債で額面を 100 と仮定する修正マコーレー・デュレーションを求める。

書 式：　MDURATION（受渡日, 満期日, 利率, 利回り, 頻度,[基準]）

- [受渡日]では、債券の受渡日（購入日）を指定する。
- [満期日]では、債券の満期日（償還日）を指定する。
- [利率]では、債券の年利を指定する。
- [利回り]では、債券の利回りを指定する。
- [頻度]では、年間の利払回数を指定する。年 1 回の場合は 1、年 2 回の場合は 2、四半期ごとの場合は 4 を指定する。
- [基準]では、計算に使用する基準日数（月 / 年）を示す数値を指定する（p.300 表参照）。

COLUMN

債券について

債券とは、国、地方公共団体、金融機関、一般企業が投資家から資金を借り入れ、その代わりに利子（クーポン）の支払や元本の返済を約束して発行する有価証券のこと。

債券の形態には、「利付債」と「割引債」がある。利付債は、額面金額で発行され、一定の期間ごとに利息（クーポン）が支払われ、償還日（満期日）に額面金額で償還される債券のこと。割引債は、額面金額より割り引かれた価格で発行され、償還期日に額面金額で償還される、利息が 0 の債券のこと。

また、債券には「新発債」と「既発債」がある。新発債とは、新規に発行される債券で、発行価格で取引される。既発債とは転売されて市場に出回っている債券のことで、時価にて取引される。

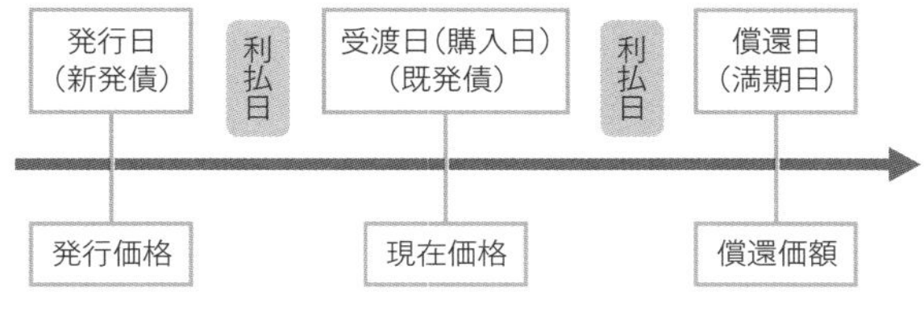

財務　証券　365　2021　2019　2016

オッド・ファースト・イールド / オッド・ラスト・イールド

ODDFYIELD / ODDLYIELD

最初や最後の利払期間が半端な利付債の利回りを求める

ODDFYIELD 関数は最初の利払期間が半端な利付債を満期日まで保有した場合に得られる利回りを返す。ODDLYIELD 関数は、最終の利払期間が半端な利付債を満期日まで保有した場合に得られる利回りを返す。

書 式： ODDFYIELD(受渡日, 満期日, 発行日, 初回利払日, 利率, 価格, 償還価額, 頻度,[基準])
ODDLYIELD(受渡日, 満期日, 最終利払日, 利率, 価格, 償還価額, 頻度,[基準])

- [受渡日]では、債券の受渡日(購入日)を指定する。
- [満期日]では、債券の満期日(支払期日)を指定する。
- [発行日]では、債券の発行日を指定する。
- [初回利払日]、[最終利払日]では、債券の最初、最後の利払日を指定する。
- [利率]では、債券の利率を指定する。
- [価格]では、額面 100 に対する債券の価格を指定する。
- [償還価額]では、額面 100 に対する債券の償還価額を指定する。
- [頻度]では、年間の利息支払回数を指定する。年 1 回の場合は 1、年 2 回の場合は 2、四半期ごとの場合は 4 を指定する。
- [基準]では、計算に使用する基準日数(月 / 年)を示す数値を指定する(p.308 表参照)。

使用例 1 最初の利払い期間が半端な利付債の利回りを求める

	A	B	C	D	E
1	受渡日	満期日	発行日	初回利払日	
2	2020/10/15	2025/3/1	2020/3/1	2021/3/1	
3	利率	価格(現在)	償還価額	頻度(年2回)	利回り
4	3.50%	80	100	2	9.13%
5					

式 **=ODDFYIELD(A2,B2,C2,D2,A4,B4,C4,D4)**

説明 最初の利払い期間が半端な利付債の利回りを算出。

Hint ODDFYIELD 関数は「満期日 > 初回利払日 > 受渡日 > 発行日」の順、ODDLYIELD 関数は「満期日 > 受渡日 > 最終利払日」の順になっている必要がある。

オッド・ファースト・プライス / オッド・ラスト・プライス

ODDFPRICE / ODDLPRICE

最初や最後の利払期間が半端な利付債の現在価格を求める

ODDFPRICE 関数は最初の利払期間が半端な利付債の満期日までの利回りに対して額面 100 あたりの現在価格を返す。ODDLPRICE 関数は、最終の利払期間が半端な利付債の満期日までの利回りに対して額面 100 あたりの現在価格を返す。

書 式： ODDFPRICE(受渡日, 満期日, 発行日, 初回利払日, 利率, 利回り, 償還価額, 頻度,[基準])
ODDLPRICE(受渡日, 満期日, 最終利払日, 利率, 利回り, 償還価額, 頻度,[基準])

- [受渡日]では、債券の受渡日を指定する。
- [満期日]では、債券の満期日(支払期日)を指定する。
- [発行日]では、債券の発行日を指定する。
- [初回利払日]、[最終利払日]では、債券の最初、最後の利払日を指定する。
- [利率]では、債券の利率を指定する。
- [利回り]では、債券の利回りを指定する。
- [償還価額]では、額面 100 に対する債券の償還価額を指定する。
- [頻度]では、年間の利息支払回数を指定する。年 1 回の場合は 1、年 2 回の場合は 2、四半期ごとの場合は 4 を指定する。
- [基準]では、基準日数(月 / 年)を示す数値を指定する(p.308 表参照)。

Hint ODDFPRICE 関数は「満期日 > 初回利払日 > 受渡日 > 発行日」の順、ODDLPRICE 関数は「満期日 > 受渡日 > 最終利払日」の順になっている必要がある。

使用例 1 最初の利払い期間が半端な利付債の現在価格を求める

	A	B	C	D	E
1	受渡日	満期日	発行日	初回利払日	
2	2020/10/15	2025/3/1	2020/3/1	2021/3/1	
3	利率	利回り	償還価額	頻度(年2回)	現在価格
4	3.50%	6%	100	2	90.46
5					

式 =ODDFPRICE(A2,B2,C2,D2,A4,B4,C4,D4)

説明 最初の利払い期間が半端な利付債の現在価格を算出。

アクルート・インタレスト
ACCRINT
利付債の経過利息を求める
利付債の受渡日までに発生する経過利息(未収利息)を求める。

書 式: ACCRINT(発行日, 初回利払日, 受渡日, 利率, 額面, 頻度, [基準],[計算方式])

- [発行日]では、債券の発行日を指定する。
- [初回利払日]では、債券の最初の利払日を指定する。
- [受渡日]では、債券の受渡日(購入日)を指定する。
- [利率]では、債券の利率を指定する。
- [額面]では、債券の額面を指定する。
- [頻度]では、年間の利息支払回数を指定する。
- [基準]では、基準日数(月 / 年)を示す数値を指定する(p.308 表参照)。
- [計算方式]では、受渡日が初回利払日より後になる場合の経過利息の合計の計算に使用する方法を論理値で指定する。TRUE または 1 の場合は、発行日から受渡日までの経過利息の合計が返される。FALSE または 0 の場合は、初回利払日から受渡日までの経過利息が返される。省略時は TRUE とみなされる。

使用例 1 利付債の発行日から受渡日までの経過利息を求める

	A	B	C	D	E
1	発行日	初回利払日	受渡日		
2	2019/9/1	2020/3/1	2021/10/15		
3	利率	額面(償還価格)	頻度(年2回)	基準	計算方式
4	2.00%	100	2	1	TRUE
5	経過利息				
6	4.24				
7					

式 =ACCRINT(A2,B2,C2,A4,B4,C4,D4,E4)

説明 発行日 2019/9/1 から受渡日 2021/10/15 までの経過利息を求めている。

アクルート・インタレスト・マチュリティ

ACCRINTM

満期利付債の経過利息を求める

満期日に利息が支払われる債券(満期利付債)の発行日から受渡日までの経過利息を求める。

書式: ACCRINTM(発行日, 受渡日, 利率, 額面,[基準])

- [発行日]では、債券の発行日を指定する。
- [受渡日]では、債券の受渡日(購入日)を指定する。
- [利率]では、債券の年間利率を指定する。
- [額面]では、債券の額面を指定する。
- [基準]では、基準日数(月 / 年)を示す数値を指定する(p.308 表参照)。

使用例 1 満期利付債の発行日から受渡日までの経過利息を求める

	A	B	C	D	E	F	G
1	発行日	受渡日	利率	額面価格	基準	経過利息	
2	2016/4/15	2021/9/15	2.00%	100	1	10.834	
3							
4							

式 =ACCRINTM(A2,B2,C2,D2,E2)

説明 発行日 2016/4/15 から受渡日 2021/9/15 の経過利息を求めている。

Hint [受渡日]に満期日を指定すると、発行日から満期日までの経過利息が求められる。

財務　証券　365　2021　2019　2016

イールド
YIELD

利付債の利回りを求める

利付債を満期日まで保有した場合に得られる利回りを求める。

書 式：　YIELD(受渡日, 満期日, 利率, 現在価値, 償還価額, 頻度, [基準])

- [受渡日]では、債券の受渡日(購入日)を指定する。
- [満期日]では、債券の満期日(償還日)を指定する。
- [利率]では、債券の年間利率を指定する。
- [現在価格]では、額面 100 に対する債券の現在価格を指定する。
- [償還価額]では、額面 100 に対する債券の償還価額を指定する。
- [頻度]では、年間の利息支払回数を指定する。
- [基準]では、基準日数(月 / 年)を示す数値を指定する(p.308 表参照)。

使用例 1 利付債の利回りを求める

	A	B	C	D	E	F	G
1	受渡日	満期日	利率	現在価格	償還価額	頻度	利回り
2	2017/4/1	2021/9/15	2.00%	95	100	2	3.214%
3							

式 =YIELD(A2,B2,C2,D2,E2,F2,1)

説明 受渡日 2017/4/1、満期日 2021/9/15、利率 2% の利付債の利回りを求める。

プライス
PRICE

利付債の現在価格を求める

利付債の額面 100 あたりの現在価格を求める。

書 式：　PRICE(受渡日, 満期日, 利率, 利回り, 償還価額, 頻度,[基準])

- [受渡日]では、債券の受渡日(購入日)を指定する。
- [満期日]では、債券の満期日(償還日)を指定する。
- [利率]では、債券の年間利率を指定する。
- [利回り]では、債券の利回りを指定する。
- [償還価額]では、額面 100 に対する債券の償還価額を指定する。
- [頻度]では、年間の利息支払回数を指定する。
- [基準]では、基準日数(月 / 年)を示す数値を指定する(p.308 表参照)。

使用例 1 利付債の現在価値を求める

	A	B	C	D	E	F	G
1	受渡日	満期日	利率	利回り	償還価額	頻度	現在価格
2	2016/9/15	2021/4/1	2.00%	3.00%	100	2	95.78
3							
4							

式 =PRICE(A2,B2,C2,D2,E2,F2,1)

説明　受渡日 2016/9/15、満期日 2021/4/1、利率 2%、利回り 3% の利付債の現在価格を求める。

関連　PRICEMAT　満期利付債の現在価格を求める ➡ p.316

財務　証券　365　2021　2019　2016

ディスカウント
DISC

割引債の割引率を求める

割引債の割引率を返す。割引債とは、利息がない代わりに利息相当額を額面から差し引いて発行され、満期日（償還日）には満額受け取ることができる債券。

書 式： DISC（受渡日, 満期日, 現在価格, 償還価額,[基準]）

- [受渡日]では、債券の受渡日（購入日）を指定する。
- [満期日]では、債券の満期日（償還日）を指定する。
- [現在価格]では、額面 100 に対する債券の現在価格を指定する。
- [償還価額]では、額面 100 に対する債券の償還価額を指定する。
- [基準]では、計算に使用する基準日数（月 / 年）を示す数値を指定する（p.308 表参照）。

財務　証券　365　2021　2019　2016

プライス・ディスカウント・セキュリティ
PRICEDISC

割引債の現在価格を求める

割引証券の額面 100 あたりの現在価格を返す。

書 式： PRICEDISC（受渡日, 満期日, 割引率, 償還価額,[基準]）

- [受渡日]では、債券の受渡日（購入日）を指定する。
- [満期日]では、債券の満期日（償還日）を指定する。
- [割引率]では、債券の割引率を指定する。
- [償還価額]では、額面 100 に対する債券の償還価額を指定する。
- [基準]では、計算に使用する基準日数（月 / 年）を示す数値を指定する（p.308 表参照）。

財務　証券　365　2021　2019　2016

イントレート
INTRATE

割引債の利回りを求める

割引債を満期日まで保有した場合の利回りを求める。

書 式： INTRATE（受渡日, 満期日, 投資額, 償還価額, [基準]）

- [受渡日]では、債券の受渡日（購入日）を指定する。
- [満期日]では、債券の満期日（償還日）を指定する。
- [投資額]では、債券の投資額（現在価格）を指定する。
- [償還価額]では、額面 100 に対する債券の償還価額を指定する。
- [基準]では、計算に使用する基準日数（月 / 年）を示す数値を指定する（p.308 表参照）。

関連　RECEIVED　割引債の償還価額を求める ➡ p.309

財務　証券　365 2021 2019 2016

レシーブド
RECEIVED

割引債の償還価額を求める

割引債の満期日に受け取る償還価額を求める。

書式： RECEIVED(受渡日, 満期日, 投資額, 割引率,[基準])

- [受渡日]では、債券の受渡日(購入日)を指定する。
- [満期日]では、債券の満期日(償還日)を指定する。
- [投資額]では、債券の投資額(現在価格)を指定する。
- [割引率]では、債券の割引率を指定する。
- [基準]では、計算に使用する基準日数(月 / 年)を示す数値を指定する(p.308 表参照)。

使用例 1 割引債の満期日に受け取る償還価額を求める

	A	B	C	D	E	F	G
1	受渡日	満期日	投資額	割引率	基準	償還価額	
2	2020/9/1	2025/9/1	95	2.00%	1	105.551	
3							

式 =RECEIVED(A2,B2,C2,D2,E2)

説明 満期日 2025/9/1、割引率 2％、投資額 95 の割引債を、受渡日 2020/9/1 に投資額 95 で購入した割引債の償還価額を求める。

財務　証券　365　2021　2019　2016

プライス・アット・マチュリティ

PRICEMAT

満期利付債の現在価格を求める

満期日に利息が支払われる債券（満期利付債）の額面100あたりの現在価格を返す。

書 式：　PRICEMAT(受渡日, 満期日, 発行日, 利率, 利回り,[基準])

- [受渡日]では、債券の受渡日(購入日)を指定する。
- [満期日]では、債券の満期日(償還日)を指定する。
- [発行日]では、債券の発行日を指定する。
- [利率]では、債券の年間利率を指定する。
- [利回り]では、債券の利回りを指定する。
- [基準]では、基準日数(月 / 年)を示す数値を指定する(p.308 表参照)。

使用例 1 満期利付債の現在価格を求める

	A	B	C	D	E	F	G
1	受渡日	満期日	発行日	利率	利回り	基準	現在価格
2	2020/9/15	2025/4/1	2020/4/1	1.50%	2.00%	1	97.865
3							

式 =PRICEMAT(A2,B2,C2,D2,E2,F2)

説明　利率 1.5％、利回り 2％ の満期付債の額面 100 あたりの現在価格を求める。

関連　YIELDMAT　満期利付債の利回りを求める ➡ p.319

財務　証券　365 2021 2019 2016

イールド・アット・マチュリティ

YIELDMAT

満期利付債の利回りを求める

満期日に利息が支払われる債券（満期利付債）の利回りを返す。

書 式： YIELDMAT(受渡日, 満期日, 発行日, 利率, 現在価格,[基準])

- [受渡日]では、債券の受渡日（購入日）を指定する。
- [満期日]では、債券の満期日（償還日）を指定する。
- [発行日]では、債券の発行日を指定する。
- [利率]では、債券の年間利率を指定する。
- [現在価格]では、額面 100 に対する債券の現在価格を指定する。
- [基準]では、基準日数（月 / 年）を示す数値を指定する（p.308 表参照）。

財務　証券　365 2021 2019 2016

ディスカウント・イールド

YIELDDISC

割引債の年利回りを求める

割引債を満期日まで保有した場合の年利回りを返す。

書 式： YIELDDISC(受渡日, 満期日, 現在価格, 償還価額,[基準])

- [受渡日]では、債券の受渡日（購入日）を指定する。
- [満期日]では、債券の満期日（償還日）を指定する。
- [現在価格]では、額面 100 に対する債券の現在価格を指定する。
- [償還価額]では、額面 100 に対する債券の償還価額を指定する。
- [基準]では、計算に使用する基準日数（月 / 年）を示す数値を指定する（p.308 表参照）。

財務　利払期間　365　2021　2019　2016

クーポン・プリービアス・クーポン・デート / クーポン・ネクストクーポン・デート

COUPPCD / COUPNCD

利付債の受渡日直前または直後の利払日を求める

COUPPCD 関数は、利付債の受渡日直前の利払日を返す。COUPNCD 関数は、利付債の受渡日直後の利払日を返す。日付がシリアル値で返るため、必要に応じて日付の表示形式を設定する必要がある。

書 式： COUPPCD(受渡日, 満期日, 頻度,[基準])
COUPNCD(受渡日, 満期日, 頻度,[基準])

- [受渡日]では、債券の受渡日(購入日)を指定する。
- [満期日]では、債券の満期日(償還日)を指定する。
- [頻度]では、年間の利息支払回数を指定する。
- [基準]では、計算に使用する基準日数(月 / 年)を示す数値を指定する(p.308 表参照)。

使用例 1 利付債の受渡日直前と直後の利払日を求める

	A	B	C	D	E	F
1	受渡日	満期日	頻度	基準	直前の利払日	直後の利払日
2	2020/9/15	2025/4/1	4	1	2020/7/1	2020/10/1
3	2020/12/15	2025/4/1	4	1	2020/10/1	2021/1/1
4						

式 =COUPPCD(A2,B2,C2,D2)

式 =COUPNCD(A2,B2,C2,D2)

説明　セル E2 は、COUPPCD 関数で受渡日 2020/9/15、満期日 2025/4/1、頻度 4 の利付債の受渡日直前の利払日を求める。セル F2 は、COUPNCD 関数で同様に利付債の受渡日直後の利払日を求める。

クーポン・ナンバー
COUPNUM

利付債の受渡日と満期日の間の利払回数を求める

利付債の受渡日と満期日の間に利息が支払われる回数を返す。端数が出た場合は切り上げられる。

書 式：　COUPNUM(受渡日, 満期日, 頻度,[基準])

- [受渡日]では、債券の受渡日(購入日)を指定する。
- [満期日]では、債券の満期日(償還日)を指定する。
- [頻度]では、年間の利息支払回数を指定する。
- [基準]では、計算に使用する基準日数(月 / 年)を示す数値を指定する(p.308 表参照)。

使用例 1 利付債の受渡日と満期日の間の利払回数を求める

	A	B	C	D	E	F
1	受渡日	満期日	頻度	基準	利払回数	
2	2020/9/15	2025/4/1	4	1	19	
3						

式 =COUPNUM(A2,B2,C2,D2)

説明　受渡日 2020/9/15、満期日 2025/4/1、頻度 4 の利付債の利払回数を求める。

クーポン・デイズ・ビギニング・トゥ・セトルメント / クーポン・デイズ・セトルメント・トゥ・ネクスト・クーポン

COUPDAYBS / COUPDAYSNC

直前または直後の利払日と受渡日までの日数を求める

COUPDAYBS 関数は、利付債の受渡日の直前の利払日から受渡日までの日数を返す。COUPDAYSNC 関数は、利付債の受渡日から直後の利払日までの日数を返す。

書 式: **COUPDAYBS(受渡日, 満期日, 頻度,[基準])**
COUPDAYSNC(受渡日, 満期日, 頻度,[基準])

- [受渡日]では、債券の受渡日(購入日)を指定する。
- [満期日]では、債券の満期日(償還日)を指定する。
- [頻度]では、年間の利息支払回数を指定する。
- [基準]では、計算に使用する基準日数(月 / 年)を示す数値を指定する(p.308 表参照)。

使用例 1 直前と直後の利払日と受渡日までの日数を求める

	A	B	C	D	E	F
1	受渡日	満期日	頻度	基準	受渡日と前の利払日までの日数	受渡日と次の利払日までの日数
2	2020/9/15	2025/4/1	4	1	76	16
3	2020/12/15	2025/4/1	4	1	75	17
4						

式 =COUPDAYBS(A2,B2,C2,D2)

式 =COUPDAYSNC(A2,B2,C2,D2)

説明 セル E2 は、COUPDAYBS 関数で受渡日 2020/9/15、満期日 2025/4/1、頻度が 4 の利付債の受渡日の直前の利払日から受渡日までの日数を求める。セル F2 は、COUPDAYSNC 関数で同様に受渡日から直後の利払日までの日数を求める。

クーポン・デイズ

COUPDAYS

受渡日が含まれる利払期間の日数を求める

利付債の受渡日を含む利払期間の日数を返す。

書 式： COUPDAYS（受渡日, 満期日, 頻度,[基準]）

- [受渡日]では、債券の受渡日(購入日)を指定する。
- [満期日]では、債券の満期日(償還日)を指定する。
- [頻度]では、年間の利息支払回数を指定する。
- [基準]では、基準日数(月 / 年)を示す数値を指定する(p.308 表参照)。

使用例 1 利付債の受渡日を含む利払期間の日数を求める

	A	B	C	D	E	F
1	受渡日	満期日	頻度	基準	日数	
2	2020/9/15	2025/4/1	4	1	92	
3						

式 =COUPDAYS(A2,B2,C2,D2)

説明　受渡日 2020/9/15、満期日 2025/4/1、頻度 4 の利付債の受渡日を含み次の利払日までの日数を求める。

財務 米国財務省短期証券 365 2021 2019 2016

トレジャリー・ビル・エクイバレント・イールド

TBILLEQ

米国財務省短期証券の債券換算利回りを求める

米国財務省短期証券を満期日まで保有した場合に、通常の債券に換算した値で利回りを返す。

書 式： TBILLEQ(受渡日, 満期日, 割引率)

- [受渡日]では、債券の受渡日(購入日)を指定する。
- [満期日]では、債券の満期日(償還日)を指定する。
- [割引率]では、債券の割引率を指定する。

財務 米国財務省短期証券 365 2021 2019 2016

トレジャリー・ビル・プライス

TBILLPRICE

米国財務省短期証券の現在価格を求める

米国財務省短期証券の額面 100 あたりの現在価格を返す。

書 式： TBILLPRICE(受渡日, 満期日, 割引率)

- [受渡日]では、債券の受渡日(購入日)を指定する。
- [満期日]では、債券の満期日(償還日)を指定する。
- [割引率]では、債券の割引率を指定する。

財務 米国財務省短期証券 365 2021 2019 2016

トレジャリー・ビル・イールド

TBILLYIELD

米国財務省短期証券の利回りを求める

米国財務省短期証券を満期日まで保有した場合の利回りを返す。

書 式： TBILLYIELD (受渡日, 満期日, 現在価値)

- [受渡日]では、債券の受渡日(購入日)を指定する。
- [満期日]では、債券の満期日(償還日)を指定する。
- [現在価値]では、額面 100 に対する債券の現在価値を指定する。

エンジニアリング関数

エンジニアリング関数には、メートル単位からフィート単位に数値の単位を変換できる関数や、10進数を2進数や16進数に変換するようなn進数を扱う関数やビット演算、複素数の演算など、工学の分野で使用される関数が用意されています。

エンジニアリング　単位変換　365 2021 2019 2016

コンバート
CONVERT

数値の単位を変更する

1 マイルをキロメートル単位に換算するなど、さまざまな数値の単位を別の単位に変換する。

書 式：　CONVERT(数値, 変換前単位, 変換後単位)

- [数値]では、変換する数値を指定する。
- [変換前単位]では、[数値]の単位を以下の表に示す単位を使って指定する。直接指定する場合は「"g"」のように「"」で囲んで指定する。
- [変換後]では、変換後の単位を以下の表に示す単位を使って指定する。例えば、1フィート「"ft"」をメートル「"m"」に変換する場合は、「=CONVERT(1,"ft","m")」と指定すると「0.3048」を返す。

主な単位

種類	名称	単位
重量	グラム	g
	スラグ	sg
	ポンド（常衡）	lbm
	U（原子質量単位）	u
	オンス（常衡）	ozm
	トン	ton
距離	メートル	m
	法定マイル	mi
	海里	Nmi
	インチ	in
	フィート	ft
	ヤード	yd
	オングストローム	ang
	光年	ly
	パイカ（1/6インチ）	pica

種類	名称	単位
時間	年	yr
	日	day または d
	時	hr
	分	mn または min
	秒	sec または s
圧力	パスカル	Pa または p
	気圧	atm または at
	ミリメートルHg	mmHg
物理的な力	ニュートン	N
	ダイン	dyn または dy
	ポンド フォース	lbf
エネルギー	ジュール	J
	エルグ	e
	カロリー(物理化学的熱量)	c

種類	名称	単位
エネルギー	カロリー(生理学的代謝熱量)	cal
	電子ボルト	eV または ev
	馬力時	HPh または hh
	ワット時	Wh または wh
	フィートポンド	flb
	BTU(英国熱量単位)	BTU または btu
仕事率	馬力	HP または h
	ワット	W または w
磁力	テスラ	T
	ガウス	ga
温度	摂氏	C または cel
	華氏	F または fah
	絶対温度	K または kel
容積	ティースプーン	tsp
	小さじ	tspm
	オンス	oz
	カップ	cup
	ガロン	gal
	リットル	l または L または lt
	立方メートル	m3 または m^3
	立方マイル	mi3 または mi^3
	立方フィート	ft3 または ft^3

種類	名称	単位
容積	立方インチ	in3 または in^3
	立方海里	Nmi3 または Nmi^3
	登録総トン数	GRT (regton)
領域	アール	ar
	ヘクタール	ha
	平方メートル	m2 または m^2
	平方マイル	mi2 または mi^2
	平方インチ	in2 または in^2
	平方フィート	ft2 または ft^2
	平方ヤード	yd2 または yd^2
	平方海里	Nmi2 または Nmi^2
	平方光年	ly2 または ly^2
情報	ビット	bit
	バイト	byte
速度	英国ノット	admkn
	ノット	kn
	メートル / 時	m/h または m/hr
	メートル / 秒	m/s または m/sec
	マイル / 時	mph

単位は、大文字・小文字を区別し、半角で指定する。
以下の10のべき乗に対応する略語は、[変換前単位]または、[変換後単位]の前に付けて指定できる。例えば、略語の「k」(10^3)と、単位の「g」を組み合わせて「kg」のように使える。

10のべき乗に対応する略語

接頭辞		10のべき乗	略語
yotta	ヨタ	1E+24	Y
zetta	ゼタ	1E+21	Z
exa	エクサ	1E+18	E
peta	ペタ	1E+15	P
tera	テラ	1E+12	T
giga	ギガ	1E+09	G
mega	メガ	1E+06	M
kilo	キロ	1E+03	k
hecto	ヘクト	1E+02	h
deca	デカ	1E+01	e

接頭辞		10のべき乗	略語
deci	デシ	1E-01	d
centi	センチ	1E-02	c
milli	ミリ	1E-03	m
micro	マイクロ	1E-06	u
nano	ナノ	1E-09	n
ico	ピコ	1E-12	p
femto	フェムト	1E-15	f
atto	アト	1E-18	a
zepto	ゼプト	1E-21	z
yocto	ヨクト	1E-24	y

※[10のべき乗]で「1E+24」は「10^{24}」を意味する。

使用例 1 数値をいろいろな単位に変換する

	A	B	C	D	E	F	G
1	数値	変換前単位			変換後	変換後単位	
2	1	ozm	オンス	→	28.34952313	g	グラム
3	1	ft	フィート	→	0.3048	m	メートル
4	1	day	日	→	1440	min	分
5	1	C	摂氏(°C)	→	33.8	F	華氏(°F)
6	1	ha	ヘクタール	→	10000	m2	平方メートル
7	1	kn	ノット	→	1852	m/h	時速(m)
8							

式 **=CONVERT(A2,B2,F2)**

説明 1(A2)オンス(ozm)(B2)をグラム(g)(F2)に変換した結果を求める。

デルタ
DELTA

2つの数値が等しいかどうか調べる

引数で指定した2つの数値が等しいかどうかを調べ、等しい場合は1、等しくない場合は0を返す。

書式： DELTA(数値1,[数値2])

- [数値1]では、比較したい一方の数値を指定する。
- [数値2]では、比較したいもう一方の数値を指定する。省略時は0を指定したとみなす。

Hint 例えば、「=DELTA(5,4)」と指定した場合、等しくないため「0」を返す。

エンジニアリング 数値比較 365 2021 2019 2016

ジー・イー・ステップ
GESTEP

数値が閾(しきい)値以上かどうか調べる

引数で指定した数値と閾値を比較し、数値が閾値以上の場合は1を返し、閾値より小さい場合は0を返す。閾値とは、境目となる値のこと。

書式： GESTEP(数値, [しきい値])

- [数値]では、閾値と比較する数値を指定する。
- [閾値]では、閾値にする数値を指定する。省略時は0とみなす。

Hint 例えば、「=GESTEP(5,4)」と指定した場合、数値(5)が閾値(4)より大きいため「1」を返す。

エンジニアリング　基数変換　365　2021　2019　2016

デシマル・トゥ・バイナリ

DEC2BIN

10 進数を 2 進数に変換する

10 進数表記の数値を、指定した桁数で 2 進数表記に変換した文字列を返す。

書 式： DEC2BIN(数値,[桁数])

- [数値]では、2 進数に変換したい 10 進数の整数を指定する。-512 以上 511 以下の整数で指定する。
- [桁数]では、変換後の桁数を指定する。結果が桁数に満たないときは、指定した桁数になるまで先頭に「0」が付加される。桁数を省略すると、必要最小限の桁数で表記される。なお、負の数を指定した場合は、常に 10 桁で表示される。

使用例

例	意味	戻り値
=DEC2BIN(5,5)	10 進数の 5 を 5 桁の 2 進数に変換	00101
=DEC2BIN(-5)	10 進数の -5 を 2 進数に変換	1111111011

エンジニアリング　基数変換　365　2021　2019　2016

デシマル・トゥ・オクタル

DEC2OCT

10 進数を 8 進数に変換する

10 進数表記の数値を、指定した桁数で 8 進数表記に変換した文字列を返す

書 式： DEC2OCT(数値,[桁数])

- [数値]では、8 進数に変換したい 10 進数の整数を指定する。–536,870,912 以上、536,870,911 以下の整数で指定する。
- [桁数]では、変換後の桁数を指定する。結果が桁数に満たないときは、指定した桁数になるまで先頭に「0」が付加される。桁数を省略すると、必要最小限の桁数で表記される。なお、負の数を指定した場合は、常に 10 桁で表示される。

使用例

例	意味	戻り値
=DEC2OCT(10,5)	10 進数の 10 を 5 桁の 8 進数に変換	00012
=DEC2OCT(-10)	10 進数の－10 を 8 進数に変換	7777777766

◤COLUMN

n 進法

「n 進法」とは、1 桁の数を n 種類の文字を使って表す方法。n 進法で表現された値を「n 進数」といい、n の部分には数が入る。例えば、10 進数は「0,1,2,3,4,5,6,7,8,9」の 10 個の数を使用する。最大値である 9 を超えると桁が 1 つ上がって 10 になる。

10 進数以外によく使われるものに、2 進数、8 進数、16 進数がある。2 進数は「0,1」の 2 種類、8 進数は「0,1,2,3,4,5,6,7」の 8 種類、16 進数は「0,1,2,3,4,5,6,7,8,9,A,B,C,D,E,F」の 16 種類の文字を使い、それぞれの最大値である「1」、「7」、「F」を超えると桁が 1 つ上がる。

・10 進数を n 進数に変換する計算

10 進数の数値を n 進数に変換するには、10 進数の数値を n で割った余りと、最後の商を並べる。例えば、10 進数の「5」を 2 進数に変換する場合、下図のように 2 で順番に割り、余りと最後の商を並べて「101」が求められる。

```
2) 5    余り
2) 2 …1
商 1 …0
   ↓  ↓  ↓
   1  0  1
```

・n 進数を 10 進数に変換する計算

n 進数を 10 進数に変換するには以下の方法で計算できる。例えば、2 進数の「1101」を 10 進数に変換する場合、一の位は 2^0、十の位は 2^1、百の位は 2^2、千の位は 2^3 でそれぞれ掛けて加算する。結果、10 進数では「13」が求められる。

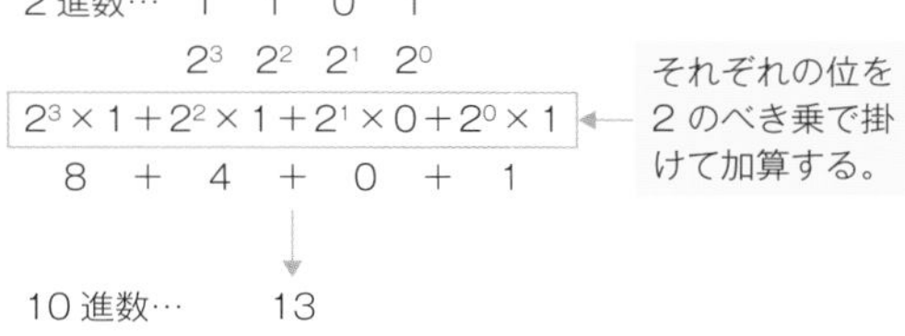

エンジニアリング　基数変換　365 2021 2019 2016

デシマル・トゥ・ヘキサデシマル

DEC2HEX

10 進数を 16 進数に変換する

10 進数表記の数値を、指定した桁数で 16 進数表記に変換した文字列を返す。

書 式：　DEC2HEX(数値,[桁数])

- [数値]では、16 進数に変換したい 10 進数の整数を指定する。-549,755,813,888 以上、549,755,813,887 以下の整数で指定する。
- [桁数]では、変換後の桁数を指定する。結果が桁数に満たないときは、指定した桁数になるまで先頭に「0」が付加される。桁数を省略すると、必要最小限の桁数で表記される。なお、負の数を指定した場合は、常に 10 桁で表示される。

使用例

例	意味	戻り値
=DEC2HEX(45,5)	10 進数の 45 を 5 桁の 16 進数に変換	0002D
=DEC2HEX(-10)	10 進数の－10 を 16 進数に変換	FFFFFFFFF6

エンジニアリング　基数変換　365 2021 2019 2016

バイナリ・トゥ・オクタル

BIN2OCT

2 進数を 8 進数に変換する

2 進数表記の数値を、指定した桁数で 8 進数表記に変換した文字列を返す。

書 式：　BIN2OCT(数値,[桁数])

- [数値]では、8 進数に変換したい 2 進数の整数を指定する。使用できる文字数は 10 桁まで。1000000000(-512)より小さい負の数や、111111111(511)より大きい正の数を指定できない。
- [桁数]では、変換後の桁数を指定する。結果が桁数に満たないときは、指定した桁数になるまで先頭に「0」が付加される。桁数を省略すると、必要最小限の桁数で表記される。なお、負の数を指定した場合は、常に 10 桁で表示される。

使用例

例	意味	戻り値
=BIN2OCT(1010,3)	2 進数の 1010 を 3 桁の 8 進数に変換	012
=BIN2OCT(11111)	2 進数の 11111 を 8 進数に変換	37

エンジニアリング　基数変換　365 2021 2019 2016

バイナリ・トゥ・デシマル

BIN2DEC

2 進数を 10 進数に変換する

2 進数表記の数値を、10 進数表記に変換した数値を返す。

書 式： BIN2DEC(数値)

[数値]では、10 進数に変換したい 2 進数の整数を指定する。指定できる文字数は 10 桁まで。1000000000(-512)より小さい負の数や、111111111(511)より大きい正の数を指定できない。

使用例

例	意味	戻り値
=BIN2DEC(1010)	2 進数の 1010 を 10 進数に変換	10
=BIN2DEC(11111)	2 進数の 11111 を 10 進数に変換	31

エンジニアリング　基数変換　365 2021 2019 2016

バイナリ・トゥ・ヘキサデシマル

BIN2HEX

2 進数を 16 進数に変換する

2 進数表記の数値を、指定した桁数で 16 進数表記に変換した文字列を返す。

書 式： BIN2HEX(数値,[桁数])

- [数値]では、16 進数に変換したい 2 進数の整数を指定する。指定できる文字数は 10 桁まで。1000000000(-512)より小さい負の数や、111111111(511)より大きい正の数を指定できない。
- [桁数]では、変換後の桁数を指定する。結果が桁数に満たないときは、指定した桁数になるまで先頭に「0」が付加される。桁数を省略すると、必要最小限の桁数で表記される。なお、負の数を指定した場合は、常に 10 桁で表示される。

使用例

例	意味	戻り値
=BIN2HEX(1010,3)	2 進数の 1010 を 3 桁の 16 進数に変換	00A
=BIN2HEX(11111)	2 進数の 11111 を 16 進数に変換	1F

エンジニアリング　基数変換　365　2021　2019　2016

オクタル・トゥ・バイナリ

OCT2BIN

8進数を2進数に変換する

8進数表記の数値を、指定した桁数で2進数表記に変換した文字列を返す。

書式：　OCT2BIN(数値,[桁数])

- [数値]では、2進数に変換したい8進数の整数を指定する。指定できる文字数は10文字まで。7777777000(-512)より小さい負の数や、777(512)より大きい正の数を指定できない。
- [桁数]では、変換後の桁数を指定する。結果が桁数に満たないときは、指定した桁数になるまで先頭に「0」が付加される。桁数を省略すると、必要最小限の桁数で表記される。なお、負の数を指定した場合は、常に10桁で表示される。

使用例

例	意味	戻り値
=OCT2BIN(5,5)	8進数の5を5桁の2進数に変換	00101
=OCT2BIN(7777777000)	8進数の7777777000を2進数に変換	1000000000

エンジニアリング　基数変換　365　2021　2019　2016

オクタル・トゥ・デシマル

OCT2DEC

8進数を10進数に変換する

8進数表記の数値を、10進数表記に変換した数値を返す。

書式：　OCT2DEC(数値)

[数値]では、10進数に変換したい8進数の整数を指定する。指定できる文字数は10文字まで。

使用例

例	意味	戻り値
=OCT2DEC(10)	8進数の10を10進数に変換	8
=OCT2DEC(7777777766)	8進数の7777777766を10進数に変換	－10

エンジニアリング　基数変換　365 2021 2019 2016

オクタル・トゥ・ヘキサデシマル

OCT2HEX

8 進数を 16 進数に変換する

8 進数表記の数値を、指定した桁数で 16 進数表記に変換した文字列を返す。

書 式：　OCT2HEX(数値,[桁数])

- [数値]では、8 進数の整数を指定する。指定できる文字数は 10 文字まで。
- [桁数]では、変換後の桁数を指定する。結果が桁数に満たないときは、指定した桁数になるまで先頭に「0」が付加される。桁数を省略すると、必要最小限の桁数で表記される。なお、負の数を指定した場合は、常に 10 桁で表示される。

使用例

例	意味	戻り値
=OCT2HEX(100,4)	8 進数の 100 を 4 桁の 16 進数に変換する。	0040
=OCT2HEX(7777777533)	8 進数の 7777777533 を 16 進数形式に変換する。	FFFFFFFF5B

エンジニアリング　基数変換　365 2021 2019 2016

ヘクサデシマル・トゥ・バイナリ

HEX2BIN

16 進数を 2 進数に変換する

16 進数表記の数値を、指定した桁数で 2 進数表記に変換した文字列を返す。

書 式：　HEX2BIN(数値,[桁数])

- [数値]では、16 進数の整数を指定する。指定できる文字数は 10 文字まで。FFFFFFFE00(-512)より小さい負の数や、1FF(511)より大きい正の数を指定できない。
- [桁数]では、変換後の桁数を指定する。結果が桁数に満たないときは、指定した桁数になるまで先頭に「0」が付加される。桁数を省略すると、必要最小限の桁数で表記される。なお、負の数を指定した場合は、常に 10 桁で表示される。

使用例

例	意味	戻り値
=HEX2BIN("A",5)	16 進数の A を 5 桁の 2 進数に変換	01010
=HEX2BIN("FA")	16 進数の FA を 2 進数に変換	11111010

エンジニアリング　基数変換　365 2021 2019 2016

ヘキサデシマル・トゥ・デシマル

HEX2DEC

16 進数を 10 進数に変換する

16 進数表記の数値を、10 進数表記に変換した数値を返す。

書 式： HEX2DEC(数値)

[数値]では、16 進数の整数を指定する。指定できる文字数は 10 文字まで。

使用例

例	意味	戻り値
=HEX2DEC("A")	16 進数の A を 10 進数に変換	12
=HEX2DEC("FA")	16 進数の FA を 10 進数に変換	372

エンジニアリング　基数変換　365 2021 2019 2016

ヘキサデシマル・トゥ・オクタル

HEX2OCT

16 進数を 8 進数に変換する

16 進数表記の数値を、指定した桁数で 8 進数表記に変換した文字列を返す。

書 式： HEX2OCT(数値,[桁数])

- [数値]では、16 進数の整数を指定する。指定できる文字数は 10 文字まで。FFE0000000(-536,870,912)より小さい負の数や、1FFFFFFF(536,870,911)より大きい正の数を指定できない。
- [桁数]では、変換後の桁数を指定する。結果が桁数に満たないときは、指定した桁数になるまで先頭に「0」が付加される。桁数を省略すると、必要最小限の桁数で表記される。なお、負の数を指定した場合は、常に 10 桁で表示される。

使用例

例	意味	戻り値
=HEX2OCT("A",5)	16 進数の A を 5 桁の 2 進数に変換	00012
=HEX2OCT("FA")	16 進数の FA を 2 進数に変換	372

エンジニアリング　ビット演算　365 2021 2019 2016

ビット・アンド
BITAND

論理積を求める

2 つの数値を 2 進数で表記したときに同じ位置にあるビットが両方とも 1 の場合に 1、それ以外は 0 とする演算(AND：論理積)した結果を返す。

書 式： BITAND(数値 1, 数値 2)

[数値]では、論理積を求めたい数値を指定する。

エンジニアリング　ビット演算　365 2021 2019 2016

ビット・オア
BITOR

論理和を求める

2 つの数値を 2 進数で表記したときに同じ位置にあるビットの少なくとも 1 つが 1 の場合に 1、それ以外は 0 とする演算(OR：論理和)した結果を返す。

書 式： BITOR(数値 1, 数値 2)

[数値]では、論理和を求めたい数値を指定する。

使用例 1　2 つの数値の論理積と論理和を求める

	A	B	C	D
1		数値	2進数表記	
2	数値1	45	00101101	
3	数値2	35	00100011	
4	論理積	33	00100001	
5	論理和	47	00101111	

式 =BITAND(B2,B3)

式 =BITOR(B2,B3)

説明　セル B4 は、BITAND 関数でセル B2(45)とセル B3(35)の数値を 2 進数表記にした値の論理積の結果を求める。セル B5 は、BITOR 関数で同様に論理和の結果を求める。セル C2 とセル C3 の 2 進数表記を確認すると、BITAND 関数はどちらも 1 のものが 1 となり「00100001」、BINTOR 関数は少なくともどちらか一方が 1 のものが 1 となり「00101111」となるのがわかる。

エンジニアリング　ビット演算　365　2021　2019　2016

ビット・エクスクルーシブ・オア

BITXOR

排他的論理和を求める

2 つの数値を 2 進数で表記したときに同じ位置にあるビットの 1 つだけが 1 の場合に 1、それ以外は 0 とする演算(XOR：排他的論理和)した結果を返す。

書 式：　BITXOR(数値 1, 数値 2)

[数値]では、排他的論理和を求めたい数値を指定する。

使用例 1　2 つの数値の排他的論理和を求める

	A	B	C	D
1		数値	2進数表記	
2	数値1	45	00101101	
3	数値2	35	00100011	
4	排他的論理和	14	00001110	
5				

式　=BITXOR(B2,B3)

説明　セル B2(45)とセル B3(35)の数値を 2 進数表記にした値の排他的論理和の結果を求める。セル B2 とセル B3 を 2 進数にした数値で、1 つだけ 1 のものは「00001110」となり、これを 10 進数にすると「14」になる。

ビット・レフト・シフト / ビット・ライト・シフト

BITLSHIFT / BITRSHIFT

ビットを左シフトまたは右シフトする

数値を 2 進数で表記したとき、指定した桁数(ビット)だけ左にシフトした結果を返す。シフト後、空いた位置に 0 が入る。数値を 2 進数で表記したとき、指定した桁数(ビット)だけ右にシフトした結果を返す。シフト後、空いた位置に 0 が入る。

書 式：　**BITLSHIFT(数値, シフト数)**
　　　　　BITRSHIFT(数値, シフト数)

- [数値]では、シフトしたい数値を指定する。
- [シフト数]では、左シフトまたは右シフトする桁数(ビット)を指定する。

Hint

左シフト演算

0 0 1 0 0 0 1 1
0 0 1 0 0 0 1 1 0 0

左に 2 桁シフトし、左の 2 桁は削除され、右の空いた桁に 0 が入り、「10001100」となる。

右シフト演算

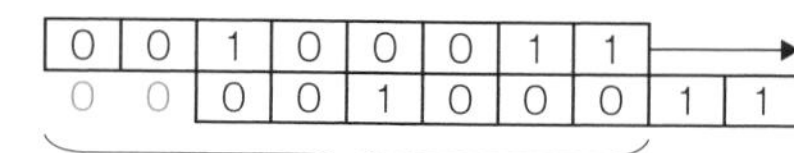

右に 2 桁シフトし、右の 2 桁は削除され、左の空いた桁に 0 が入り、「00001000」となる。

使用例 1 ビットを左右にシフトする

	A	B	C	D
1		10進数	2進数表記	
2	数値	35	00100011	
3	左シフト：2	140	10001100	
4	右シフト：2	8	00001000	

式 =BITLSHIFT(B2,2)

式 =BITRSHIFT(B2,2)

説明　セル B3 は、BITLSHIFT 関数で 10 進数の 35(B2)を 8 桁の 2 進数表記にした値を左に 2 桁シフトした結果を求める。セル B4 は、BITRSHIFT 関数で同様に右に 2 桁シフトした結果を求める。

エンジニアリング　複素数　365 2021 2019 2016

コンプレックス
COMPLEX

実数と虚数を指定して複素数を作成する

実部を「a」、虚部を「b」として、複素数「a + bi」を文字列で返す。

書式：　COMPLEX(実部, 虚部,[虚数単位])

- [実部]では、複素数の実数係数を指定する。
- [虚部]では、複素数の虚数係数を指定する。
- [虚数単位]では、複素数の虚数単位を「i」または「j」で指定する。省略時は、「i」を指定したとみなされる。

使用例1 複素数を作成する

	A	B	C	D
1	実部	虚部	複素数	
2	10	3	10+3i	
3	4	0	4	
4	0	7	7i	

式　=COMPLEX(A2,B2)

説明　セルA2を実部、セルB2を虚部として複素数(10+3i)を作成する。第3引数を省略しているので虚数単位は「i」で表示される。

エンジニアリング　複素数　365 2021 2019 2016

イマジナリー・リアル
IMREAL

複素数の実部を取り出す

文字列として指定された複素数から、実部を取り出す。

書式：　IMREAL(複素数)

[複素数]では、実部を取り出したい複素数を指定する。虚数単位は「i」または「j」を指定する。例えば、「=IMREAL("15+6i")」とすると「15」を返す。

エンジニアリング　複素数　365 2021 2019 2016

イマジナリー
IMAGINARY

複素数の虚部を取り出す

文字列として指定された複素数から、虚部を取り出す。

書式：　IMAGINARY(複素数)

[複素数]では、虚部を取り出したい複素数を指定する。虚数単位は「i」または「j」を指定する。例えば、「=IMAGINARY("15+6i")」とすると「6」を返す。

エンジニアリング　複素数　365 2021 2019 2016

イマジナリー・コンジュゲイト

IMCONJUGATE

複素数の複素共役を求める

指定した複素数の複素共役を文字列で返す。複素数「a + bi」に対して「a−bi」となるような複素数のこと。

書式： MIMCONJUGATE(複素数)

[複素数]では、複素共役を求める複素数を指定する。虚数単位は「i」または「 j 」を指定する。例えば「=IMCONJUGATE("15+6i")」とすると「15-6i」を返す。

エンジニアリング　複素数　365 2021 2019 2016

イマジナリー・アブソリュート

IMABS

複素数の絶対値を求める

指定した複素数の絶対値を返す。複素数「a+bi」の絶対値は、数式「$\sqrt{a^2+b^2}$」で求めることができる。

書式： IMABS(複素数)

[複素数]では、絶対値を求める複素数を指定する。虚数単位は「i」または「 j 」を指定する。例えば「=IMABS("3+4i")」とすると「5」を返す。

COLUMN

複素数とは

複素数は、実際に存在する数値である実数(real number)と、実際には存在しない数値である虚数(imaginary number)の組み合わせ「実数＋虚数」で表される数値。

虚数とは、2 乗すると−1 になる数値のことで、i を虚数単位として「$i^2=-1$」「$i=\pm\sqrt{-1}$」と表すことができる。複素数は、実数 a,b と虚数単位 i を使って「a+bi」と表すことができる。この式で a を「実部」、b を「虚部」という。

複素数平面

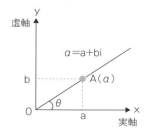

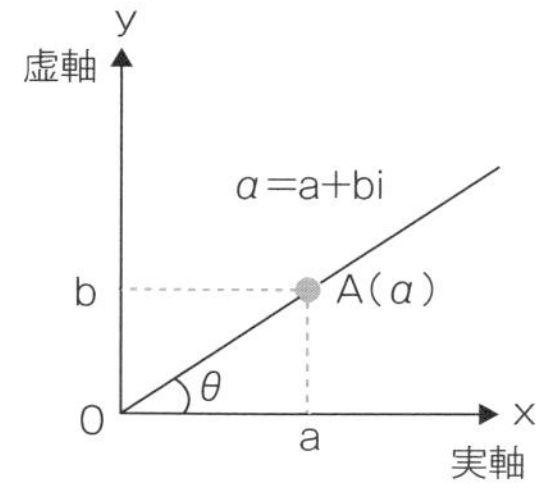

また、複素数「α =a+bi」を x 軸を実軸、y 軸を虚軸とする、xy 平面上の座標(a,b)で表している平面を「複素数平面」という。複素数 α を表す点 A を A(α)とすると下図のようになる。また 0 と A(α)を結んだ直線と X 軸との角度 θ (シータ)を偏角という。

エンジニアリング　複素数　365　2021　2019　2016

イマジナリー・アーギュメント

IMARGUMENT

複素数の偏角を求める

複素数の偏角を返す。戻り値の単位はラジアンで表される。

書 式：　IMARGUMENT(複素数)

[複素数]では、偏角を求める複素数を指定する。虚数単位は「i」または「j」を指定する。

エンジニアリング　複素数　365　2021　2019　2016

イマジナリー・サム

IMSUM

複素数の和を求める

指定した複数の複素数の和を返す。2つの複素数の和は、数式「$(a+b_i)+(c+d_i)=(a+c)+(b+d)_i$」で表される。

書 式：　IMSUM(複素数 1,[複素数 2],…)

[複素数]では、和を求めたい複素数を指定する。例えば「=IMSUM("3+4i","2+6i")」とすると「5+10i」を返す。

エンジニアリング　複素数　365　2021　2019　2016

イマジナリー・サブストラクション

IMSUB

複素数の差を求める

指定した複数の複素数の差を返す。2つの複素数の差は、数式「$(a+b_i)-(c+d_i)=(a-c)+(b-d)_i$」で表される。

書 式：　IMSUB(複素数 1, 複素数 2)

- [複素数 1]では、引かれる複素数を指定する。
- [複素数 2]では、引く複素数を指定する。例えば「=IMSUB("3+4i","2+6i")」とすると「1-2i」を返す。

エンジニアリング　複素数　365 2021 2019 2016

イマジナリー・プロダクト

IMPRODUCT

複素数の積を求める

指定した複数の複素数の積を返す。2つの複素数の積は、数式「$(a+b_i)(c+d_i)=(ac-bd)+(ad+bc)_i$」で表される。

書 式：　IMPRODUCT(複素数 1,[複素数 2],…)

[複素数]では、積を求めたい複素数を指定する。例えば「=IMPRODUCT("2+3i","3+4i")」とすると「-6+17i」を返す。

エンジニアリング　複素数　365 2021 2019 2016

イマジナリー・ディバイデット

IMDIV

複素数の商を求める

指定した複素数の商を返す。2つの複素数の商は、数式「$\frac{(a+b_i)}{(c+d_i)}=\frac{(ac+bd)+(bc-ad)_i}{c^2+d^2}$」で表される。

書 式：　IMDIV(複素数 1, 複素数 2)

- [複素数 1]では、割られる複素数(分子)を指定する。
- [複素数 2]では、割る複素数(分母)を指定する。例えば「=IMDIV("2+3i","3+4i")」とすると「0.72+0.04i」を返す。

エンジニアリング　複素数　365 2021 2019 2016

イマジナリー・パワー

IMPOWER

複素数のべき乗を求める

指定した複素数をべき乗した値を返す。

書 式：　IMPOWER(複素数, 数値)

- [複素数]では、べき乗を求める複素数を指定する。
- [数値]では、べき乗の指数を指定する。整数、分数、負の数を指定できる。例えば「=IMPOWER("2+3i",2)」とすると「-5+12i」を返す。

エンジニアリング　複素数　365　2021　2019　2016

イマジナリー・スクエア・ルート

IMSQRT

複素数の平方根を求める

指定した複素数の平方根を返す。

書式： IMSQRT(複素数)

[複素数]では、平方根を求める複素数を指定する。例えば「=IMSQRT("2+3i")」とすると「1.67414922803554+0.895977476129838i」を返す。

エンジニアリング　複素数　365　2021　2019　2016

イマジナリー・サイン

IMSIN

複素数の正弦を求める

指定した複素数の正弦(サイン)を返す。

書式： IMSIN(複素数)

[複素数]では、正弦を求める複素数を指定する。例えば「=IMSIN("2+3i")」とすると「9.15449914691143-4.16890695996656i」を返す。

エンジニアリング　複素数　365　2021　2019　2016

イマジナリー・コサイン

IMCOS

複素数の余弦を求める

指定した複素数の余弦(コサイン)を返す。

書式： IMCOS(複素数)

[複素数]では、余弦を求める複素数を指定する。例えば「=IMCOS("2+3i")」とすると「-4.18962569096881-9.10922789375534i」を返す。

エンジニアリング　複素数　365 2021 2019 2016

イマジナリー・タンジェント

IMTAN

複素数の正接を求める

指定した複素数の正接(タンジェント)を返す。

書 式:　IMTAN(複素数)

[複素数]では、正接を求める複素数を指定する。例えば「=IMTAN("2+3i")」とすると「-0.00376402564150425+1.00323862735361i」を返す。

エンジニアリング　複素数　365 2021 2019 2016

イマジナリー・セカント

IMSEC

複素数の正割を求める

指定した複素数の正割(セカント)を返す。

書 式:　IMSEC(複素数)

[複素数]では、正割を求める複素数を指定する。例えば「=IMSEC("2+3i")」とすると「-0.0416749644111443+0.0906111371962376i」を返す。

エンジニアリング　複素数　365 2021 2019 2016

イマジナリー・コセカント

IMCSC

複素数の余割を求める

指定した複素数の余割(コセカント)を返す。

書 式:　IMCSC(複素数)

[複素数]では、正割を求める複素数を指定する。例えば「=IMCSC("2+3i")」とすると「0.0904732097532074+0.0412009862885741i」を返す。

エンジニアリング　複素数　365 2021 2019 2016

イマジナリー・コタンジェント

IMCOT

複素数の余接を求める

指定した複素数の余接(コタンジェント)を返す。

書 式：　IMCOT(複素数)

[複素数]では、余接を求める複素数を指定する。例えば「=IMCOT("2+3i")」とすると「-0.00373971037633696-0.996757796569358i」を返す。

エンジニアリング　複素数　365 2021 2019 2016

ハイパーボリック・イマジナリー・サイン

IMSINH

複素数の双曲線正弦を求める

指定した複素数の双曲線正弦(ハイパーボリック・サイン)を返す。

書 式：　IMSINH(複素数)

[複素数]では、双曲線正弦を求める複素数を指定する。例えば「=IMSINH("2+3i")」とすると「-3.59056458998578+0.53092108624852i」を返す。

エンジニアリング　複素数　365 2021 2019 2016

ハイパーボリック・イマジナリー・コサイン

IMCOSH

複素数の双曲線余弦を求める

指定した複素数の双曲線余弦(ハイパーボリック・コサイン)を返す。

書 式：　IMCOSH(複素数)

[複素数]では、双曲線余弦を求める複素数を指定する。例えば「=IMCOSH("2+3i")」とすると「-3.72454550491532+0.511822569987385i」を返す。

エンジニアリング　複素数　365 2021 2019 2016

ハイパーボリック・イマジナリー・セカント

IMSECH

複素数の双曲線正割を求める

指定した複素数の双曲線正割(ハイパーボリック・セカント)を返す。

書 式：　IMSECH(複素数)

[複素数]では、双曲線正割を求める複素数を指定する。例えば「=IMSECH("2+3i")」とすると「-0.263512975158389-0.0362116365587685i」を返す。

エンジニアリング　複素数　365 2021 2019 2016

ハイパーボリック・イマジナリー・コセカント

IMCSCH

複素数の双曲線余割を求める

指定した複素数の双曲線余割(ハイパーボリック・コセカント)を返す。

書 式：　IMCSCH(複素数)

[複素数]では、双曲線余割を求める複素数を指定する。例えば「=IMCSCH("2+3i")」とすると「-0.272548661462946-0.0403005788568915i」を返す。

エンジニアリング　複素数　365 2021 2019 2016

イマジナリー・エクスポーネンシャル

IMEXP

複素数の指数関数の値を求める

自然対数 e を底とする、指定した複素数のべき乗を返す。数式で表すと「$e^{(a+bi)} = e^a e^{bi} = e^a(\cos b + i\sin b)$」となる。

書 式：　IMEXP(複素数)

[複素数]では、指数関数を求める複素数を指定する。例えば「=IMEXP("2+3i")」とすると「-7.3151100949011+1.0427436562359i」を返す。

エンジニアリング　複素数　365 2021 2019 2016

イマジナリー・ログ・ナチュラル

IMLN

複素数の自然対数を求める

指定した複素数の自然対数を返す。数式で表すと「$\ln(a+bi) = \ln\sqrt{a^2+b^2}+i\tan^{-1}\left(\frac{b}{a}\right)$」となる。

書式：　IMLN(複素数)

[複素数]では、自然対数を求める複素数を指定する。例えば「=IMLN("2+3i")」とすると「1.28247467873077+0.982793723247329i」を返す。

エンジニアリング　複素数　365 2021 2019 2016

イマジナリー・ログ・テン

IMLOG10

複素数の常用対数を求める

指定した複素数の 10 を底とする対数(常用対数)を返す。数式で表すと「$\log_{10}(a+bi)=(\log_{10}e)\ln(a+bi)$」となる。

書式：　IMLOG10(複素数)

[複素数]では、常用対数を求めたい複素数を指定する。例えば「=IMLOG10("2+3i")」とすると「0.556971676153418+0.426821890855467i」を返す。

エンジニアリング　複素数　365 2021 2019 2016

イマジナリー・ログ・ツー

IMLOG2

複素数の 2 を底とする対数を求める

指定した複素数の 2 を底とする対数を返す。数式で表すと「$\log_2(a+bi)=(\log_2 e)\ln(a+bi)$」となる。

書式：　IMLOG2(複素数)

[複素数]では、2 を底とする対数を求めたい複素数を指定する。例えば「=IMLOG2("2+3i")」とすると「1.85021985907055+1.41787163074572i」を返す。

エンジニアリング　誤差関数　365 2021 2019 2016

エラー・ファンクション / エラー・ファンクション・プレサイス

ERF / ERF.PRECISE

誤差関数の積分値を求める

ERF 関数は、下限～上限の範囲で誤差関数の積分値を返す。ERF.PRECISE 関数は、0 ～上限の範囲で誤差関数の積分値を返す。

書 式：　ERF(下限,[上限])
ERF.PRECISE(上限)

- [下限]では、誤差関数を積分するときの下限値を指定する。
- [上限]では、誤差関数を積分するときの上限値を指定する。ERF 関数で[上限]を省略すると、0 ～[下限]の範囲で積分される。

エンジニアリング　誤差関数　365 2021 2019 2016

エラー・ファンクション・シー / エラー・ファンクション・シー・プレサイス

ERFC / ERFC.PRECISE

相補誤差関数の積分値を求める

下限～無限大(∞)の範囲で、相補誤差関数の積分値を返す。ERFC 関数は、ERF 関数の補関数となり、「ERF(x)+ERFC(x)=1」という関係が成り立つ。

書 式：　ERFC(下限)
ERFC.PRECISE(下限)

[下限]では、相補誤差関数を積分するときの下限値を指定する。上限は常に「∞」になる。例えば、「=ERFC(1)」と「=ERFC.PRECISE(1)」はともに戻り値「0.157299207」を返す。

エンジニアリング　ベッセル関数　365 2021 2019 2016

ベッセル・ジェイ

BESSELJ

第 1 種ベッセル関数の値を求める

第 1 種ベッセル関数「$J_n(x)$」の結果を返す。

書 式：　BESSELJ(x,n)

- [x]では、ベッセル関数「$J_n(x)$」に代入する数値 x を指定する。
- [n]では、ベッセル関数「$J_n(x)$」の次数 n を指定する。

エンジニアリング　ベッセル関数　365　2021　2019　2016

ベッセル・ワイ

BESSELY

第 2 種ベッセル関数の値を求める

第 2 種ベッセル関数「$Y_n(x)$」の結果を返す。

書 式： BESSELY(x,n)

- [x]では、第 2 種ベッセル関数「$Y_n(x)$」に代入する数値 x を指定する。
- [n]では、次数 n を指定する。

エンジニアリング　ベッセル関数　365　2021　2019　2016

ベッセル・アイ

BESSELI

第 1 種変形ベッセル関数の値を求める

第 1 種変形ベッセル関数「$I_n(x)$」の計算結果を返す。

書 式： BESSELI(x,n)

- [x]では、第 1 種変形ベッセル関数「$I_n(x)$」に代入する数値 x を指定する。
- [n]では、次数 n を指定する。

エンジニアリング　ベッセル関数　365　2021　2019　2016

ベッセル・ケイ

BESSELK

第 2 種変形ベッセル関数の値を求める

第 2 種変形ベッセル関数「$K_n(x)$」の計算結果を返す。

書 式： BESSELK(x,n)

- [x]では、第 2 種変形ベッセル関数「$K_n(x)$」に代入する数値 x を指定する。
- [n]では、次数 n を指定する。

基礎知識

ここでは、関数で使用する引数や演算子、関数の入力方法やセル参照、論理式、配列定数や配列数式、表示形式など、関数を使う上で覚えておきたい基本知識をまとめています。

》関数とは

関数は、計算方法があらかじめ定義された数式です。Excelには、数百種類の関数が用意されており、目的に応じてさまざまな計算や集計をすばやく行うことができます。関数は、「引数(ひきすう)」として受け取った値を使って計算し、計算結果を「戻り値」として返します。関数は、[数式]タブの[関数ライブラリ]グループに分類別にまとめられています。

関数の書式

=関数名(引数)

- ()内には引数という、計算するのに必要な値や式を指定します。
- 関数によって必要とする引数の値は異なり、引数を複数持つものや省略できるもの、引数を持たないものがあります。
- 引数を持たない関数であっても()は省略できません。
- 関数の書式で、[]で囲まれている引数は省略できます。
- 引数が文字列の場合は、「"」(ダブルクォーテーション)で囲みます。

関数の例

関数名	書式	機能
SUM	=SUM(数値1, [数値2] ,…)	合計を求める
NOW	=NOW()	現在の日時を求める
PHONETIC	=PHONETIC(範囲)	漢字のふりがなを取得する
ROUND	=ROUND(数値 , 桁数)	数値を四捨五入する
IF	=IF(論理式 , 真の場合 , [偽の場合])	条件を満たす、満たさないで表示内容を変更する
VLOOKUP	=VLOOKUP(検索値 , 範囲 , 列番号 , [検索方法])	別表のデータを取り出す

関数ライブラリ

関数は、[数式]タブの[関数ライブラリ]グループで分類されている関数の一覧から選択してセルに入力できます。直接セルに関数を入力することもできます。関数の入力手順についてはp.352を参照してください。

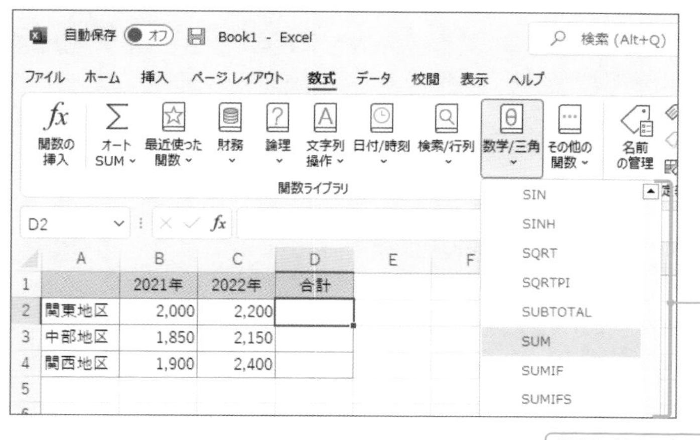

» 引数

引数は、関数が答え(戻り値)を出すのに必要な値です。関数によって必要される引数の種類はさまざまです。引数として指定する種類にどのようなものがあるかをここで確認しておきましょう。

引数の主な種類

引数の種類		内容	例
セル参照		参照したセルやセル範囲内の数値や文字列などのデータが関数に渡される。また、セルやセル範囲に付けられた名前を使用できる	=SUM(A1:C3) 意味：セル A1 ～ C3 の数値を合計する
定数	数値	計算可能な 100 やー 0.25 のような数値	=INT(12.3) 意味：「12.3」の小数部分を切り捨てる
	文字列	漢字、ひらがな、英数字、記号等の文字列。「"」で囲んで指定する	=UPPER("abc") 意味：「abc」を大文字に変換する
	論理値	論理式の結果、「TRUE」または「FALSE」。FALSE を 0、TRUE を 1 と数値で表す場合もある	=NOT(TRUE) 意味：「TRUE」の場合は「FALSE」を返す
	配列定数	列を「,」(カンマ)、行を「;」(セミコロン)で区切り、「{}」(中かっこ)で全体を囲んで指定する。例えば{10,20}は1行2列、「10,20;30,40」は2行2列の配列定数となる	=IF(OR (A1={1,2}) ,"○","×") 意味：セル A1 の値が 1 または 2 であれば「○」そうでない場合は「×」を表示する

引数の種類	内容	例
定数 エラー値	#N/A、#DIV/0! など、関数や数式の結果、正しい結果が得られない場合に発生したエラー、または意図的に発生させる場合に入力したエラー	=ERROR.TYPE(#DIV/0!) 意味：エラー値「#DIV/0!」の種類を調べる
論理式	比較演算子を使った数式や、「TRUE」や「FALSE」を結果として返す関数。式が成立するときは「TRUE」、成立しないときは「FALSE」となる	=IF(A1>10,"○","") 意味：セル A1 が 10 より大きければ「○」、そうでない場合は何も表示しない
数式	数式の結果を引数に指定できる。使用する際は「=」を付けない	=INT(10/3) 意味：「10 ÷ 3」の結果から小数部分を切り捨てる
関数	関数の結果を引数に指定できる。使用する際は「=」を付けない。関数の引数に関数を指定することを「ネスト」（入れ子）という	=YEAR(TODAY ()) 意味：今日の日付から年を取り出す

※定数とは、変更されることのない固定の値のこと

演算子

関数や数式で使う記号を演算子といいます。演算子はその機能によっていくつかの種類があります。種類、意味、使い方を確認しましょう。なお、演算子はすべて半角文字で入力します。

算術演算子

加減乗除など基本的な演算をする数式を作成する場合に使用します。

算術演算子一覧

演算子	意味	例	結果
＋	加算	＝20＋10	30
－	減算	＝20 - 10	10
＊	乗算	＝20 * 10	200
／	除算	＝20 / 10	2
%	パーセンテージ	＝10 * 50%	5
^	べき乗	＝20 ^ 2	400

演算の優先順位

算術演算子には下表のように優先順位があり、計算の順番に影響します。優先順位の低い計算を先に行いたい場合は()で囲みます。同順位の場合は、左から右の順に計算されます。例えば「=2+3*4」は、「3*4」が先に計算されて「14」が返ります。「=(2+3)*4」のように「()」で囲むと、先に「2+3」が計算されて「20」が返ります。

演算子の優先順位

優先順位	1	2	3	4	5	6	7	8
演算子	参照演算子	負の符号「－」	%	^	＊，／	＋，－	&	比較演算子

比較演算子

2 つの値を比較し、結果が成立する場合は「TRUE」、成立しない場合は「FALSE」が返ります。

比較演算子

演算子	意味	例（A1 が 20 の場合）	結果
=	等しい	A1=10	FALSE
>	より大きい	A1>10	TRUE
<	より小さい	A1<10	FALSE
>=	以上	A1>=10	TRUE
<=	以下	A1<=10	FALSE
<>	等しくない	A1<>10	TRUE

文字列演算子

1 つ以上の文字列を連結して、ひと続きの文字列を作成します。

文字列演算子

演算子	意味	例（A1 が「青」の場合）	結果
&	文字列を連結する	A1&" 空 "	青空

参照演算子

参照するセル範囲を結合します。

参照演算子

演算子	意味	例	結果
:（コロン）	セル範囲（○から○）	A1:B3	**①コロン**
,（カンマ）	セル参照（○と○）	A1,B3	**②カンマ**
（半角スペース）	2つのセル範囲の共通範囲	A1:B2 A2:B3	**③半角スペース**

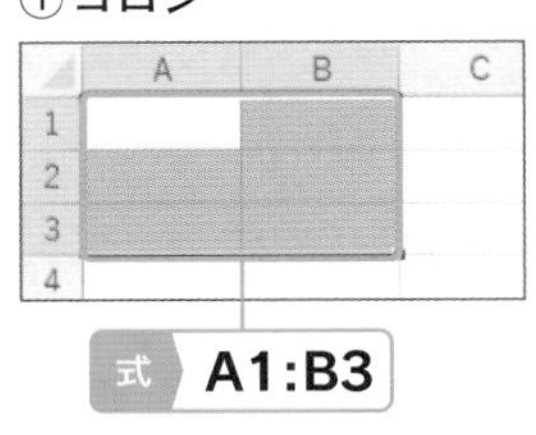

②カンマ

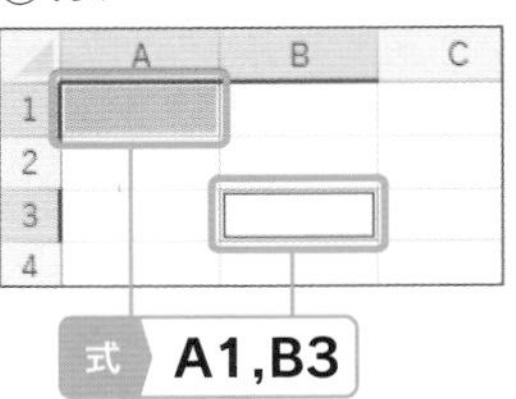

③半角スペース

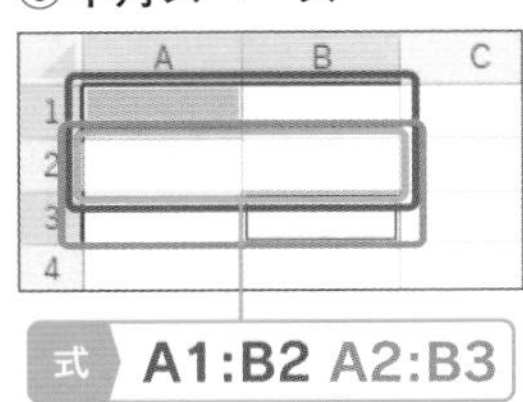

関数の入力

関数は、セルに「=」と入力することから始めます。関数の入力は、「数式オートコンプリート」という入力補助機能を使えば間違いなく効率的に入力できます。

関数の入力

ここでは、曜日番号を求めるWEEKDAY関数(p.85)の入力を例に手順を説明します。

1. 関数を入力するセルを選択し、半角で「=w」と入力すると「w」で始まる関数一覧が表示される。
2. [↓]キーを押して「WEEKDAY」を選択し、[Tab]キーを押す。

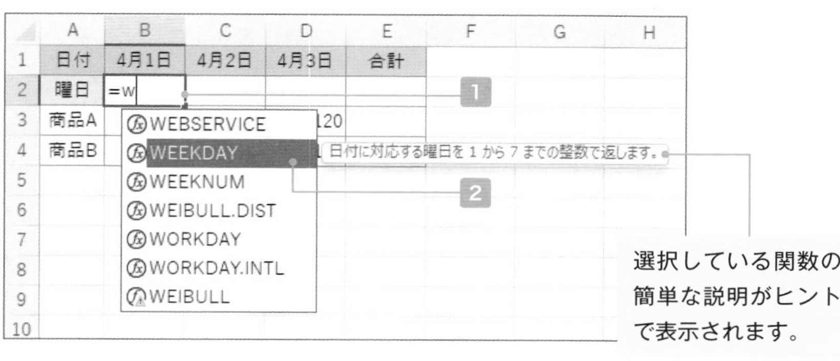

3 関数名と開くかっこ「(」が自動で入力される。

4 セルB1をクリックして、1つ目の引数を指定する。

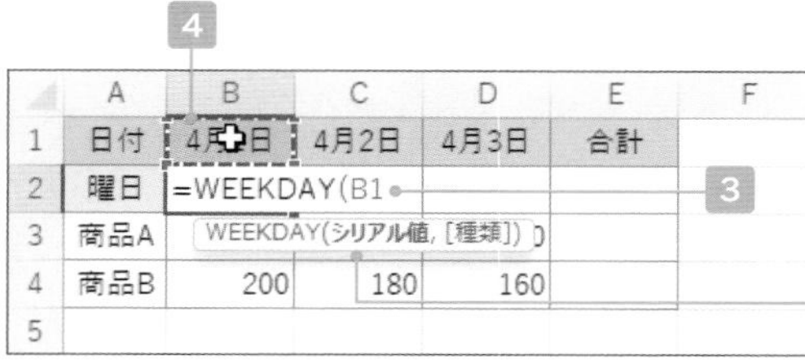

WEEKDAY関数の書式が表示され、現在設定している引数が太字で表示されます。

5 カンマ「,」を入力する。

6 2つ目の引数では、曜日番号の種類を指定する。自動で選択肢が表示されるので、[↓]キーを押して種類(ここでは2)を選択し、[Tab]キーを押す。

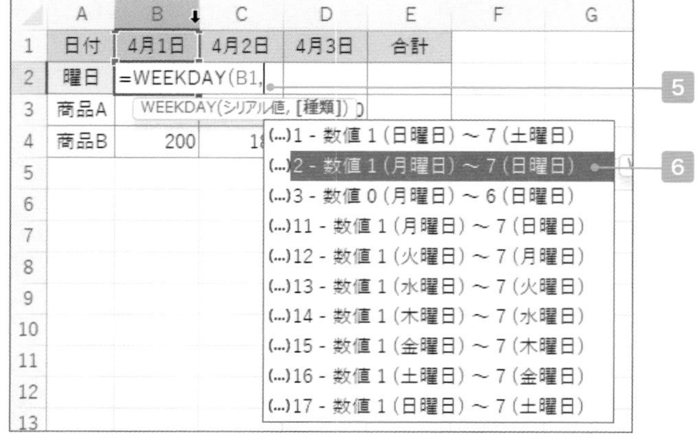

7 引数が自動で入力される。閉じるかっこ「)」を入力し、[Enter]キーを押して確定する。

1	日付	4月1日	4月2日	4月3日	合計
2	曜日	=WEEKDAY(B1,2)			
3	商品A	150	100	120	

7

閉じるかっこの入力を省略しても自動入力されます。

8 セルには、関数の計算結果が表示される。

9 数式バーには、入力した関数が表示される。

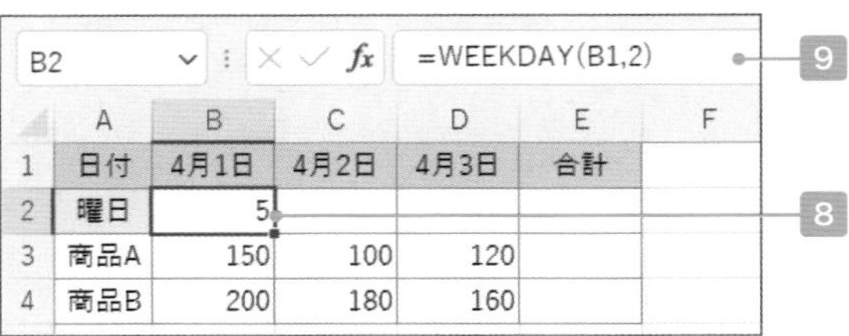

▼COLUMN

[関数の挿入]ダイアログを使う

関数の入力に慣れていない場合は［関数の挿入］ダイアログを使って関数を入力することができます。キーワードを入力して関数を検索し、関数を絞り込んで選択できます。

❶ 関数を入力するセルをクリックする。

❷［関数の挿入］ボタンをクリックする。

❸［関数の挿入］ダイアログが表示されたら、［関数の検索］にキーワードを入力し、［Enter］キーを押す。

❹ 検索された関数一覧が表示されたら、目的の関数をクリックする。

❺［OK］ボタンをクリックすると、選択した関数の［関数の引数］ダイアログが表示されるので、引数の設定をする。

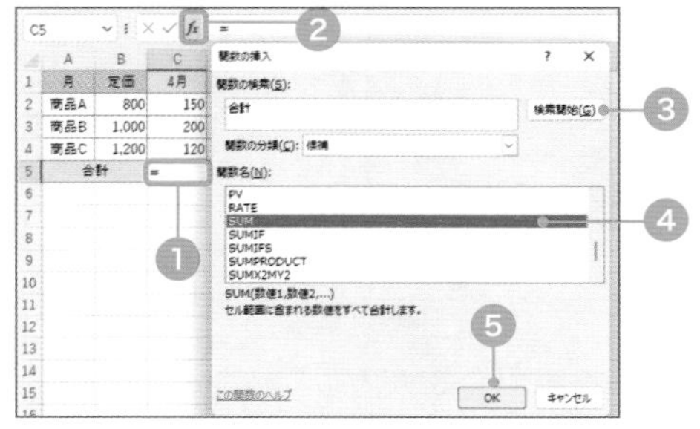

関数の修正

数式バー上で数式をクリックすると、引数と同じ色で参照しているセルやセル範囲に枠が表示されます。これを「カラーリファレンス」といい、サイズ変更や移動などの修正に使えます。また、表示されるヒントを使って引数部分を簡単に選択できます。ここでは、SUM 関数で合計範囲を修正する方法を例に関数の修正方法を説明します。

カラーリファレンスを使ってセル範囲を修正する

1 関数が入力されているセルを選択し、数式バー上をクリックしてカーソルを表示する。
2 引数の色と同じ色でセル範囲に枠（カラーリファレンス）が表示される。

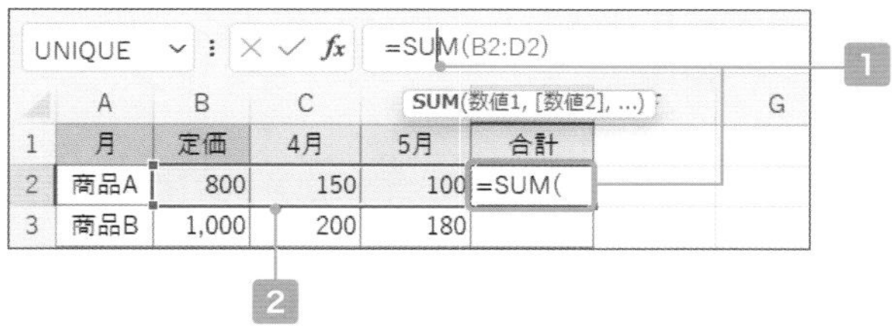

3 枠の四隅にあるハンドル（■）にポインターを合わせ、⤢の形になったらドラッグしてサイズを調整する。

UNIQUE　=SUM(B2:D2)

SUM(数値1, [数値2], ...)

	A	B	C		G
1	月	定価	4月	5月	合計
2	商品A	800	150	100	=SUM(
3	商品B	1,000	200	180	

枠の辺上にポインターを合わせて⇔の形でドラッグすると移動できます。

数式バーで直接セル番地を修正することもできます。

4 数式バー上のセル範囲が修正される。
5 [Enter]キーを押して修正を確定する。

UNIQUE　=SUM(C2:D2)　4　5

SUM(数値1, [数値2], ...)

	A	B	C		G
1	月	定価	4月	5月	合計
2	商品A	800	150	100	C2:D2)
3	商品B	1,000	200	180	

ヒントを使って引数を選択する

1 関数が入力されているセルを選択し、数式バー上をクリックしてカーソルを表示する。
2 表示されるヒントの修正したい引数をクリックする。

UNIQUE　=SUM(B2:D2)　1
SUM(数値1, [数値2], ...)　2

	A	B	C	D	E	G
1	月	定価	4月	5月	合計	
2	商品A	800	150	100	B2:D2)	
3	商品B	1,000	200	180		

3 数式の該当する引数が選択される。

UNIQUE　=SUM(B2:D2)　3
SUM(数値1, [数値2], ...)

	A	B	C	D	E	G
1	月	定価	4月	5月	合計	
2	商品A	800	150	100	B2:D2)	
3	商品B	1,000	200	180		

4 セル範囲をドラッグし直す。
5 セル範囲が置き換わったのを確認し、[Enter]キーを押して確定する。

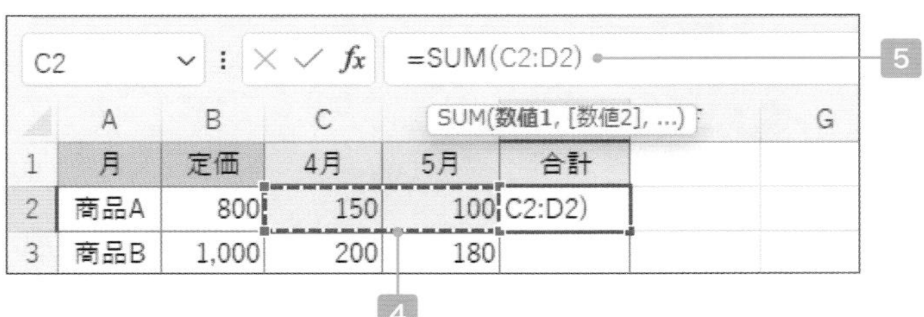

COLUMN

[関数の引数] ダイアログを使って関数を修正する

[関数の引数] ダイアログを表示して画面を使って関数を編集できます。ヒントや結果を画面で確認しながら設定できます。

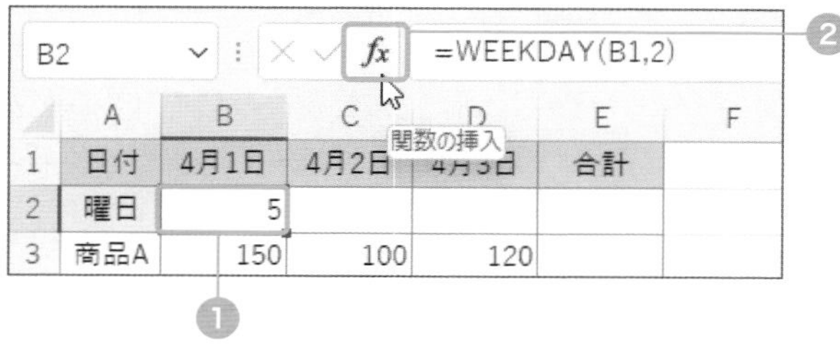

❶ 関数を修正したいセルを選択する。
❷ [関数の挿入] ボタンをクリックする。

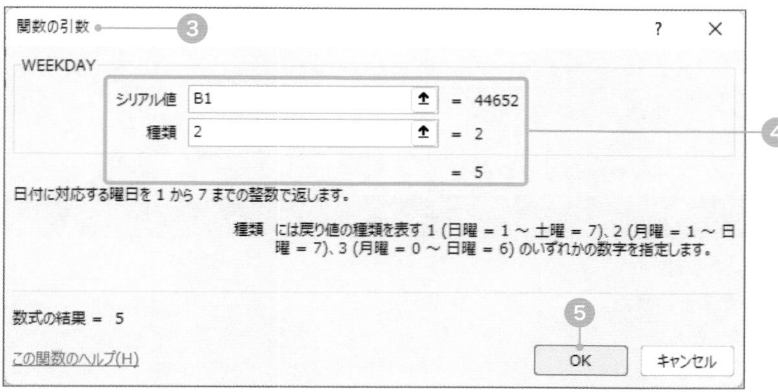

❸ [関数の引数] ダイアログが表示される。
❹ ダイアログ内でヒントを確認しながら引数の設定をする。
❺ [OK] をクリックして確定する。

セルの参照方式

数式や関数内でセルに入力されている値を使用する場合は、セルを参照します。セルの参照方法には、A1 参照形式と R1C1 参照形式の 2 種類があります。既定では、A1 参照形式が使われます。ここでは、セルの参照方式を理解しましょう。

A1 参照形式

A ～ XFD の列見出しと 1 ～ 1048576 の行見出しを組み合わせてセルを参照する方法です。A 列の 1 行目であれば「A1」のように指定します。他のワークシートや他のブックにあるセルを参照する方法も合わせて確認してください。

同一ワークシート内のセル

例	内容
B3	列 B、行 3 のセル
A1:C10	列 A、行 1 のセル～列 C、行 10 のセル範囲
2:2	行 2 のすべてのセル
2:5	行 2 ～ 5 のすべてのセル
A:A	列 A のすべてのセル
A:C	列 A ～ C のすべてのセル

他のワークシートや他のブックのセル

参照先	書式	例
別シートのセル参照	シート名！セル番地	Sheet1!A1
別ブックのセル参照（ブックが開いているとき）	[ブック名]シート名！セル番地	[Book1.xlsx]Sheet1!$A$1
別ブックのセル参照（ブックが閉じているとき）	'保存先[ブック名]シート名'！セル番地	'C:¥Data¥ [Book1.xlsx]Sheet1'!$A$1

※別ブックのセルを参照する場合は、セル参照が絶対参照になります。

R1C1 参照形式

「R(行番号)C(列番号)」の形式で、行、列ともに数値で指定してセルを参照します。例えばセル A1 は 1 行 1 列目なので「R1C1」、セル D3 は、3 行 4 列目なので「R3C4」となります。「R1C1」の形で指定した場合は絶対参照になります。相対参照にする場合は「R[1]C[1]」のように数字を[ ]で囲みます。

また、数式内でセルを相対参照で参照する場合は、数式のセルを基準として「R[行の移動数]C[列の移動数]」の形式で参照するセルを指定します。移動数で正の数を指定した場合は、行は下方向、列は右方向への移動となり、負の数を指定した場合は、行は上方向、列は左方向への移動となります。例えば「R[-1]C[3]」とした場合は、「基準のセルから 1 行上で 3 列右のセル」を参照します。
参照方法を R1C1 参照形式に変更するには、[ファイル]タブ→[オプション]をクリックして[Excel のオプション]ダイアログを表示し、[数式]→[R1C1 参照形式を使用する]にチェックを付けます。

名前の定義

セルやセル範囲に名前を付けて登録し、関数内でセル参照を指定する代わりに名前を指定することができます。例えば、SUM 関数で合計したい数値の範囲や VLOOKUP 関数で参照する表に名前を付けておくと、式の設定に便利です。

セル範囲に名前を付ける

1 名前を付けたい範囲を選択する。
2 名前ボックスをクリックし、名前(ここでは「合計」)を入力して[Enter]キーを押すと、セル範囲に名前が設定される。

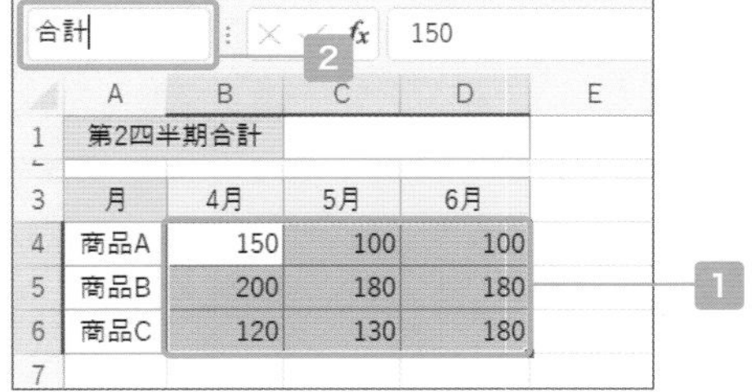

Hint 名前ボックスを使って名前を付けると、ブック全体で参照できる名前が設定されます。シート単位で参照される名前を作成するには、手順 2 で[数式]タブ→[名前の定義]をクリックして表示される[新しい名前]ダイアログを使います。

名前の付いたセル範囲を関数で使用する

1 関数を入力するセルをクリックし、「=SUM(」と入力する。
2 [F3]キーを押す。

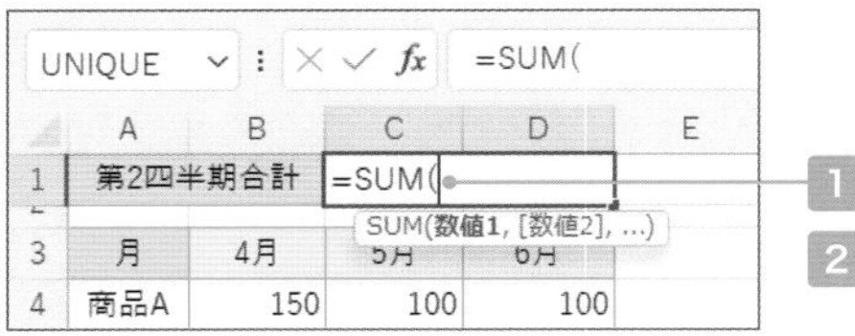

直接名前を入力して指定することもできます。

3 [名前の貼り付け]ダイアログが表示される。
4 関数で使用する名前をクリックする(ここでは「合計」)。
5 [OK]ボタンをクリックする。

6 名前が入力される。
7 「)」を入力して[Enter]キーで確定する。

	A	B	C	D	E
1	第2四半期合計		=SUM(合計)		
3	月	4月	5月	6月	

6
7

8 セル参照の代わりに名前を使って合計範囲が指定できる。

C1 | =SUM(合計)

	A	B	C	D	E
1	第2四半期合計			1340	
3	月	4月	5月	6月	
4	商品A	150	100	100	
5	商品B	200	180	180	
6	商品C	120	130	180	
7					

8

名前を削除する

1 [数式]タブ→[名前の管理]をクリックする。
2 表示された[名前の管理]ダイアログで削除する名前をクリックする。
3 [削除]ボタンをクリックし、確認メッセージが表示されたら[OK]ボタンをクリックする。
4 [閉じる]をクリックしてダイアログを閉じる。

» 関数のコピー(オートフィル機能)

数式や関数を、連続したセルにコピーする場合は、オートフィル機能を使うのが便利です。

1 コピーしたい関数のセルをクリックし、右下角のフィルハンドル(■)にポインターを合わせ、[+]の形になったらコピー先までドラッグする。

	A	B	C	D	E
1	月	4月	5月	合計	
2	商品A	150	100	250	
3	商品B	200	180		
4	商品C	120	130		
5	合計	470	410		

式 =SUM(B2:C2)

2 式がコピーされ、それぞれの行の合計が表示される。

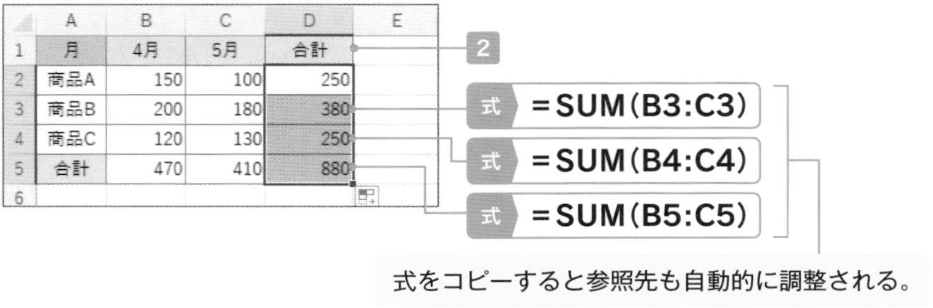

	A	B	C	D	E
1	月	4月	5月	合計	
2	商品A	150	100	250	
3	商品B	200	180	380	
4	商品C	120	130	250	
5	合計	470	410	880	
6					

2

式 =SUM(B3:C3)

式 =SUM(B4:C4)

式 =SUM(B5:C5)

式をコピーすると参照先も自動的に調整される。

COLUMN

書式以外をコピーする

オートフィルを実行すると、コピー元のセルの書式もコピーされます。書式を除いてコピーしたい場合は、オートフィル後に表示される［オートフィルオプション］のメニューで［書式なしコピー(フィル)］を選択します。

❶［オートフィルオプション］をクリックする
❷［書式なしコピー(フィル)］をクリックする

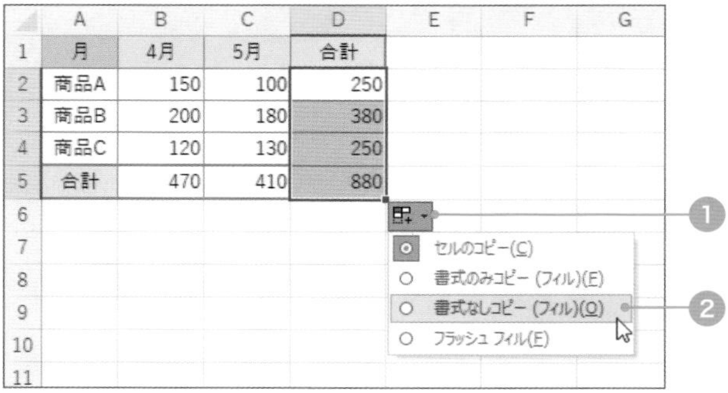

	A	B	C	D	E	F	G
1	月	4月	5月	合計			
2	商品A	150	100	250			
3	商品B	200	180	380			
4	商品C	120	130	250			
5	合計	470	410	880			
6							
7							
8							
9							
10							
11							

❶

セルのコピー(C)
書式のみコピー (フィル)(F)
書式なしコピー (フィル)(O)
フラッシュ フィル(F)

❷

相対参照・絶対参照・複合参照

数式をコピーしたとき、コピー先に合わせて自動的に参照するセルが調整されます。このような参照方法を相対参照といいます。コピーしても参照するセルを変更したくない場合は、参照方法を絶対参照に変更します。絶対参照は「$A$1」のように行番号や列番号の前に「$」を付けます。また、「$A1」や「A$1」のように指定すると、列だけ固定、行だけ固定することができます。このような参照方法を複合参照といいます。

相対参照

数式をコピーすると、コピー先のセルに合わせてセル参照が同じ位置関係(相対的)で変更されます。

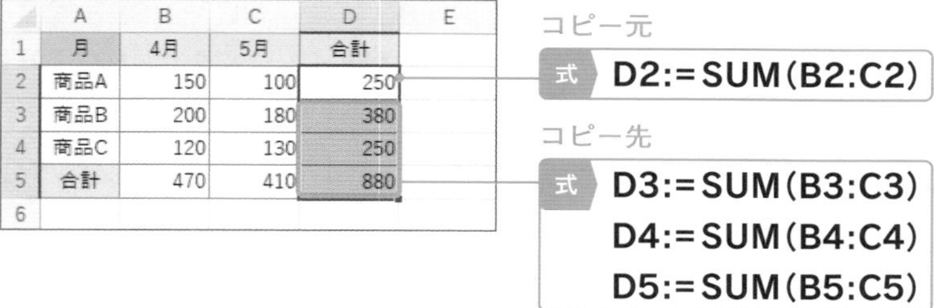

	A	B	C	D	E
1	月	4月	5月	合計	
2	商品A	150	100	250	
3	商品B	200	180	380	
4	商品C	120	130	250	
5	合計	470	410	880	
6					

絶対参照

ここで求める構成比の式は「各商品の数 / 合計」になります。合計のセル(D5)は固定です。セル E2 の式を「=D2/$D$5」のように、「$D$5」を絶対参照にすると、式をコピーしてもセル D5 へのセル参照は固定され、正しく構成比を求められます。

	A	B	C	D	E	F
1	月	4月	5月	合計	構成比	
2	商品A	150	100	250	28%	
3	商品B	200	180	380	43.2%	
4	商品C	120	130	250	28.4%	
5	合計	470	410	880	100.0%	
6						

コピー元

式 E2:=D2/$D$5

コピー先

式 E3:=D3/$D$5
E4:=D4/$D$5
E5:=D5/$D$5

複合参照

下図のように、月別商品別の売上金額を求めるとき、セルF2で「=$B2*C2」のように定価のセルのB列だけ固定しておくと、式をコピーしたときに商品ごとの定価のセルを参照して計算することができます。

	A	B	C	D	E	F	G	H
1	月	定価	4月	5月		4月売上金額	5月売上金額	
2	商品A	800	150	100		120,000	80,000	
3	商品B	1,000	200	180		200,000	180,000	
4	商品C	1,200	120	130		144,000	156,000	
5	合計		470	410				
6								

コピー元

式 **F2:=$B2*C2**

コピー先

式 **G2:=$B2*D2**

F3:=$B3*C3　**G3:=$B3*D3**

F4:=$B4*C4　**G4:=$B4*D4**

参照の切り替え方法

相対参照、絶対参照、複合参照の切り替えは、行番号、列番号の前に「$」を直接入力して変更できますが、変更したいセル参照内にカーソルを表示し、[F4]キーを押して切り替えることができます。

1 セルE2をクリックし「=D2/D5」と入力する。

2 絶対参照に変更するセル参照（ここではセルD5）にカーソルがあることを確認し、[F4]キーを押す。

	A	B	C	D	E	F
1	月	4月	5月	合計	構成比	
2	商品A	150	100	250	=D2/D5	
3	商品B	200	180	380		
4	商品C	120	130	250		
5	合計	470	410	880		
6						

関数入力後に変更する場合は、数式バーをクリックし、変更するセル参照にカーソルを移動して[F4]キーを押します。

3 セル参照が絶対参照に変更されたら、[Enter]キーを押して確定、式をセルE3～E5までコピーする。

	A	B	C	D	E	F
1	月	4月	5月	合計	構成比	
2	商品A	150	100	250	=D2/$D$5	
3	商品B	200	180	380		
4	商品C	120	130	250		
5	合計	470	410	880		
6						

論理式

論理式とは、結果が「TRUE」または「FALSE」となる式のことです。比較演算子を使って2つの値を比較する式、AND関数(p.202)、ISBLANK関数(p.264)のような、戻り値がTRUEまたはFALSEとなる関数も論理式として扱います。

比較演算子を使った論理式

下図のセルC3に入力されている論理式「=B3>=$C$1」は、「セルB3の値がセルC1の値以上」という意味で、ここでは成立するのでTRUEが返っています。

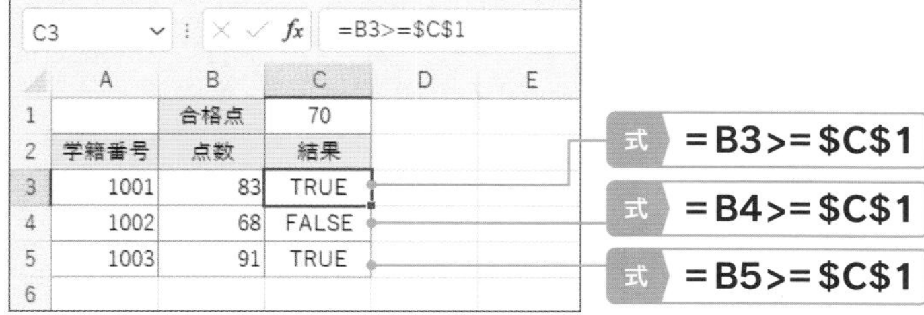

C3 =B3>=$C$1

	A	B	C	D	E
1		合格点	70		
2	学籍番号	点数	結果		
3	1001	83	TRUE		
4	1002	68	FALSE		
5	1003	91	TRUE		
6					

関数を使った論理式

下図のセルC2ではISBLANK関数(p.264)を使って「=ISBLANK(B2)」という論理式が入力されており、「セルB2が空欄かどうか調べる」という意味です。ここでは空欄ではないのでFALSEが返っています。

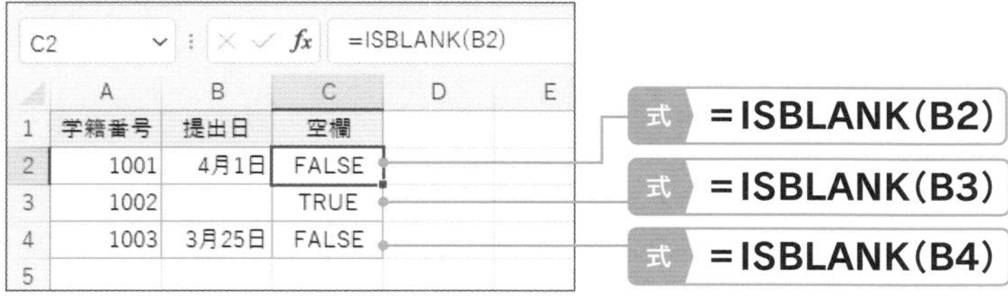

C2 =ISBLANK(B2)

	A	B	C	D	E
1	学籍番号	提出日	空欄		
2	1001	4月1日	FALSE		
3	1002		TRUE		
4	1003	3月25日	FALSE		
5					

論理式を使った関数の使用例

論理式は、単独で使用することはあまりなく、IF関数(p.202)のような関数の引数の中で使用されることがほとんどです。下図のセルC3ではIF関数を使って「=IF(B3>=$C$1,"合格","不合格")」と入力されており、「セルB3がセルC1以上の場合は「合格」、そうでない場合は「不合格」と表示する」という意味です。第1引数で論理式が使用されており、この結果によって戻り値が異なります。ここでは論理式が成立するので、「合格」と表示されます。

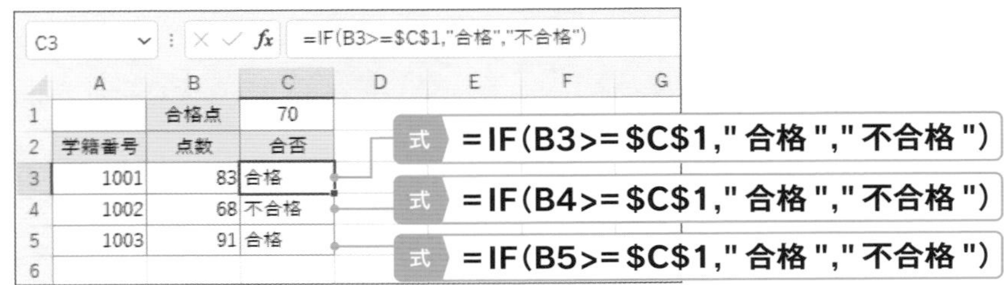

ワイルドカード文字

ワイルドカード文字は、任意の文字列の代用として使用できる記号です。「*」(アスタリスク)は0文字以上の任意の文字列の代用、「?」(疑問符)は1文字の任意の文字列の代用として利用できます。ワイルドカード文字自体を文字列として扱いたい場合は、ワイルドカード文字の前に「~」(チルダ)を付けます。ワイルドカード文字を使うと、「〇〇を含む」のようなあいまいな条件で文字列を比較したり、検索条件に指定したりできます。なお、ワイルドカード文字はすべて半角で入力します。

ワイルドカード文字

ワイルドカード文字	意味
*	0文字以上の任意の文字列
?	任意の1文字
~	次に続く「*」「?」「~」を文字列として扱う

使用例

使用例	意味	該当する文字列（例）
海 *	「海」で始まる文字列	海、海辺、海原、海洋生物
* 海	「海」で終わる文字列	海、内海、日本海
* 海 *	「海」を含む文字列	海、海辺、内海、海洋生物、伊勢海老
?? 海	３文字目が「海」の３文字の文字列	日本海、地中海、
海？	海で始まる２文字の文字列	海辺、海女、海老、海豚
？海 *	２文字目が海の文字列	大海原、内海

ワイルドカード文字を使った使用例

下図のセル F2 では SUMIF 関数(p.32)を使って「=SUMIF(B2:B7," 玄関 *",C2:C7)」と入力されており、「商品列(B2:B7)の中で「玄関で始まる」文字列を検索し、見つかった行の売上数列(C2:C7)の数値を合計する」という意味です。

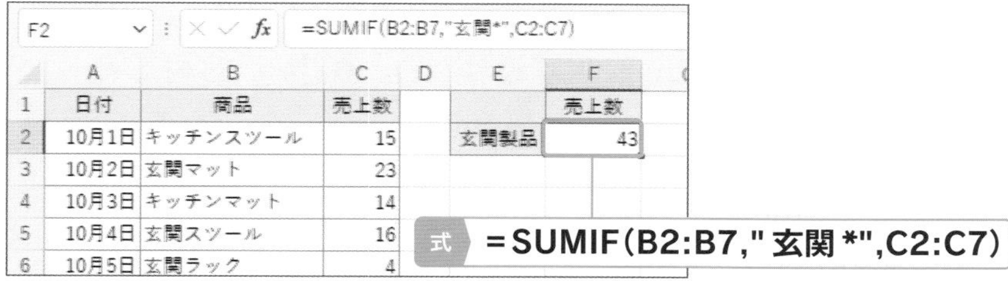

配列定数

配列とは、列と行からなる値の集まりで、セル範囲を配列として扱うことができます。配列定数は、配列を文字列で指定したもので、配列全体を中かっこ「{ }」で囲み、列を「,」(カンマ)で区切り、行を「;」(セミコロン)で区切って指定します。関数内でセル範囲を指定する代わりに、配列定数を使って配列を指定することができます。
数式や関数内でセル範囲を指定しているとき、数式バーでセル範囲を選択し、[F9]キーを押すと、セル範囲内のデータが配列定数として表示されます。

SUM 関数内のセル範囲の値を配列定数で確認する

セル A2、B2、C2 にそれぞれ 1、2、3 と入力されおり、セル D2 に「=SUM(A2:C2)」が入力されています。セル A2:C2 は 1 行 3 列の配列定数「{1,2,3}」と同じ意味です。

1 セル D2 をクリックし、数式バーでセル範囲(A2:C2)をドラッグして選択する。
2 [F9]キーを押す。

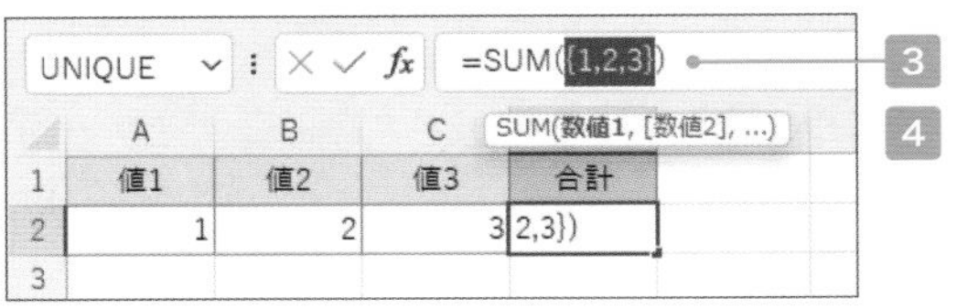

3 数式バー上のセル範囲が配列定数で表示される。
4 確認できたら[Esc]キーを押してセル参照に戻す。

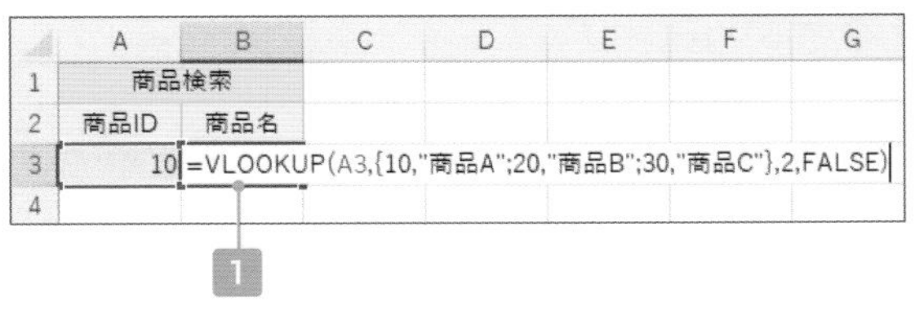

手順4で［Enter］キーを押すと配列定数で関数が確定してしまいます。もし間違えて押してしまった場合は、［元に戻す］ボタンをクリックしてください。

VLOOKUP 関数内で参照する表を配列定数で指定する

VLOOKUP 関数(p.218)は、別表を参照してデータを取り出します。第 2 引数は、通常、表のセル範囲を指定しますが、配列定数で指定することもできます。

1 セル B3 に「=VLOOKUP(A3,{10,"商品A";20,"商品B";30,"商品C"},2,FALSE)」と入力し、[Enter]キーを押す。

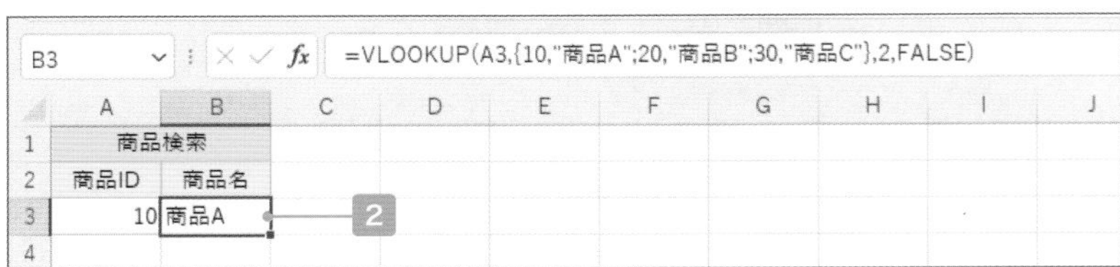

VLOOKUP 関数の第 2 引数で、参照する表を 2 列 3 行の配列定数で指定しています。

2 セル A3 の値「10」に対応する値を配列定数の表の中で検索し「商品 A」と表示される。

配列数式

配列数式は、セル範囲や配列定数といった配列を使って計算を行い、1つの数式で複数の値を配列として返すことができる数式です。配列数式を入力する場合は、結果を表示するセルやセル範囲をあらかじめ選択し、数式を入力したら、[Ctrl]＋[Shift]＋[Enter]キーを押して入力を確定すると、中かっこ「{ }」で囲まれた配列数式が入力されます。なお、Microsoft365の場合は、結果を表示する先頭のセルに数式を入力して[Enter]キーを押すだけで、自動的に数式が入力された他のセルにも結果が表示されます。これをスピル機能といいます。

配列数式を使って「定価×数量」の計算を一気に行う

1 結果を表示するセル(ここではセルD2:D4)を選択する。

2 「=」を入力する。

	A	B	C	D	E
1	商品名	定価	数量	金額	
2	商品A	800	10	=	
3	商品B	1,000	2		
4	商品C	1,200	5		

3 定価のセル範囲(ここではセルB2:B4)をドラッグし、「*」と入力して、数量のセル範囲(ここではセルC2:C4)をドラッグすると、セルには「=B2:B4*C2:C4」と表示される。

4 [Ctrl]＋[Shift]＋[Enter]キーを押して配列数式として式を確定する。

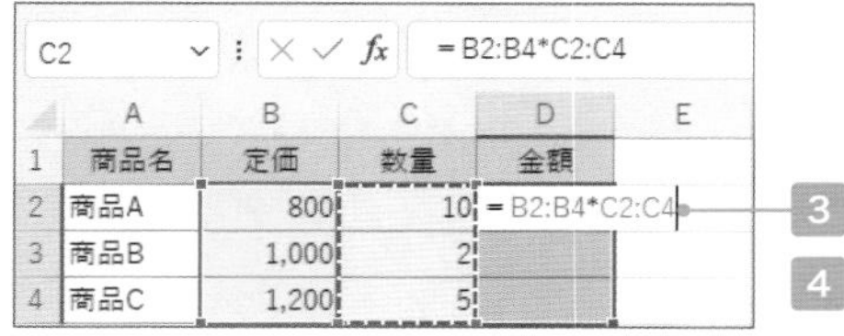

C2　=B2:B4*C2:C4

	A	B	C	D	E
1	商品名	定価	数量	金額	
2	商品A	800	10	=B2:B4*C2:C4	
3	商品B	1,000	2		
4	商品C	1,200	5		

5 金額のセル範囲(ここではセルD2:D4)に配列数式「{=B2:B4*C2:C4}」が入力され、それぞれのセルには「定価＊数量」の結果が表示される。

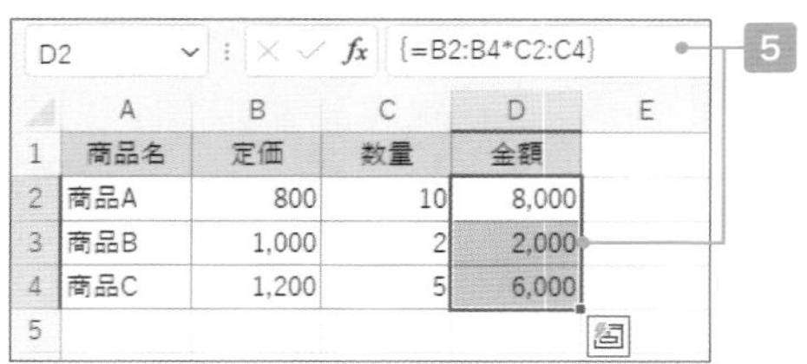

D2　{=B2:B4*C2:C4}

	A	B	C	D	E
1	商品名	定価	数量	金額	
2	商品A	800	10	8,000	
3	商品B	1,000	2	2,000	
4	商品C	1,200	5	6,000	
5					

配列数式を修正、削除するときは、配列数式を入力したセル範囲全体を選択して操作します。個別に編集することはできません。

配列と関数を組み合わせて一気に合計を求める

ここでは、各行の「定価 × 数量」をまとめて計算する配列数式を作成し、それをSUM 関数の引数にすることで一気に売上合計を表示します。

1 セル C5 をクリックし「=SUM(B2:B4*C2:C4)」と入力する。
2 [Ctrl]+[Shift]+[Enter]キーを押す。

	A	B	C	D	E
1	商品名	定価	数量		
2	商品A	800	10		
3	商品B	1,000	2		
4	商品C	1,200	5		
5	売上合計		=SUM(B2:B4*C2:C4)		
6					

1
2

3 SUM 関数が「{ }」で囲まれ、各商品の定価 × 数量の合計が一気に求められる。

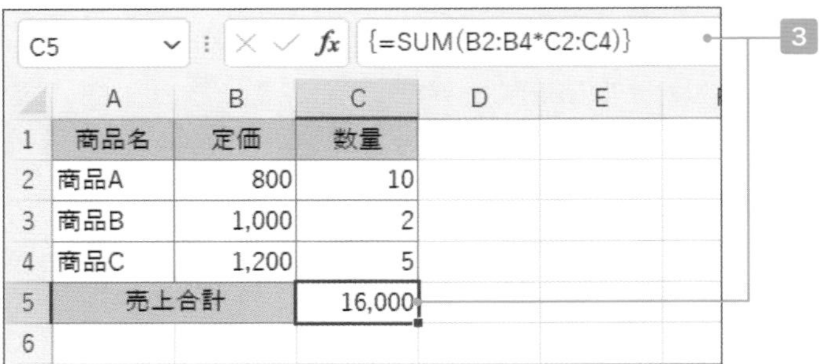

C5 {=SUM(B2:B4*C2:C4)}

	A	B	C	D	E
1	商品名	定価	数量		
2	商品A	800	10		
3	商品B	1,000	2		
4	商品C	1,200	5		
5	売上合計		16,000		
6					

3

配列を返す関数を使う

関数の中には、結果として配列を返す関数があります。このような関数を使う場合も、あらかじめ結果を表示するセル範囲を選択してから関数を入力し、[Ctrl]+[Shift]+[Enter]キーを押して入力を確定します。
ここでは、区間内のデータの個数を返す FREQUENCY 関数(p.103)を例に紹介します。

1 結果を表示するセル範囲(ここでは F2:F5)を選択し、「=FREQUENCY(B2:B6,D2:D4)」と入力して[Ctrl]+[Shift]+[Enter]キーを押す。

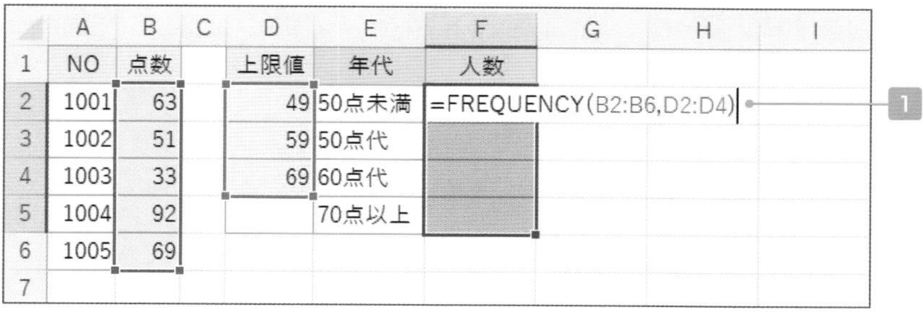

	A	B	C	D	E	F	G	H	I
1	NO	点数		上限値	年代	人数			
2	1001	63		49	50点未満	=FREQUENCY(B2:B6,D2:D4)			
3	1002	51		59	50点代				
4	1003	33		69	60点代				
5	1004	92			70点以上				
6	1005	69							
7									

1

2 FREQUENCY 関数が配列数式として入力され、各区間にあるデータ個数が表示される。

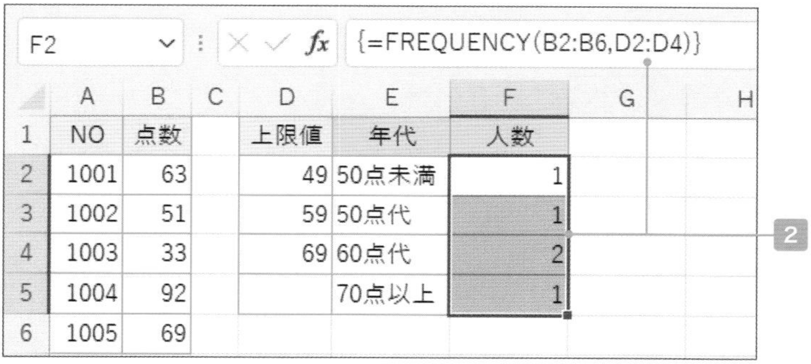

F2　{=FREQUENCY(B2:B6,D2:D4)}

	A	B	C	D	E	F	G	H
1	NO	点数		上限値	年代	人数		
2	1001	63		49	50点未満	1		
3	1002	51		59	50点代	1		
4	1003	33		69	60点代	2		
5	1004	92			70点以上	1		
6	1005	69						

2

動的配列数式とスピル

従来の配列数式は、結果を表示するセル範囲を先に選択し、数式を入力したら、[Ctrl]+[Shift]+[Enter]キーで確定します。Excel 2021、Microsoft 365 の新機能である「動的配列数式」は、従来の配列数式の機能が進化したものです。動的配列数式は、結果を表示したいセル範囲の先頭セルに数式を入力し、[Enter]キーを押すだけで必要な範囲に自動的に配列数式が設定されます。自動的に必要な範囲に結果が表示される機能を「スピル」といいます。スピル機能により、配列数式の設定が簡単で使いやすくなっています。ここでは、動的配列数式の入力方法とスピル機能の概要について確認しましょう。

動的配列数式を使った「定価×数量」の計算式入力手順

C2 =B2:B4*C2:C4

	A	B	C	D	E
1	商品名	定価	数量	金額	
2	商品A	800	10	=B2:B4*C2:C4	
3	商品B	1,000	2		
4	商品C	1,200	5		
5			合計		

1 結果を表示する先頭セル(ここではセル D2)を選択し、「=B2:B4*C2:C4」と入力。
2 [Enter]キーを押す。

D3 =B2:B4*C2:C4

	A	B	C	D	E
1	商品名	定価	数量	金額	
2	商品A	800	10	8,000	
3	商品B	1,000	2	2,000	
4	商品C	1,200	5	6,000	
5			合計		

3 数式が入力されると同時に、スピルにより自動的に各行の「定価 × 数量」の式の結果が表示される。
4 自動で結果が表示されたセルの数式バーには灰色で数式が表示される。

D5 =SUM(D2#)

	A	B	C	D	E
1	商品名	定価	数量	金額	
2	商品A	800	10	8,000	
3	商品B	1,000	2	2,000	
4	商品C	1,200	5	6,000	
5			合計	=SUM(D2#)	

5 合計のセル(ここではセル D5)をクリックし、「SUM(D2#)」と入力して、[Enter]キーを押す。

Hint 手順5で動的配列数式の範囲(ここではセル D2 ～ D5)をドラッグすると、自動的に「D2#」と入力されます。

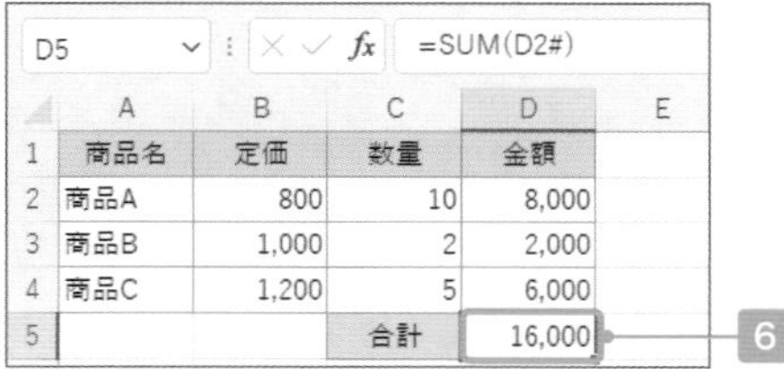

D5 =SUM(D2#)

	A	B	C	D	E
1	商品名	定価	数量	金額	
2	商品A	800	10	8,000	
3	商品B	1,000	2	2,000	
4	商品C	1,200	5	6,000	
5			合計	16,000	

6 スピルにより自動入力されたセル範囲の合計が表示された。

配列を返す関数を使う（スピル機能）

ここでは、表のデータを並べ替えて取り出す関数「SORT」(p.238)を例に手順を紹介します。

D3 | =SORT(A3:B7,2,-1)

	A	B	C	D	E	F
1	テスト結果			点数順		
2	NO	点数		NO	点数	
3	1001	63		=SORT(A3:B7,2,-1)		
4	1002	51				
5	1003	33				
6	1004	92				
7	1005	69				

1 結果を表示する範囲の先頭のセル(ここではセルD3)をクリックし、「=SORT(A3:B7,2,-1)」と入力。

2 [Enter]キーを押す。

Hint 表のデータ(セルA3～B7)を「2」列目(点数)を並べ替えの基準列とし、「-1」(降順)で並べ替えて取り出しています。

D4 | =SORT(A3:B7,2,-1)

	A	B	C	D	E	F
1	テスト結果			点数順		
2	NO	点数		NO	点数	
3	1001	63		1004	92	
4	1002	51		1005	69	
5	1003	33		1001	63	
6	1004	92		1002	51	
7	1005	69		1003	33	
8						

3 セルA3～B7のデータが点数の大きい順(2列目、降順)で並べ替えられ、スピルにより自動的に必要な範囲に結果が表示された

[スピル] 機能の特徴

- Excel 2021、Microsoft 365 の Excel では、配列数式や、配列を返す関数を入力する際、先頭となるセルに数式を入力するだけで、自動的に必要なだけ連続するセルに結果が表示されます(Excel 2019 以前の場合は、p.373 の方法で配列数式を入力)。
- 動的配列数式が入力されているセル内をクリックすると、配列数式の周囲に青い影付きの枠線が表示されます。
- スピルにより自動で結果が表示されたセルをクリックすると、数式バーに灰色で数式が表示されます。これを「ゴースト」といい、このセルでは数式を編集・削除できません。
- 数式を編集する場合は、動的配列数式の先頭セルのみで行います。また、先頭セルの数式を削除すると動的配列数式全体が削除されます。
- 動的配列数式の先頭のセル以外のセルにデータを入力すると、先頭セルにエラー値「#SPILL!」が表示され配列数式が削除されます。データを削除すれば、再び配列数式が表示されます。
- 動的配列数式のセル範囲は、「先頭セル #」で表すことができ、p.376 の例題の場合は「D2#」で「D2:D4」を指定したことになります。なお、「#」は、「スピル範囲演算子」といい、セル D2 を先頭とする動的配列の範囲を参照します。

日付や時刻の計算

Excel では、日付 / 時刻データをシリアル値という数値で管理しています(p.81 参照)。そのため、日付 / 時刻データは数値として扱い、計算することができます。ただし、1900 年 1 月 1 日から 9999 年 12 月 31 日までの日付しか使用できないことに注意してください。日付や時刻を扱う関数は「日付 / 時刻関数」(p.77)を参照してください。

日付を計算する

日付のシリアル値は、1900/1/1 を「1」とし、1 日経過するごとに 1 加算される数値です。そのため、下図のようにセル A2 の日付の 5 日後は「=A2+5」、5 日前は「=A2-5」で求めることができます。なお、1 ヵ月前や後(EDATE 関数)、土日を除いた 5 日後(WORKDAY 関数)のような日付は関数を使って求められます。

	A	B	C
1	基準日	5日前	2023/11/26
2	2023/12/1	5日後	2023/12/6

式 =A2-5　式 =A2+5

作業時間の合計を計算する

時刻のシリアル値は、0時を「0」、24時を「1」として24時間を0から1までの小数で管理しています。そのため、時間の合計は24を超えるごとに0に戻って表示されてしまいます。24時間を超える作業時間を表示するには、表示形式を「[h]:mm」にします。

1 表示形式を変更したいセルをクリックし、p.382の手順で[セルの書式設定]ダイアログを表示する。

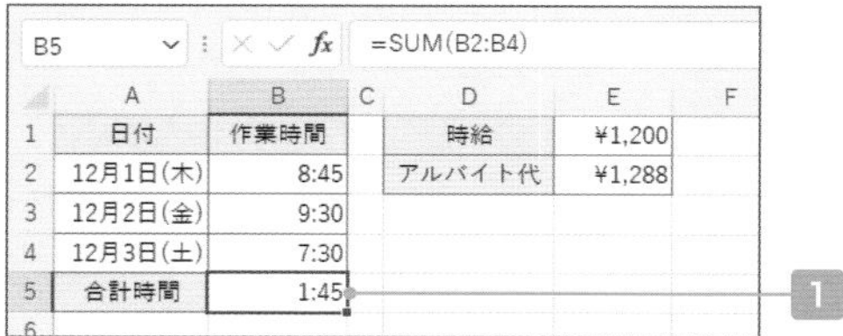

2 [表示形式]タブの[ユーザー定義]をクリックする。
3 [種類]欄に「[h]:mm」と入力する。
4 [OK]ボタンをクリックする。

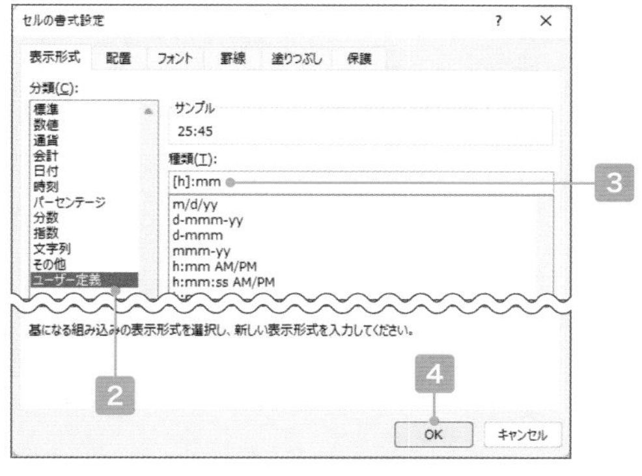

5 正しい合計時間が表示される。

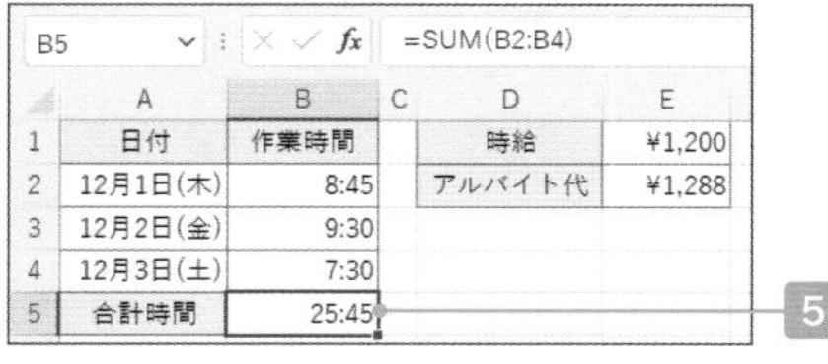

3 賃金を正しく計算する

下図のように、セルB5の作業時間の合計とセルE1の時給を掛け合わせて、セルE2にアルバイト代を求めようと「=B5*E1」という式を入力すると「¥1,288」となってしまいます。賃金を正しく計算するためには、合計の作業時間に24を掛けて、単位を「時：分」から「時間」に変換する必要があります。

1 アルバイト代を求めるセルをクリックする(ここではセルE2)。

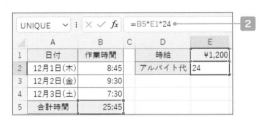

E2 =B5*E1

	A	B	C	D	E
1	日付	作業時間		時給	¥1,200
2	12月1日(木)	8:45		アルバイト代	¥1,288
3	12月2日(金)	9:30			
4	12月3日(土)	7:30			
5	合計時間	25:45			

1

2 数式バーをクリックして「=B5*E1*24」に修正して[Enter]キーを押す。

UNIQUE =B5*E1*24 2

	A	B	C	D	E
1	日付	作業時間		時給	¥1,200
2	12月1日(木)	8:45		アルバイト代	24
3	12月2日(金)	9:30			
4	12月3日(土)	7:30			
5	合計時間	25:45			

3 アルバイト代が正しく計算される。

E2 =B5*E1*24

	A	B	C	D	E
1	日付	作業時間		時給	¥1,200
2	12月1日(木)	8:45		アルバイト代	¥30,900
3	12月2日(金)	9:30			
4	12月3日(土)	7:30			
5	合計時間	25:45			

3

» 表示形式の設定

関数は、その戻り値がシリアル値だったり、小数だったりといろいろです。そのままの値ではわかりづらくても、表示形式を変更することで、見やすく、わかりやすくすることができます。表示形式には、あらかじめ用意されている定義済みの表示形式と、書式記号を使って作成するユーザー定義の表示形式があります。

関数	戻り値		表示形式	
=WORKDAY("2022/4/1",3) (2022/4/1 から 3 営業日後の日を求める)	44657	シリアル値	➡ 2022/4/6	定義済み形式：短い日付形式
			➡ 令和 4 年 4 月 6 日(火)	ユーザー定義：ggge 年 m 月 d 日(aaa)

関数の戻り値のままだとわかりづらい場合は、表示形式を設定すればわかりやすくなります。

定義済みの表示形式を設定する

1 表示形式を変更したいセルをクリックする。

2 [ホーム]タブ→[数値の書式]の[▼]→[短い日付形式]をクリックする。

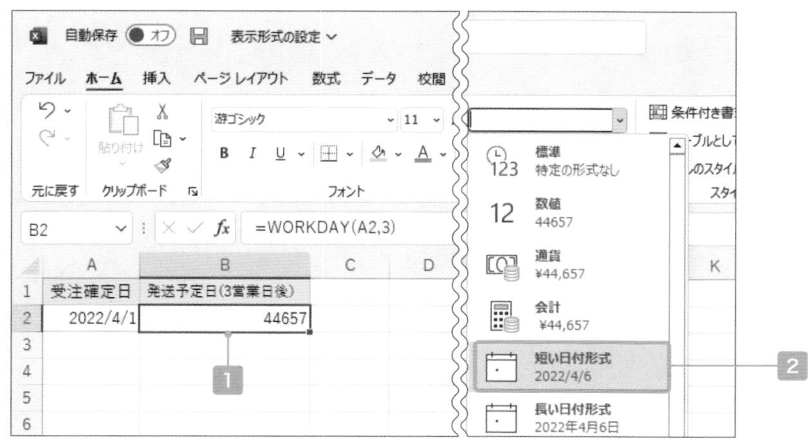

3 定義済みの日付の表示形式が設定される。

	A	B	C
1	受注確定日	発送予定日(3営業日後)	
2	2022/4/1	2022/4/6	
3			

3

ユーザー定義の表示形式を設定する

1 表示形式を設定するセルをクリックする。
2 [ホーム]タブ→[数値]グループの[ダイアログボックス起動ツール]をクリックする。

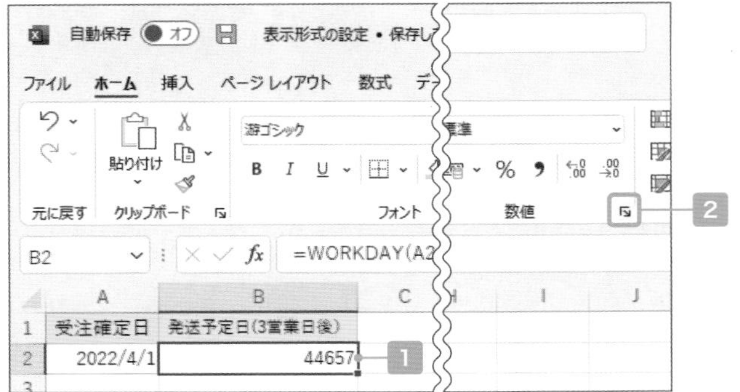

3 [セルの書式設定]ダイアログの[表示形式]タブで[ユーザー定義]をクリックする。
4 [種類]欄で書式記号設定する。（ここでは「ggge 年 m 月 d 日」）
5 [OK]ボタンをクリックする。

6 ユーザー定義の表示形式が設定される。

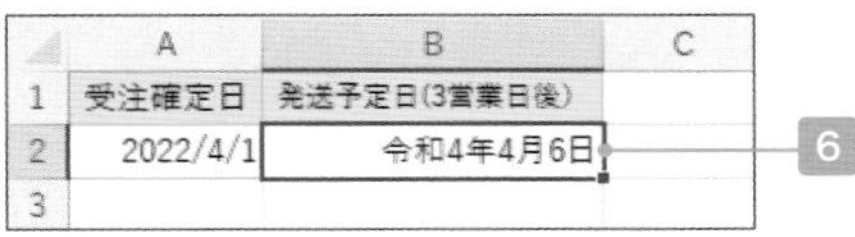

日付 / 時刻の書式記号

書式記号	内容
yy、yyyy	西暦の年を２桁、４桁で表示
e、ee	和暦の年を表示。ee は２桁で表示
g	元号を「S」「H」「R」の形式で表示
gg	元号を「昭」「平」「令」の形式で表示
ggg	元号を「昭和」「平成」「令和」の形式で表示
m、mm	月を表示。mm は２桁で表示
mmm	月を「Jan」「Feb」の形式で表示
mmmm	月を「January」「February」の形式で表示
d、dd	日を表示。dd は２桁で表示
ddd	曜日を「Sun」「Mon」の形式で表示
dddd	曜日を「Sunday」「Monday」の形式で表示
aaa	曜日を「日」「月」の形式で表示
aaaa	曜日を「日曜日」「月曜日」の形式で表示
h、hh	時を表示。hh は２桁で表示
m、mm	分を表示。mm は２桁で表示
s、ss	秒を表示。ss は２桁で表示
[h]、[m]、[s]	時、分、秒をそれぞれ経過時間で表示
AM/PM、am/pm	12 時間表示を使用して時を表示する
A/P、a/p	

日付 / 時刻の設定例（入力値：2022/4/1 18:05:20）

表示形式	表示結果
m/d	4/1
m/d(aaa)	4/1（金）
yyyy/mm/dd	2022/04/01
yyyy 年 mm 月	2022 年 04 月
gee. m .d(ddd)	R04.4.1（Fri）
ggge 年 mm 月 dd 日	令和 4 年 04 月 01 日
hh:mm	18:05
h:mm AM/PM	6:05 PM
h 時 mm 分 ss 秒	18 時 05 分 20 秒

ユーザー定義の表示形式の指定方法

ユーザー定義を設定する場合、下図のように「；」(セミコロン)で最大４つの区分に分けて指定できます。１つだけ指定した場合は、すべての数値に同じ書式が適用されます。２つ指定した場合は、「正の数値と０の書式；負の数値の書式」になります。

書式：	正の場合	；	負の場合	；	０の場合	；	文字列	；
例：	△0.0	；	▲0.0	；	−	；	@	；
	正の数のとき「△」を付け小数点第１位まで表示		負の数のとき「▲」を付け小数点第１位まで表示		０のとき「−」を表示		文字列のときそのまま表示	

数値の主な書式記号

記号	説明
0	数値の１桁を表す。数値の桁数が表示形式の桁数より少ない場合は、表示形式の桁まで０を補う
#	数値の１桁を表す。数値の桁数が表示形式の桁数にかかわらずそのまま表示する。１の位に「#」を指定した場合、値が「0」だと何も表示されない
?	数値の１桁を表す。数値の桁数が、表示形式の桁数より少ない場合は、表示形式の桁までスペースを補う。小数点位置や分数の位置を揃えたいときに使用
.	小数点を表示
,	３桁ごとの桁区切りを表示。千単位、百万単位の数値を表示したいときにも利用する
%	パーセント表示
/	分数で表示
E、e	指数で表示

設定例

表示形式	入力値	表示結果
0000	1	0001
	10	0010
#,##0	0	0
	1500	1,500
#,###	0	
	1500	1,500

表示形式	入力値	表示結果
0.0	1.26	1.3
	10	10.0
??.??	123.4	123.4
	12.345	12.35
# ?/?	1.5	1 1/2

3D集計

3D集計とは、別シート上の同じセル番号のデータ同士で集計することで、串刺し演算ともいいます。例えば、「新宿」「渋谷」「池袋」シートに同じ形式で作成されている表を「全店舗」シートで集計するには、次のように操作します。

1 集計用の表のセルをクリックし、「=SUM(」と入力する。
2 集計する先頭のシートのシート見出しをクリックする。

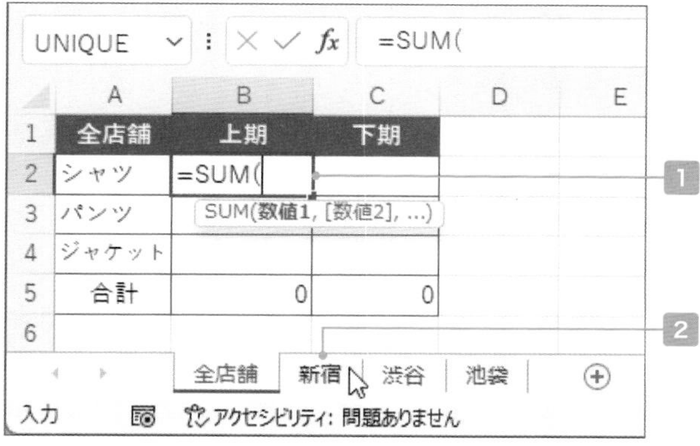

3 合計を求める始点のセルをクリックする。
4 集計する最後のシートの見出しを[Shift]キーを押しながらクリックする。
5 [Enter]キーを押す。

B2　=SUM(新宿!B2

	A	B	C
1	新宿支店	上期	下期
2	シャツ	4,500	5,600
3	パンツ	SUM(数値1, [数値2], ...)	
4	ジャケット	2,300	3,100
5	合計	8,000	11,100
6			

全店舗 新宿 渋谷 池袋

3 4 5

6 数式バーに「=SUM(新宿 : 池袋 !B2)」と SUM 関数が設定されていることを確認する。

7 セル B2 に入力された関数をセル C4 までコピーする。

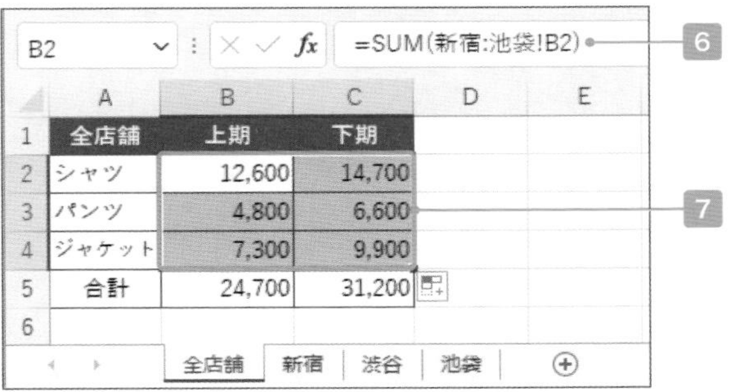

	A	B	C
1	全店舗	上期	下期
2	シャツ	12,600	14,700
3	パンツ	4,800	6,600
4	ジャケット	7,300	9,900
5	合計	24,700	31,200

» エラー対処

数式が入力されているセルの右上角に緑色のマークが表示されることがあります。これは、エラーの場合やエラーの可能性がある場合に表示されるエラーインジケーターです。セルを選択すると、[!](エラーチェックオプション)が表示され、ポインターを合わせるとエラーの内容やメニューが表示されるので必要な対処を指定してください。また、ここではエラー値の種類と内容も合わせて確認しましょう。

問題のないエラー

1 エラーインジケーターが表示されているセルをクリックし、エラーチェックオプションにポインターを合わせてメッセージを確認する。

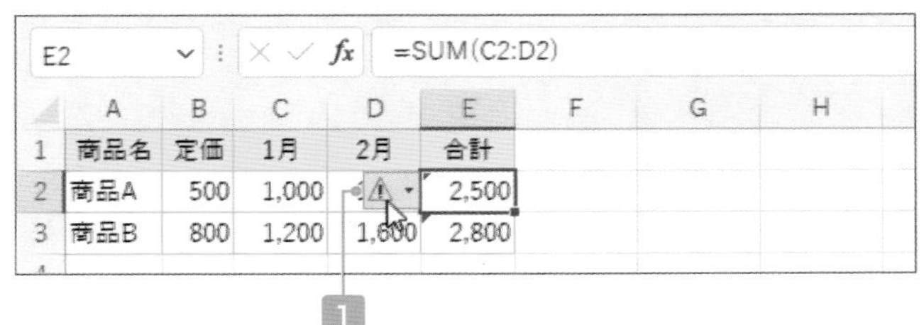

	A	B	C	D	E
1	商品名	定価	1月	2月	合計
2	商品A	500	1,000		2,500
3	商品B	800	1,200	1,600	2,800

2 エラーチェックオプションをクリックし、[エラーを無視する]をクリックすると、エラーインジケーターが非表示になる。

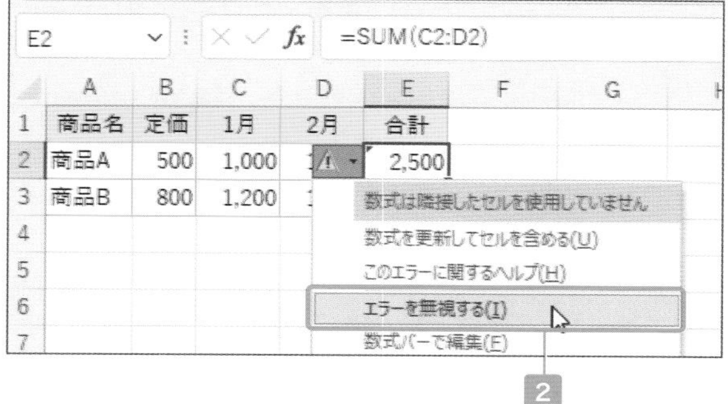

ここでは、参照エラーなので、参照すべきセルを修正すればいいことがわかります。

エラーインジケーターは表示したままでも印刷されません。

対処すべきエラー

1 エラー値が表示されているセルをクリックし、[エラーチェックオプション]にポインターを合わせて、エラー内容を確認する。

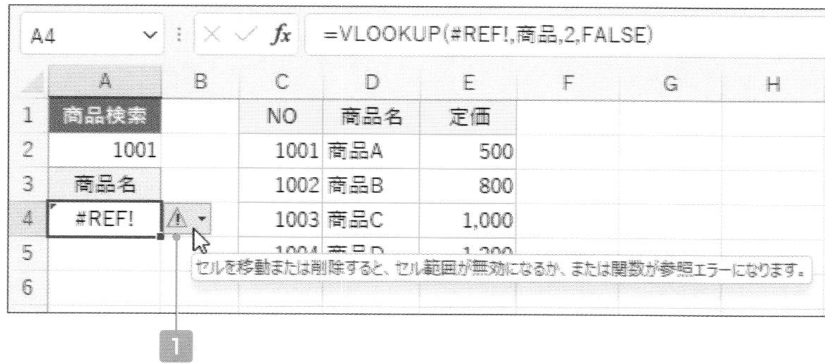

2 数式を修正する。

A4 =VLOOKUP(A2,商品,2,FALSE)

	A	B	C	D	E	F	G
1	商品検索		NO	商品名	定価		
2	1001		1001	商品A	500		
3	商品名		1002	商品B	800		
4	商品A		1003	商品C	1,000		
5			1004	商品D	1,200		
6							

2

数学／三角
日付／時刻
統計
文字列操作
論理
検索／行列・Web
キューブ
情報
データベース
財務
エンジニアリング
基礎知識
便利テクニック

主なエラー値の種類

数式が正しく評価されていないと、セルに「#」が付いたエラー値が表示されます。主なエラー値には次のようなものがあります。種類と内容を確認してください。

エラー値	内容
#######	数値や日付がセル幅に収まらないか、日付や時刻が負の値になっている
#NULL!	セル範囲の指定で範囲演算子「：」や「,」が正しく使われていない
#DIV/0!	0 または空白で割っている
#VALUE!	関数で指定した引数が不適切な場合や参照先のセルに問題がある
#REF!	数式で参照されているセルが削除された場合など、数式が有効でないセルを参照している
#NAME?	関数名や範囲名が間違っている、セル範囲の「：」（コロン）が抜けるなど、認識できない文字列が使用されている
#NUM!	数式や関数に無効な数値が含まれている場合に表示される
#N/A	VLOOKUP 関数などで参照する値が見つからない場合や計算に必要な値が入力されていない
#SPILL!	動的配列数式の出力先のセルが空でない場合や結合されている場合など、スピル機能が動作できない
#BLOCKED!	アクセス許可がない場合など必要なリソースに接続できない
#UNKNOWN!	使用中の Excel でサポートされていない、データ型が不明の場合など
#FIELD!	参照しているフィールドが存在しない場合など
#CALC!	配列内でセル参照を指定している。配列数式で空の配列が返された場合など

便利テクニック

ここでは、関数の活用方法や検証方法など関数を使った便利なテクニックや覚えておきたい知識を紹介します。また、関数を設定しなくても自動で集計したり、文字を結合・分割したりできる機能もいくつか紹介しています。さらに、便利なショートカットキーや互換性関数をここでまとめています。

条件付き書式設定

[条件付き書式]を設定すると、数値の大きさによって塗りつぶしの色や文字の色などの書式を変更することができます。書式を設定したいセルを選択し、[ホーム]タブ→[条件付き書式]から条件や設定したい書式を選択します。また、[新しい書式ルール]ダイアログでは、条件に関数などの数式を指定することもできます。

土日のセルに色を付ける

ここでは、曜日番号を返すWEEKDAY関数を使って、日付が土日のセルに色を付ける条件付き書式を設定します。

1 日付のセル範囲(ここではA2:A6)を選択する。
2 [ホーム]タブ→[条件付き書式]→[新しいルール]をクリックする。

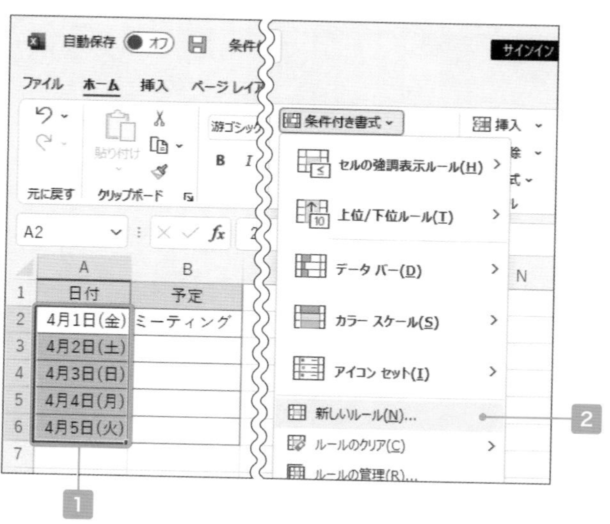

3 [新しい書式ルール]ダイアログで[数式を使用して、書式設定するセルを決定]をクリックする。
4 「=WEEKDAY(A2,2)>=6」と入力する。
5 [書式]ボタンをクリックし、表示されたダイアログで書式を指定する(ここでは塗りつぶしを薄い青に設定)。

6 [OK]ボタンをクリックする。

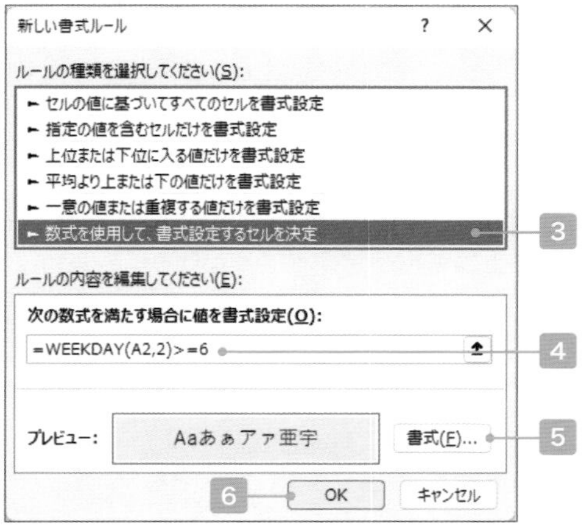

WEEKDAY関数では第2引数を2にすると月曜日から順に1,2,…7と曜日番号が返ります。第1引数には選択セルの先頭のセルを指定します。セルA2の曜日番号が6以上(土または日)という条件になります。相対参照で指定しているので、設定すると、A3～A6の各セルが参照されます。

Hint 条件付き書式を解除するには、条件付き書式が設定されているセル範囲を選択し、[ホーム]タブ→[条件付き書式]→[ルールのクリア]→[選択したセルからルールをクリア]をクリックする。

7 日付が土日のセルに色が表示される。

	A	B	C
1	日付	予定	
2	4月1日(金)	ミーティング	
3	4月2日(土)		
4	4月3日(日)		
5	4月4日(月)		
6	4月5日(火)		
7			

Hint 表の土日の行全体に色を付けるには、手順1で表全体(A2:B6)を選択し、手順4で「=WEEKDAY($A2,2)>=6」と指定する。

COLUMN

条件付き書式の種類

条件付き書式には次のような種類があります。それぞれの特徴を理解して使い分けましょう。

セルの強調表示ルール	上位／下位ルール
条件に一致するセルに色を付ける	上位や下位のセルに色を付ける
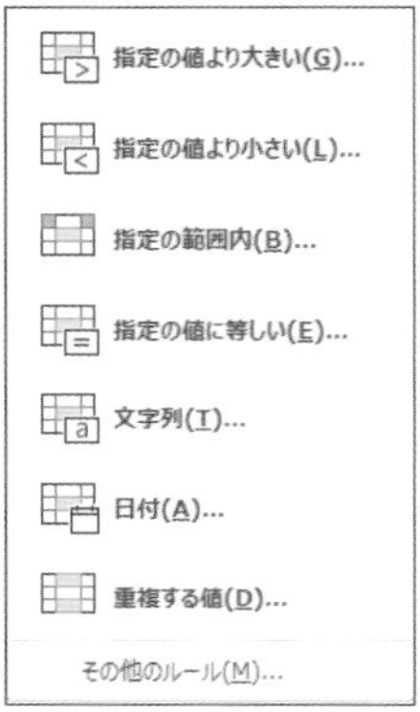 指定の値より大きい(G)... 指定の値より小さい(L)... 指定の範囲内(B)... 指定の値に等しい(E)... 文字列(T)... 日付(A)... 重複する値(D)... その他のルール(M)...	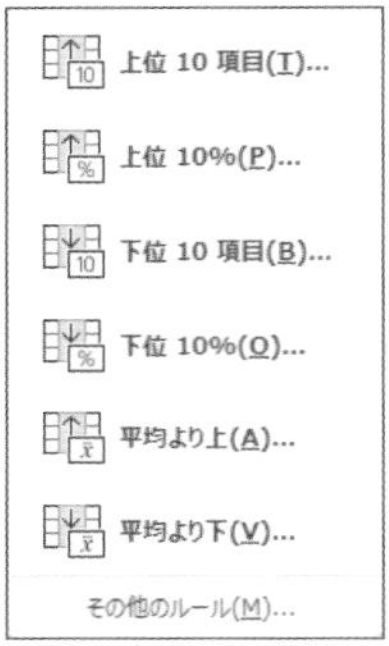 上位 10 項目(T)... 上位 10%(P)... 下位 10 項目(B)... 下位 10%(O)... 平均より上(A)... 平均より下(V)... その他のルール(M)...

データバー	アイコン
数値の大小を色付きのバーで表示する	数値の大小をアイコンで表す
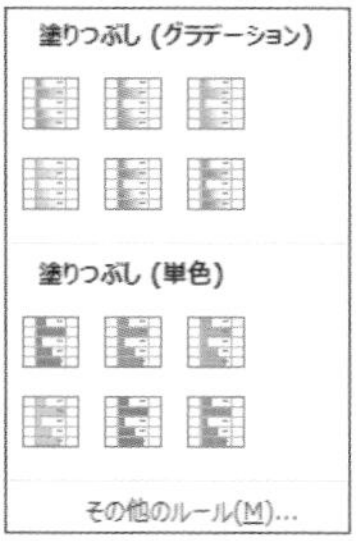 塗りつぶし (グラデーション) 塗りつぶし (単色) その他のルール(M)...	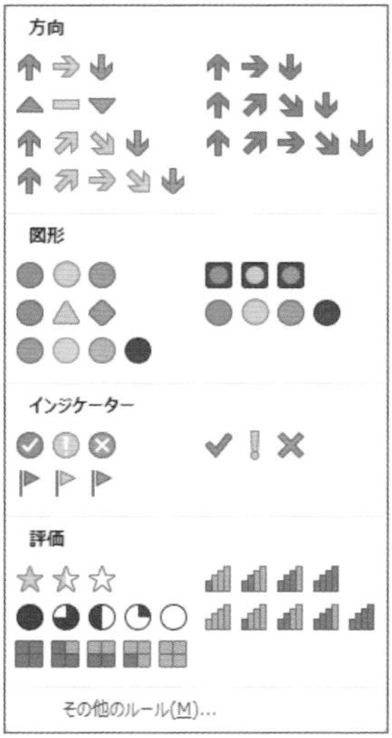 方向 図形 インジケーター 評価 その他のルール(M)...
カラースケール	
数値の大小を色の変化で表示	
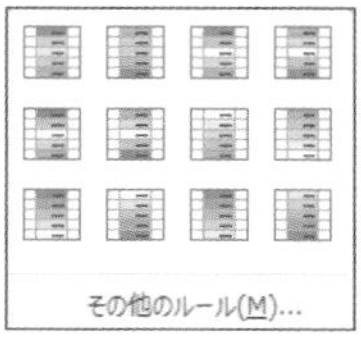 その他のルール(M)...	

» データの入力規則

[データの入力規則]を使うと、セルに入力するデータの種類や範囲を指定できます。例えば、数値の1～5までの整数とか、選択肢の中から選択して入力させるといったことができるため、誤入力を防ぐことができます。また、数式や関数を使って条件を指定することもできます。例えば、WORKDAY関数を使って受注日から3営業日以内とか、COUNTIF関数を使って重複データが入力されないように指定することができます。

[データの入力規則] を設定する

1 データの入力規則を設定したいセルを選択する。
2 [データ]タブ→[データの入力規則]をクリックする。

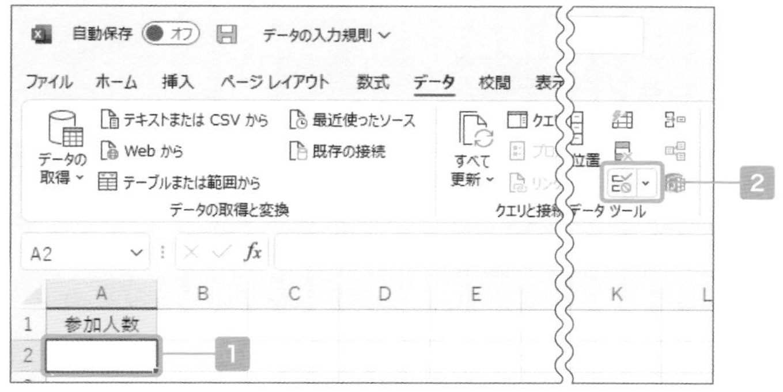

3 [データの入力規則]ダイアログが表示される。
4 [設定]タブの[入力値の種類]欄で種類を選択する(p.394 表参照)。
5 [データ]で条件の項目を選択する。
6 条件の範囲を指定する。
7 [OK]ボタンをクリックする。

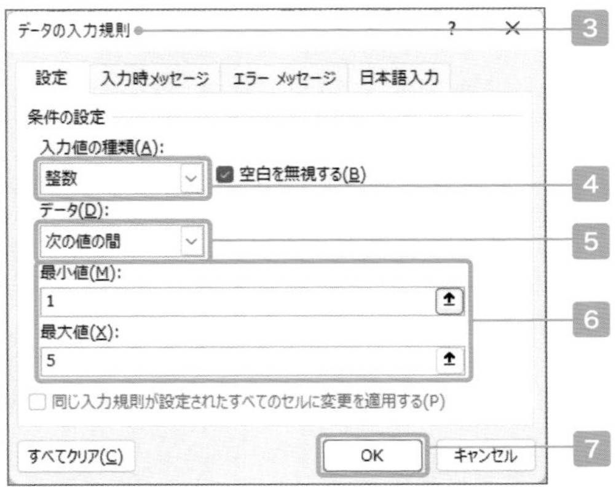

8 設定した入力規則に反するデータを入力しようとするとエラーメッセージが表示される。

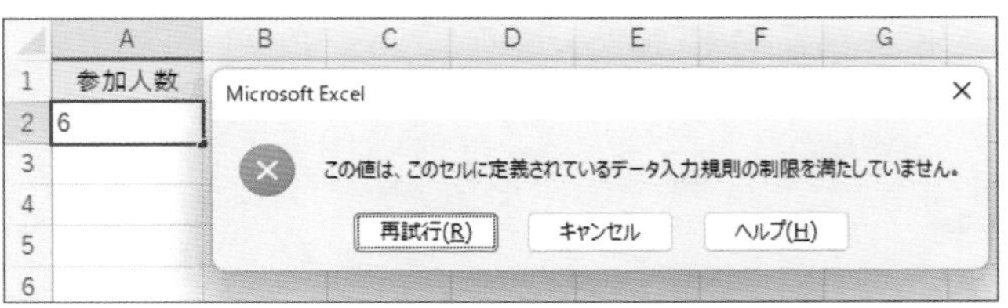

入力値の種類

入力値の種類	内容
すべての値	制限なし
整数	指定範囲の整数
小数点数	指定範囲の小数点数
リスト	指定した選択肢
日付	指定範囲の日付
時刻	指定範囲の時刻
文字列(長さ指定)	指定の長さの文字列
ユーザー設定	指定した数式に合致する値

WORKDAY関数を使って、受注日の3営業日以内の日付に入力値を制限する

1 入力規則を設定するセルを選択し、[データの入力規則]ダイアログを表示する。
2 [入力値の種類]で[日付]を選択する。
3 [データ]で[次の値以下]を選択する。
4 [終了日]に「=WORKDAY(A2,3)」と入力する。
5 [OK]ボタンをクリックする。

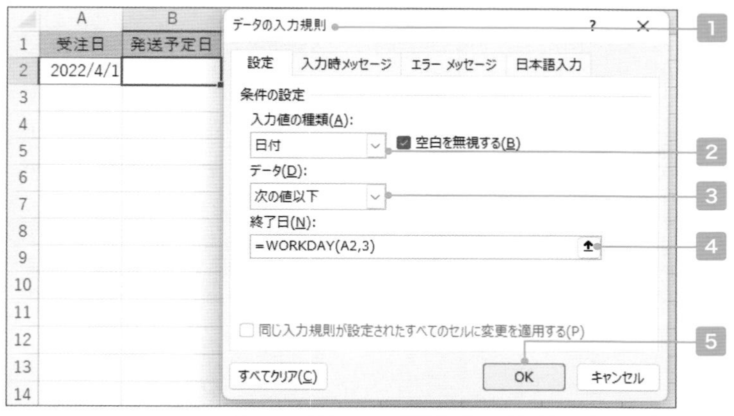

「セルA2の日付から土日を除いて3日後」という意味です。

COUNTIF関数を使って、メールアドレスの重複入力を制限する

1 入力規則を設定するセル範囲を選択し、[データの入力規則]ダイアログを表示する。
2 [入力値の種類]で[ユーザー設定]を選択する。
3 [数式]に「=COUNTIF(B:B,B2)=1」と入力し、[OK]ボタンをクリックする。
4 [OK]ボタンをクリックする。

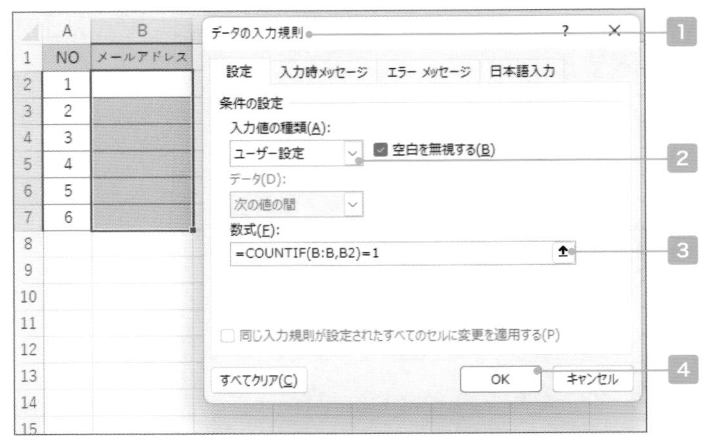

「B 列内でセル B2 と同じ値が 1 つ」という意味です。現在のアクティブセルである B2 を参照していますが、設定すると自動的に B3、B4 とそれぞれのセル番地が参照されます。

Hint 設定したデータの入力規則を解除するには、入力規則が設定されているセルを選択し、[データの入力規則]ダイアログを表示して[設定]タブの[すべてクリア]ボタンをクリックする。

» データベース

データベースとは、特定のテーマに沿って集められたデータです。Excel では一定のきまりの下で作成された表はデータベースとして認識し、並べ替えや抽出などさまざまなデータベース機能を利用することができます。また、関数の中にもデータベースをもとに使うものが多数用意されています。ここでは、データベースの概要を確認しましょう。

データベースとして認識される表

・表の 1 行目は列見出しにする
・列見出しには 2 行目以降(レコード行)と異なる書式を設定しておく
・列ごとに同じ種類のデータを入力する
・2 行目以降にはデータを入力し、1 行で 1 件分のデータ(レコード)になるように列を用意する

・データベースの表の範囲は自動認識されるため、表に隣接するセルは空白にしておく

データベースの構成

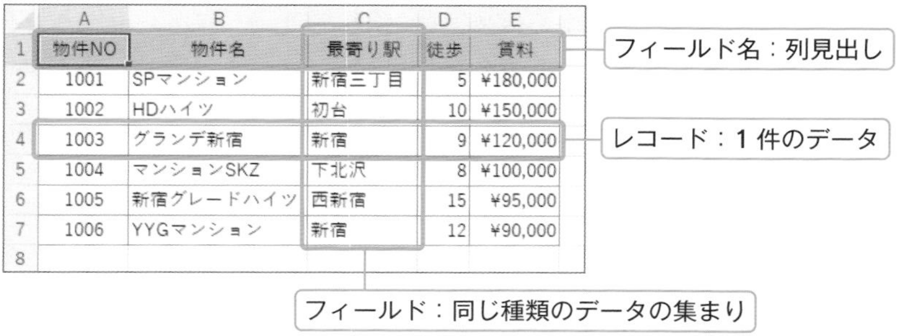

	A	B	C	D	E
1	物件NO	物件名	最寄り駅	徒歩	賃料
2	1001	SPマンション	新宿三丁目	5	¥180,000
3	1002	HDハイツ	初台	10	¥150,000
4	1003	グランデ新宿	新宿	9	¥120,000
5	1004	マンションSKZ	下北沢	8	¥100,000
6	1005	新宿グレードハイツ	西新宿	15	¥95,000
7	1006	YYGマンション	新宿	12	¥90,000
8					

フィールド名：列見出し

レコード：1件のデータ

フィールド：同じ種類のデータの集まり

Excelの主なデータベース機能

機能	内容
並べ替え	数値の小さい順に並べ替えたり、50音順に並べ替えたりする
抽出	条件に一致するデータを絞り込んで表示する
集計	データが切り替わるごとに小計行を挿入し、金額の合計などの集計を実行する
テーブル	データベースへのデータ入力を効率的に行うことができ、表の書式設定、並べ替え、抽出がすばやく行える
ピボットテーブル	フィールドを行や列に自由に配置した集計表が作成できる

Hint データベース機能を利用するときは、データベース内でクリックしてアクティブセルを移動してください。アクティブセルを含む表全体がデータベース範囲として自動認識されます。正しく認識されなかった場合は、データベース範囲を選択してからデータベース機能を実行してください。

» テーブル

データベースの形式で作成された表はテーブルに変換することができます。テーブルに変換すると、表の最下行で新規入力行が自動で追加され、表のスタイルやセルに設定されている書式や数式が自動的に引き継がれるため、入力を効率的に行えます。また、並べ替えや抽出などのデータベース機能もすばやく利用できます。

表をテーブルに変換

1 表の中をクリックしてアクティブセルを移動する。
2 [挿入]タブ→[テーブル]をクリックする。

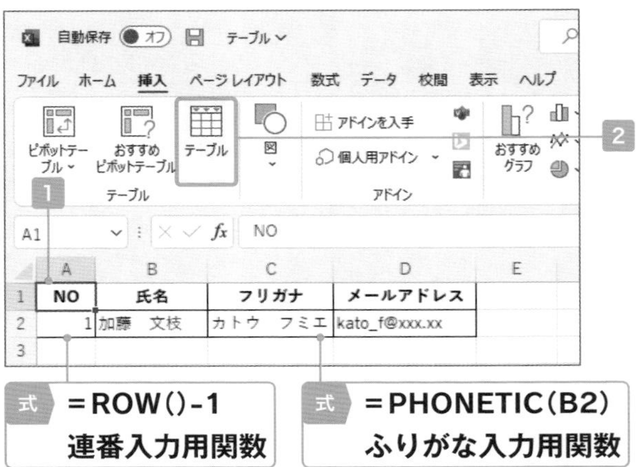

	A	B	C	D
1	NO	氏名	フリガナ	メールアドレス
2	1	加藤　文枝	カトウ　フミエ	kato_f@xxx.xx

3 [テーブルの作成]ダイアログで表全体が選択されていることを確認する。
4 [OK]ボタンをクリックするとテーブルに変換される。

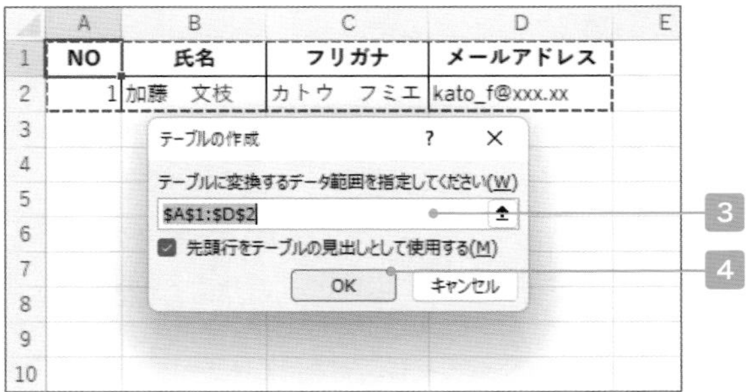

5 レコード行の行末で[Tab]キーを押すと、自動で新規入力行が追加され、セルに設定されている関数が引き継がれ、NOやふりがなが自動で表示される。

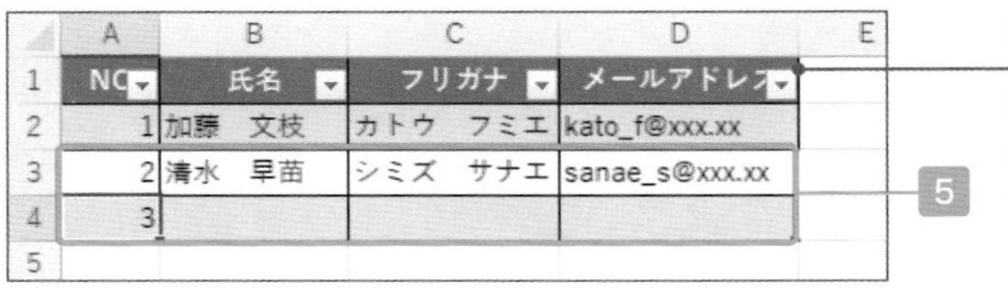

	A	B	C	D
1	NO	氏名	フリガナ	メールアドレス
2	1	加藤　文枝	カトウ　フミエ	kato_f@xxx.xx
3	2	清水　早苗	シミズ　サナエ	sanae_s@xxx.xx
4	3			

表がテーブルに変換され、列見出しにフィルターボタンが表示されて、表全体にスタイルが設定された。

Hint

- テーブルの１行目に表示される[▼](フィルターボタン)をクリックして表示されるメニューから並べ替えや抽出が行える。
- テーブルを解除して元の表に戻すには、[テーブルツール]の[デザイン]タブ→[範囲に変換]をクリックする。なお、設定された罫線や塗りつぶしなどの書式は残る。

構造化参照

テーブルに変換されている表では、セルや行、列などの参照方法が[構造化参照]に変わります。テーブル内で数式を入力する際、参照するセルをクリックすると、クリックした位置を表す指定子とよばれる記号が入力されます。

ここでは[税込価格]列に「単価×1.1」を計算する式の入力を例に説明します。

1 [税込価格]列内の先頭行をクリックし、「=」と入力して単価のセルC2をクリックすると、「[@単価]」と入力される。続けて「*1.1」と入力し「=[@単価]*1.1」となったら[Enter]キーを押す。

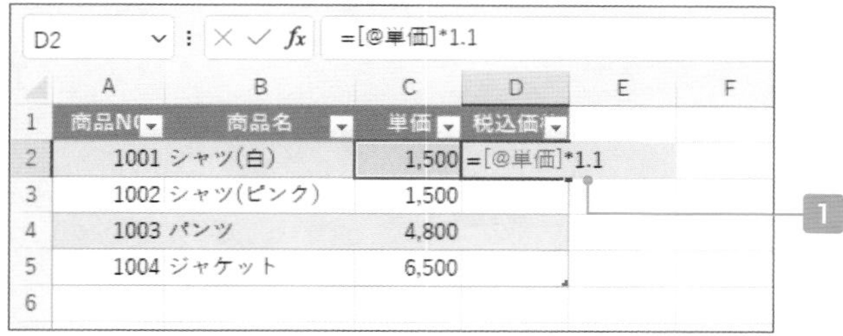

2 列全体に「=[@単価]*1.1」が自動入力され、各行の税込価格が表示される。以降、新規入力行にデータを入力すると自動で税込価格が表示されるようになる。

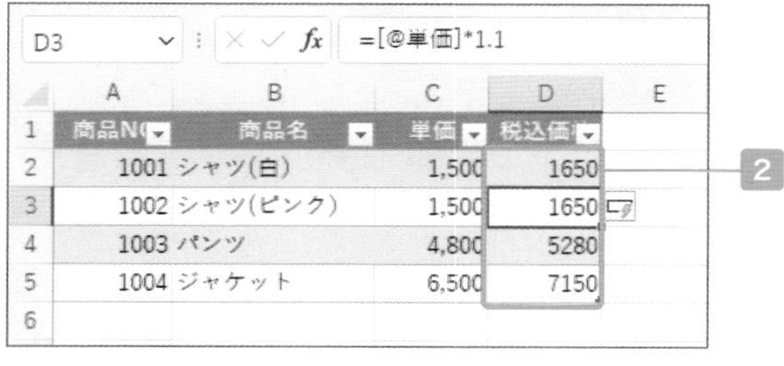

構造化参照の指定子

指定子	内容
[# すべて]	テーブル全体
[# 見出し]	列見出し行
[# データ]	データ行
[# 集計行]	集計行
[@]	数式が入力されている同じ行のセル
[見出し名]	フィールド名に対応するデータ部分
[@ 見出し名]	[@] と [見出し名] が交差するセル

» アウトライン

アウトラインとは、ワークシートに折り目を付けて、行や列を折りたたんだり、展開したりして表示する行や列を切り替えられる機能です。[アウトラインの自動作成]を使うと、SUM 関数などのセル範囲をもとに自動的にアウトラインが作成され、合計列や行だけ残して明細部分を非表示にできます。

1 表の中でクリックし、[データ]タブ→[グループ化]の[v]→[アウトラインの自動作成]をクリックする。

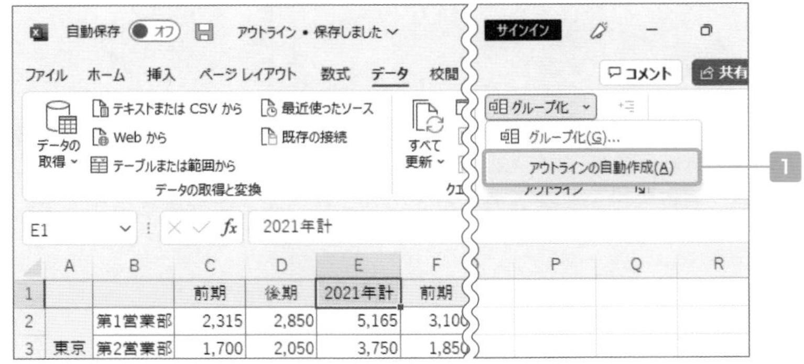

2 表内にあるSUM関数が参照しているセル範囲をもとにアウトラインが自動で作成される。
3 列のボタンで[2]をクリックすると2019年と2020年の合計のみが表示される。
4 行のボタンで[1]をクリックすると、地区の合計のみが表示される。

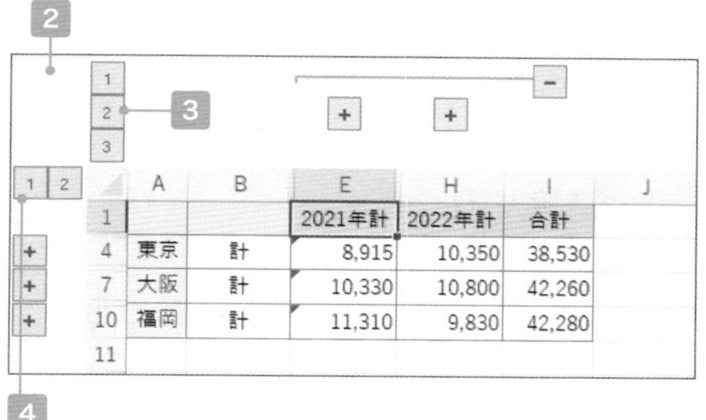

1番大きい数字のボタンをクリックするとすべてが表示されます。[＋]をクリックすると展開、[－] をクリックすると折りたたまれます。

小計

[小計]機能を使用すると、表内のフィールド(集計の対象となる列)の値が切り替わるごとに自動で行を挿入し、指定したフィールドの集計値を表示できます。この機能を実行する前に、商品名で並べ替えするなど、同じデータをまとめておく必要があります。

1 集計対象としたい列内(ここでは[商品名]列)でクリックする。
2 [データ]タブ→[昇順]または[降順]をクリックする。

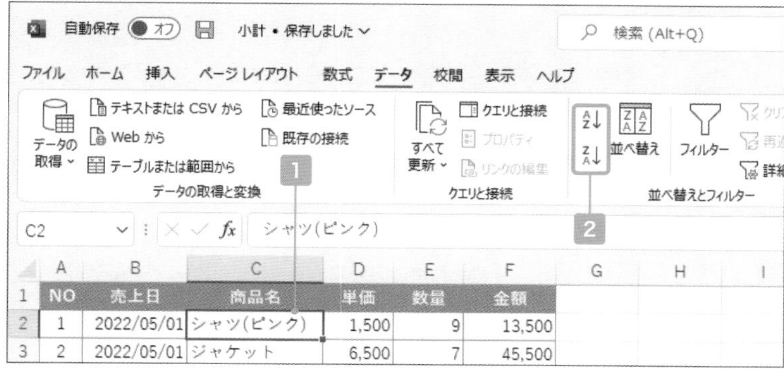

3 商品名で並べ変わる。

4 [データ]タブ→[小計]をクリックして[集計の設定]ダイアログを表示する。

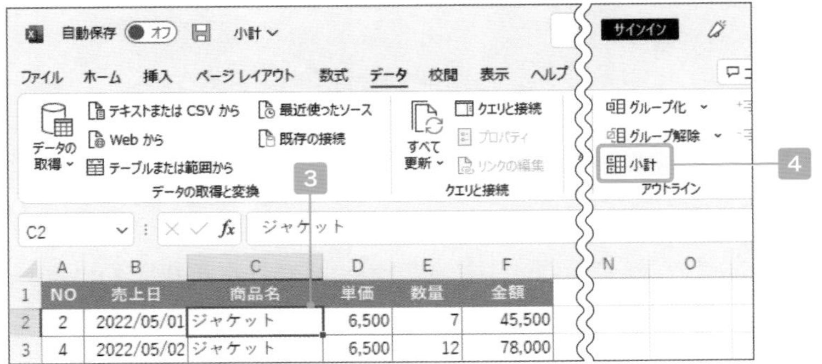

5 集計対象となるフィールド名を選択する。

6 集計方法を選択する。

7 集計する列にチェックを付ける。

8 [OK]ボタンをクリックする。

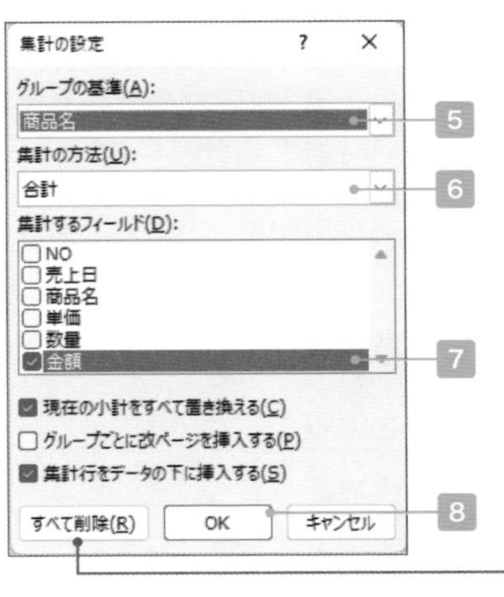

[すべて削除] ボタンをクリックすると、集計行が削除され、元の表に戻ります。

9 商品が切り替わるごとに行が挿入され、指定した集計方法で集計結果が表示される。

	A	B	C	D	E	F
1	NO	売上日	商品名	単価	数量	全額
2	2	2022/05/01	ジャケット	6,500	7	45,500
3	4	2022/05/02	ジャケット	6,500	12	78,000
4	6	2022/05/04	ジャケット	6,500	5	32,500
5			**ジャケット 集計**			156,000
6	8	2022/05/10	シャツ(白)	1,500	15	22,500
7	10	2022/05/15	シャツ(白)	1,500	4	6,000
8	12	2022/05/29	シャツ(白)	1,500	3	4,500
9			**シャツ(白) 集計**			33,000
10	1	2022/05/01	シャツ(ピンク)	1,500	9	13,500
11	5	2022/05/04	シャツ(ピンク)	1,500	8	12,000
12	11	2022/05/23	シャツ(ピンク)	1,500	10	15,000
13			**シャツ(ピンク) 集計**			40,500
14	3	2022/05/02	パンツ	4,800	5	24,000
15	7	2022/05/08	パンツ	4,800	6	28,800
16	9	2022/05/11	パンツ	4,800	11	52,800
17			**パンツ 集計**			105,600
18			**総計**			335,100

挿入された小計行では、SUBTOTAL 関数を使って集計されています。

統合

統合とは、項目の並びが異なるとか、項目が一部異なる表をまとめる機能です。集計する際に、表の上端行や左端列にある項目名と集計する値を含めて範囲指定します。統合では項目名を基準に集計が行われます。集計結果は値として表示するか、元データとリンクさせるか指定できます。

1 統合結果の表を作成する左上のセルをクリックする。
2 [データ]タブ→[統合]をクリックする。

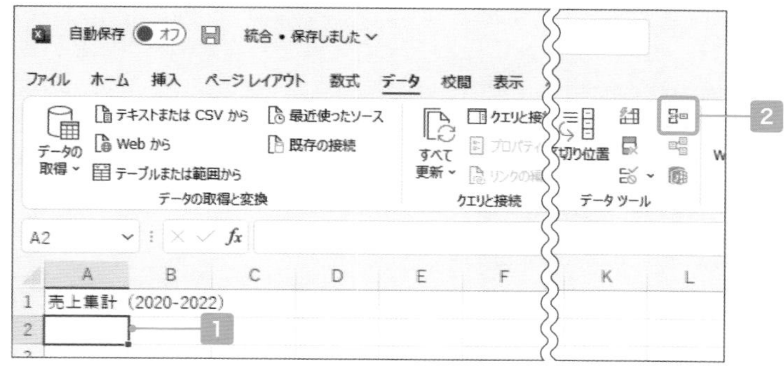

3 [統合の設定]ダイアログで[集計の方法]が[合計]であることを確認する。

4 [統合元範囲]欄をクリックし、統合する表の項目名と値のセル範囲を選択する。

5 [追加]をクリックする。

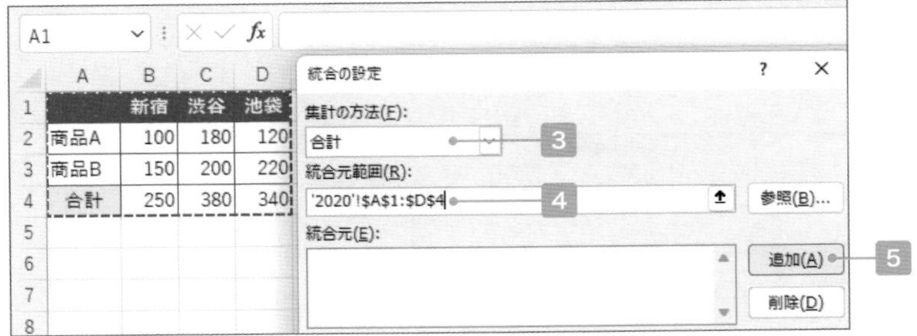

6 同様にして他のシートにある表の項目名と値のセル範囲を追加する。

7 [上端行]、[左端列]、[統合元データとリンクする]にチェックを付ける。

8 [OK]ボタンをクリックする。

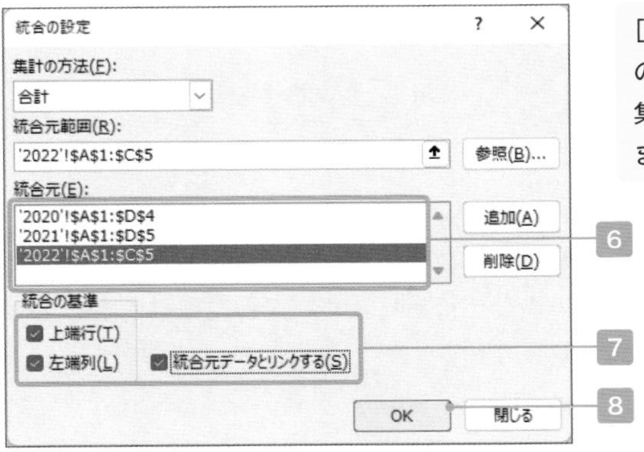

[統合元データとリンクする]のチェックをオフにすると、集計結果の値だけが表示されます。

9 元の表とリンクされた状態で統合される。

10 アウトラインが自動で設定される。

	A B	C	D	E
1	売上集計（2020-2022）			
2		新宿	渋谷	池袋
6	商品A	580	460	600
10	商品B	580	350	550
13	商品C	580	350	460
17	合計	1,740	1,160	1,610

11 アウトラインの[2]をクリックして展開する。
12 参照元の表の各セルのリンク式が確認できる。

» フラッシュフィル

フラッシュフィルとは、入力済みの隣接するデータから入力パターンを分析し、残りのセルに自動的にデータを入力する機能です。例えば、氏名から姓の部分だけ取り出したり、都道府県と住所を一つにまとめたりできます。数式や関数を使うことなく、同じ行にあるセル内の値をまとめたり、分割できたりします。

セルの値をまとめる

1 1つ目のセル(ここではセルD2)に「都道府県」+「住所1」の値を入力する。
2 [データ]タブ→[フラッシュフィル]をクリックする。

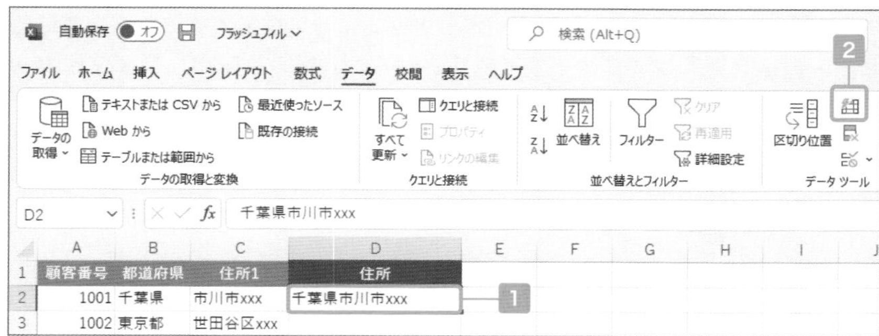

3 残りのセルに同じ規則でデータが自動で入力される。

	A	B	C	D	E
1	顧客番号	都道府県	住所1	住所	
2	1001	千葉県	市川市xxx	千葉県市川市xxx	
3	1002	東京都	世田谷区xxx	東京都世田谷区xxx	
4	1003	神奈川県	横浜市xxxx	神奈川県横浜市xxxx	
5					

セルの値を分割する

1 1つ目のセル（ここではセル C2）に「姓」のみ入力し、［データ］タブ→［フラッシュフィル］をクリックする。

2 残りのセルに同じ規則でデータが自動で入力される。

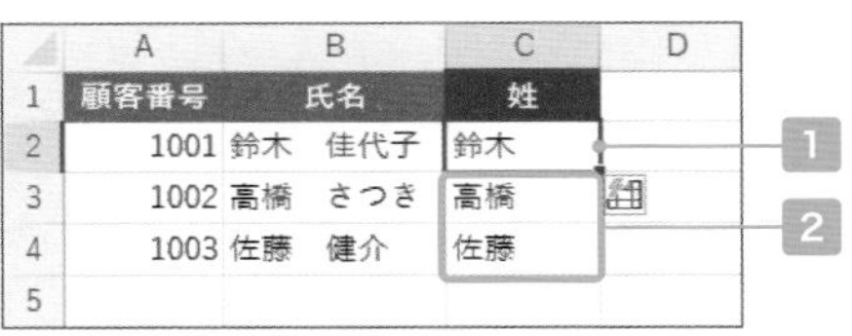

	A	B	C	D
1	顧客番号	氏名	姓	
2	1001	鈴木　佳代子	鈴木	
3	1002	高橋　さつき	高橋	
4	1003	佐藤　健介	佐藤	
5				

What-if 分析

What-If 分析は、セルの値を変更したとき、ワークシート内に入力されている数式の結果にどのような影響があるかを調べる機能で、ゴールシーク、シナリオ、データテーブルの 3 種類が用意されています。ここでは、ゴールシークとデータテーブルについて簡単に紹介します。

ゴールシーク

ゴールシークは、計算式の結果が目標値となるように、計算式で参照しているセルの数値を逆算して求める機能です。例えば、次の手順のようにマイカーローンで 150 万円を年利 2.5％、36 カ月で返済する場合、PMT 関数（p.288）を使って月の支払額が「¥-43.292」と求められていますが、ここで、PMT 関数の結果が「¥-35,000」になるようにするには、返済月数を何カ月にすればいいかを調べることができます。

1 [データ]タブ→[What-If 分析]→[ゴールシーク]をクリックする。

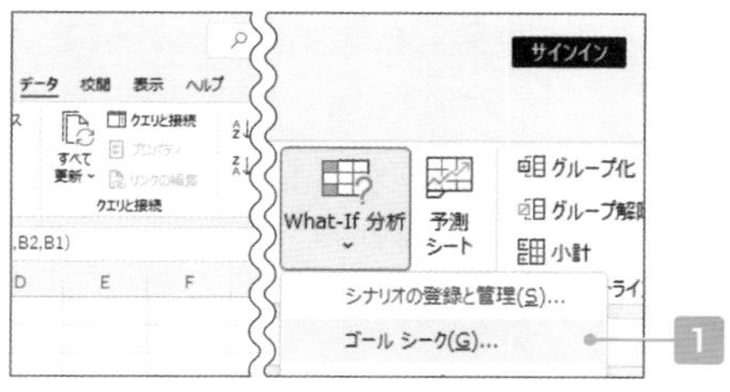

2 [ゴールシーク]ダイアログの[数式入力セル]で目標値を求める計算式のセル「B4」をクリックする。

3 [目標値]で目標となる数値「-35000」と入力する。

4 [変化させるセル]で逆算して求めたい数値のセル B2 をクリックする。

5 [OK]をクリックする。

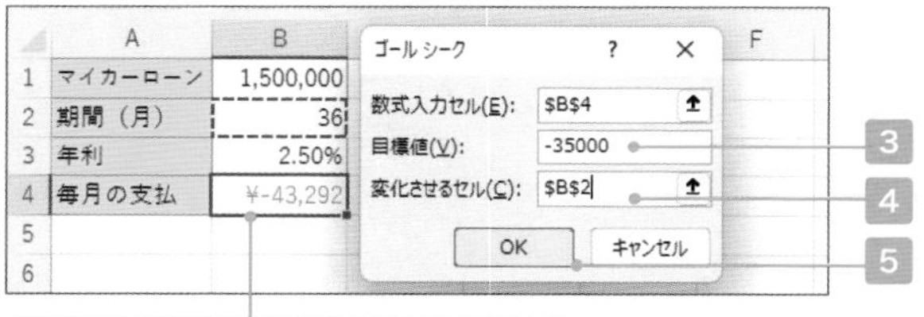

式 **=PMT(B3/12,B2,B1)**

6 セル B4 が目標値となるように逆算された結果、セル B2 に最適な数値が表示され、返済期間を 45 ヵ月にすればいいことがわかる。

7 [OK]ボタンをクリックする。

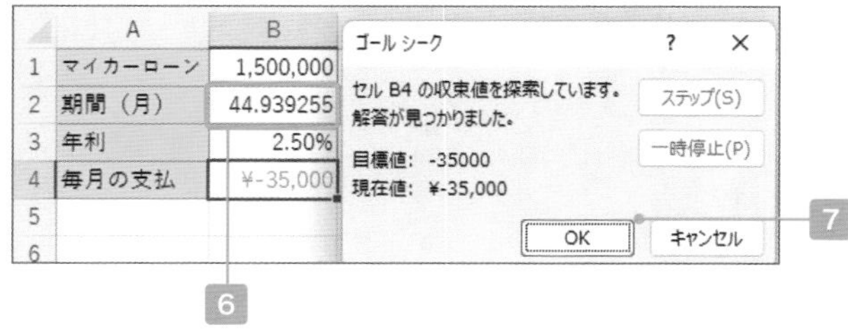

Hint シナリオとは、シミュレーション用の値の組み合わせを登録し、登録した値の組み合わせを表に切り替えながら表示できる機能です。例えば、マイカーローンを 150 万円、年利 2.5%、返済期間を 48 カ月、36 カ月、24 カ月とする値のパターンをシナリオとして登録し、そのパターンを切り替えながら表の該当するセルに表示できます。

データテーブル

データテーブルは、計算式の中で使うセルの値を変更したときの計算結果の一覧を作成する機能です。例えば、PMT 関数でローン計算をするときに、借入金が 200 万円、返済期間が 5 年のとき年利が 2.0% の前後でいくつか変更し、月の返済額を求める試算表を作成できます。
ここでは、変化する値を年利として、変化値の一覧を縦に入力しておきます。

1 変化値の一覧の右上のセル(E2)に試算用の計算式を入力しておき、変化値の列と計算式を含むようにセル範囲(D2:E7)を選択する。
2 [データ]タブ→[What-If 分析]→[データテーブル]をクリックする。

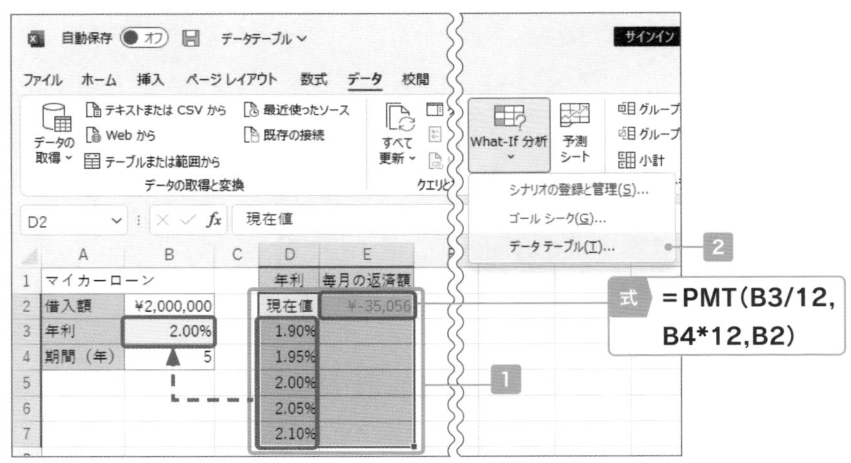

3 [データテーブル]ダイアログの[列の代入セル]で変化値を代入するセル(B3)をクリックする。
4 [OK]をクリックする。

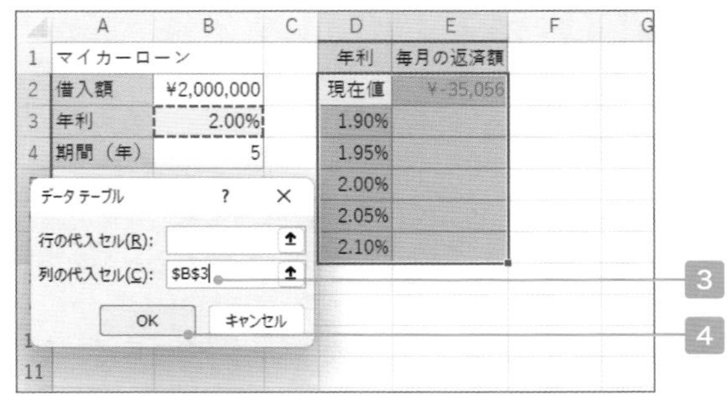

5 それぞれの変化値に対応した計算結果が表示される。

	A	B	C	D	E	F
1	マイカーローン			年利	毎月の返済額	
2	借入額	¥2,000,000		現在値	¥-35,056	
3	年利	2.00%		1.90%	¥-34,968	
4	期間（年）	5		1.95%	¥-35,012	
5				2.00%	¥-35,056	
6				2.05%	¥-35,099	
7				2.10%	¥-35,143	
8						

5

» 循環参照

数式が入力されているセルを、その数式自体から参照している状態を「循環参照」といいます。循環参照になるとメッセージが表示されるので、数式のセル参照を修正してください。また、循環参照のセルがどこにあるかわからない場合に探す方法も確認しておきましょう。

循環参照の修正

ここでは、あえて循環参照を発生させて動作確認しています。

1 セル D2 に「=SUM(B2:D2)」とセル D2 自体を含めて入力し、[Enter]キーを押す。

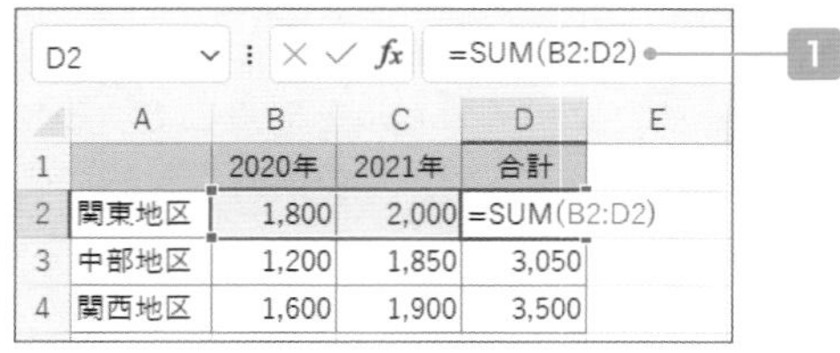

D2 =SUM(B2:D2)

	A	B	C	D	E
1		2020年	2021年	合計	
2	関東地区	1,800	2,000	=SUM(B2:D2)	
3	中部地区	1,200	1,850	3,050	
4	関西地区	1,600	1,900	3,500	

1

2 循環参照が発生したことを示すメッセージが表示されたら[OK]ボタンをクリックする。

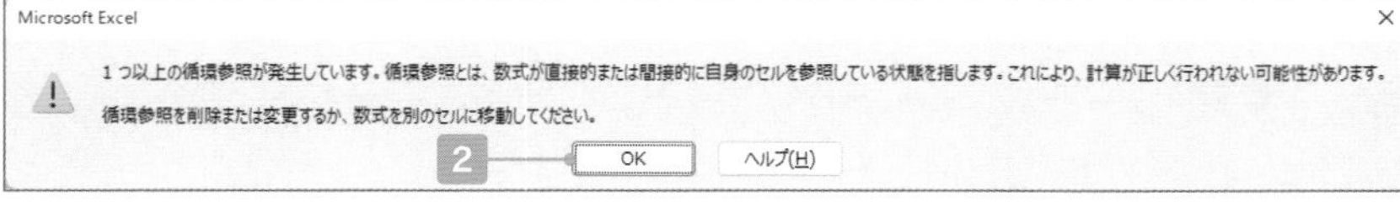

3 循環参照になっているセルをクリックし、数式を修正する。

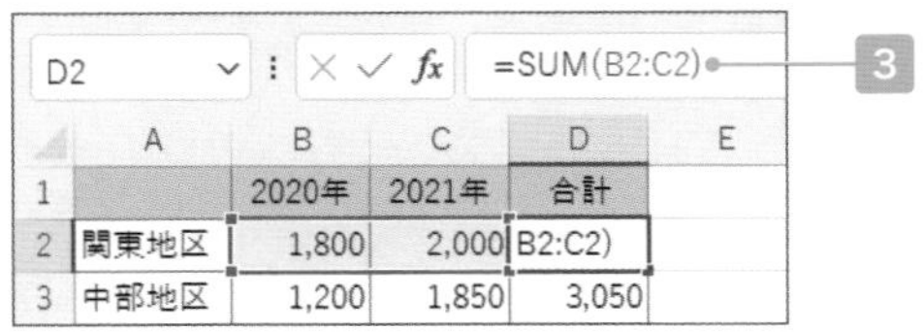

D2 =SUM(B2:C2)

	A	B	C	D	E
1		2020年	2021年	合計	
2	関東地区	1,800	2,000	B2:C2)	
3	中部地区	1,200	1,850	3,050	

循環参照の検索

1 [数式]タブ→[エラーチェック]の[v]をクリックする。
2 [循環参照]にポインターを合わせると循環参照しているセル番地が表示されたら、そのセル番地をクリックすると、該当するセルが選択される。

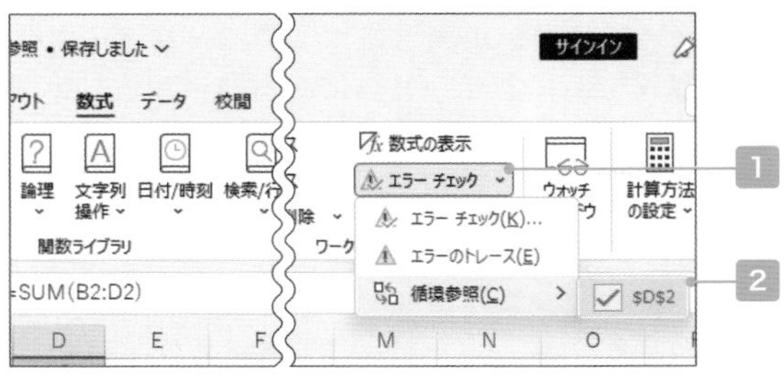

参照元・参照先のトレース

参照元トレースは、数式が参照しているセルから数式のセルに向けて矢印を表示します。参照先トレースは、選択しているセルがそのセルを参照している数式に向けて矢印を表示します。数式の結果に関係するセルの位置を視覚的に確認できるため、数式の検証に役立ちます。

参照元のトレース矢印を表示する

参照元のトレースは、アクティブセルに入力されている数式が参照しているセルやセル範囲からアクティブセルに向けて矢印が表示されます。

1 数式が入力されているセルをクリックする。
2 [数式]タブ→[参照元のトレース]をクリックする。

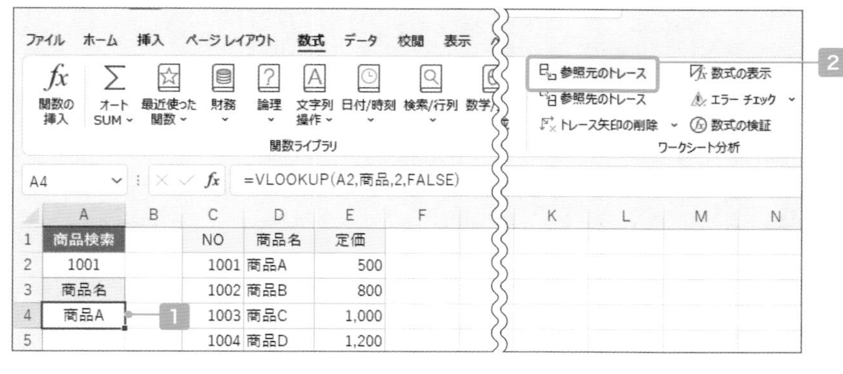

3 アクティブセルに入力されている数式「=VLOOKUP(A2, 商品,2,FALSE)」で参照しているセルから矢印が表示された。

参照先のトレース

参照先のトレースは、アクティブセルが、他のセルに入力されている数式から参照されている場合に、数式が入力されているセルに向かって矢印が表示されます。

1 参照先を調べたいセルをクリックする。
2 [数式]タブ→[参照先のトレース]をクリックする。

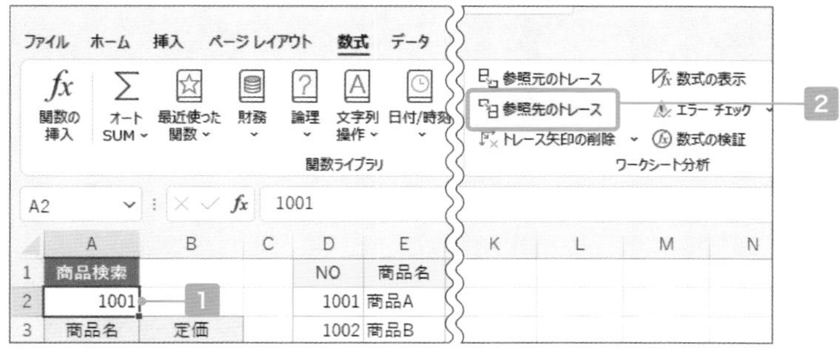

3 アクティブセルを参照している数式が入力されているセルに向かって矢印が表示される。

	A	B	C	D	E	F	G
1	商品検索			NO	商品名	定価	
2	1001			1001	商品A	500	
3	商品名	定価		1002	商品B	800	
4	商品A	500		1003	商品C	1,000	
5				1004	商品D	1,200	
6							

式 =VLOOKUP(A2,商品,2,FALSE)

式 =VLOOKUP(A2,商品,3,FALSE)

Hint 参照先トレースや参照元トレースの矢印を削除するには、[数式]タブ→[トレース矢印の削除]をクリックする。

数式の検証

関数内のセル参照や論理式、関数を検証し、引数の指定内容やセル参照が正しいかどうか確認したい場合、[数式の計算]ダイアログを表示して数式内の引数を順番に検証して確認する方法と、数式バー上で部分的に検証する方法があります。

[数式の計算] ダイアログで数式を順番に検証

[数式の計算]ダイアログを使うと、数式内の計算の内容を1つずつ順番に確認できるので問題のある個所を見つけたいときに役立ちます。

1 検証したい数式のセルをクリックする。
2 [数式]タブ→[数式の検証]をクリックする。

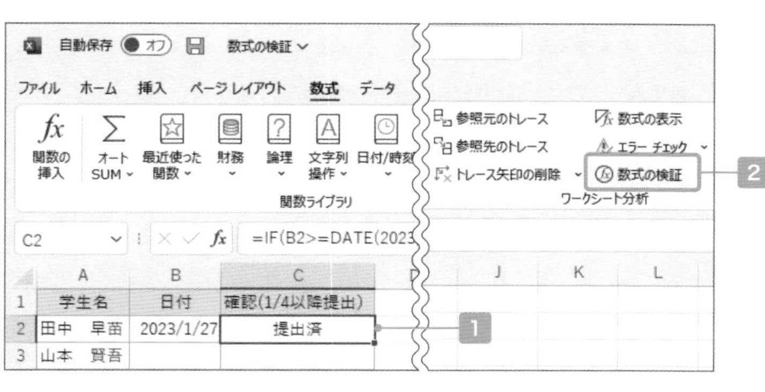

3 [数式の計算]ダイアログの[検証]欄に数式が表示され、最初に実行される式に下線が付く。

4 [検証]をクリックする。

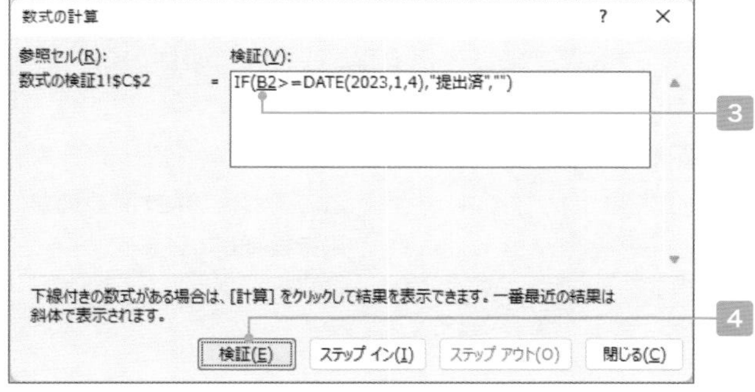

5 下線部が実行され(ここではシリアル値が表示される)、次に実行される式に下線が付く。

6 同様に[検証]をクリックして1つずつ確認する。

7 検証し終わったら[閉じる]をクリックする。

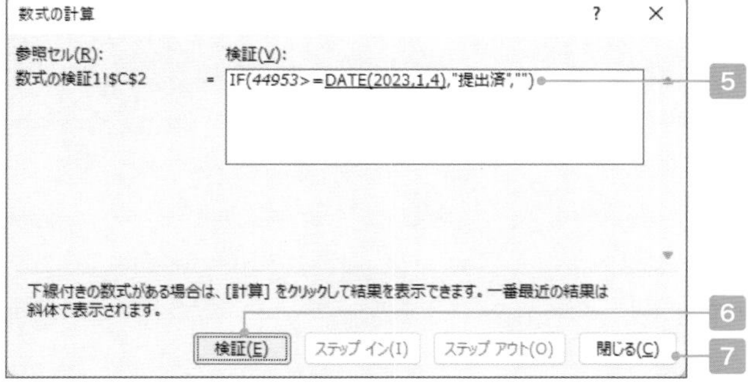

[F9] キーを使って数式バー上で検証

数式内で部分的に結果を知りたい箇所だけを直接検証できます。調べたい式の部分を選択して[F9]キーを押します。

1 検証したい数式のセルをクリックする。

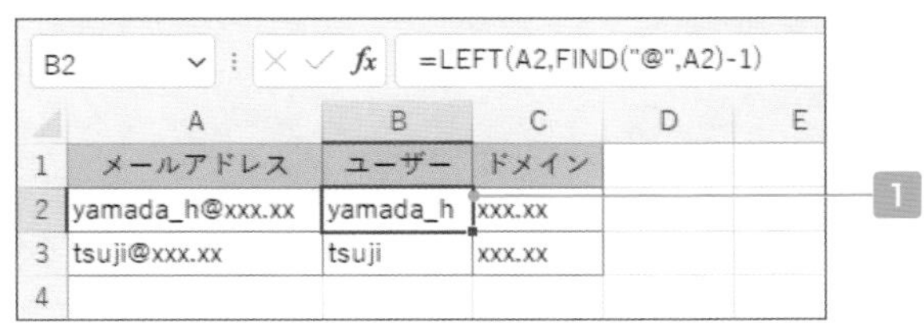

2 数式バーで検証したい部分を選択する。
3 [F9]キーを押す。

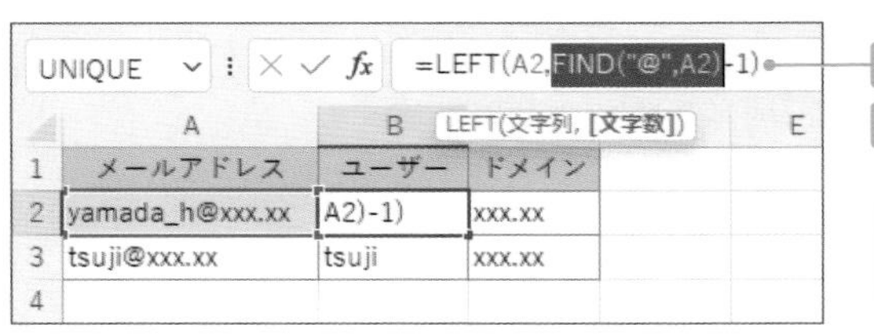

ここでは、FIND 関数の結果を検証しています。

4 選択した部分が実行され、結果が表示される。
5 確認したら[Esc]キーを押して元に戻す。

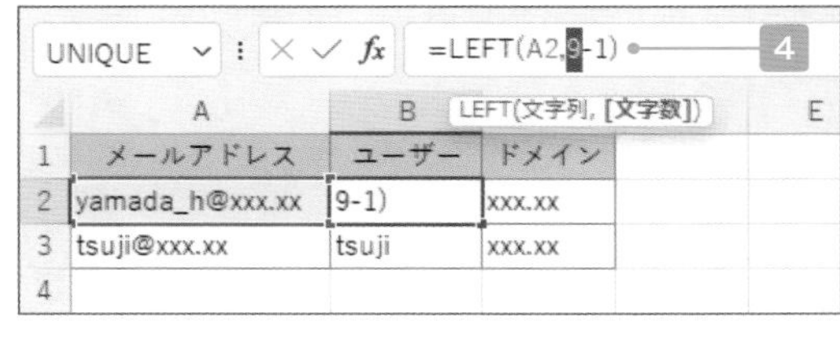

手順 5 で[Enter]を押すと、実行された結果が式に残ってしまうので気を付けてください。誤って押してしまった場合は、[元に戻す]ボタンをクリックして下さい。

» 数式の表示

通常、セルには数式の計算結果が表示されますが、数式表示に切り替えることができます。セルに入力されているすべての数式をまとめて表示して確認、印刷、修正するのに便利です。

1 [数式]タブ→[数式の表示]をクリックする。

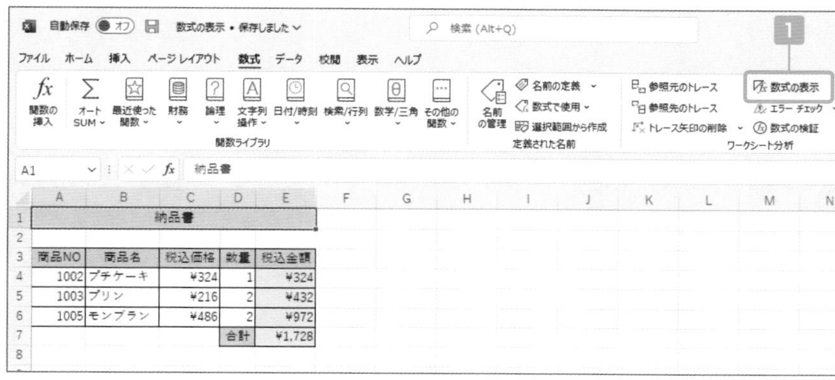

2 表の列幅が広がり、数式が表示される。内容を確認し、必要な修正を加えたら、再度、[数式]タブ→[数式の表示]をクリックして表示を元に戻す。

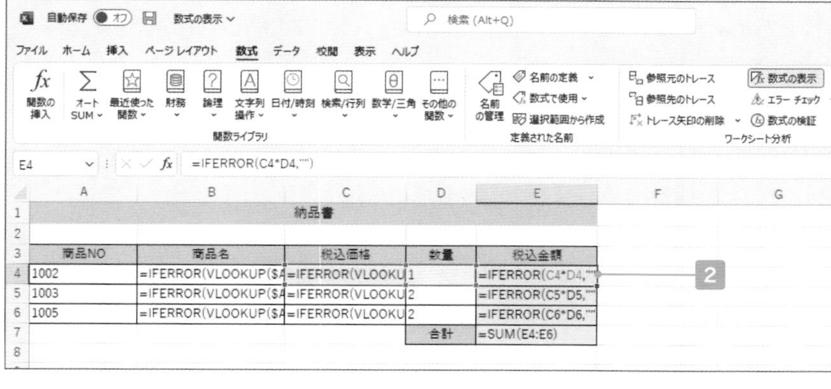

数学/三角
日付/時刻
統計
文字列操作
論理
検索/行列・Web
キューブ
情報
データベース
財務
エンジニアリング
基礎知識
便利テクニック

》再計算の自動／手動の切り替え

Excel では、計算式で使用されているセルの値が変更されると、その都度自動的に再計算されます。自動再計算をストップし、すべての修正が終わってからまとめて再計算したいときは、再計算の設定を手動に切り替えます。なお、手動に変更すると開いているブック全体が再計算されなくなり、Excel を再起動しても手動のままです。そのため、手動が必要な作業が終了したら、必ず自動に戻すようにしましょう。

再計算の設定を手動に変更する

1 [数式]タブ→[計算方法の設定]→[手動]をクリックする。

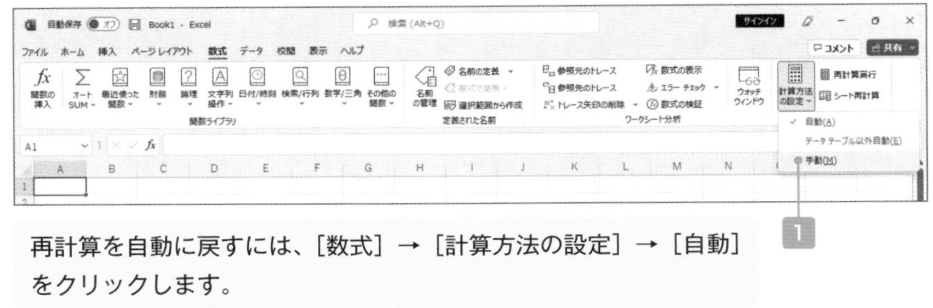

再計算を自動に戻すには、[数式] → [計算方法の設定] → [自動] をクリックします。

注意　Excel で開いているブック全体で再計算されなくなります。

再計算が手動のときに再計算を実行する

1 [数式]タブ→[再計算実行]をクリックするか、[F9]キーを押すと、開いているブック全体で再計算が実行される。

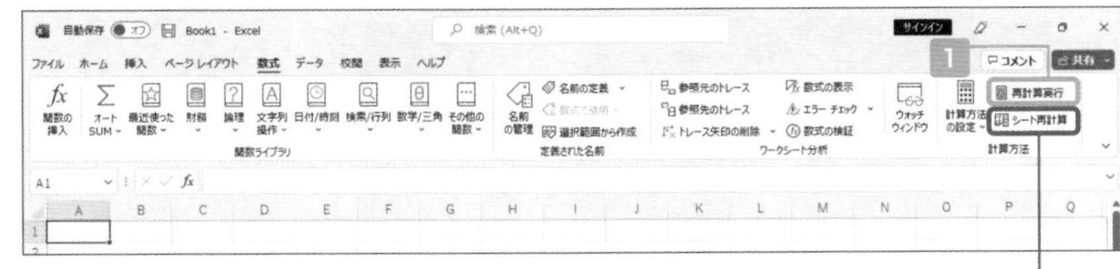

[シート再計算] をクリックすると、アクティブシートのみ再計算されます。

よく使うショートカットキー

Excel でよく使用される、覚えておくと便利なショートカットキーを紹介します。

ブックの基本操作

ショートカットキー	操作内容
Ctrl + N	空白ブックの作成
Ctrl + O	［ファイル］タブの［開く］を表示する
Ctrl + F12	［ファイルを開く］ダイアログを表示する
Ctrl + S	ブックを上書き保存する
F12	［名前を付けて保存］ダイアログを表示する
Ctrl + W	ブックを閉じる
Alt + F4	ブックを閉じる／アプリを終了する
Ctrl + P	［ファイル］タブの［印刷］を表示する
Ctrl + Z	直前の操作を取り消して元に戻す
Ctrl + Y	元に戻した操作をやり直す
F4	直前の操作を繰り返す
esc	現在の操作を取り消す
Ctrl + Home	セル A1 に移動する
Home	選択しているセルの A 列に移動する
Page Up	1 画面上方向にスクロールする
Page Down	1 画面下方向にスクロールする
Alt + Page Down	1 画面右方向にスクロールする
Alt + Page Up	1 画面左方向にスクロールする
Ctrl + ↓	データが入力された範囲の下端のセルを選択する
Ctrl + ↑	データが入力された範囲の上端のセルを選択する
Ctrl + →	データが入力された範囲の右端のセルを選択する
Ctrl + ←	データが入力された範囲の左端のセルを選択する
Ctrl + End	表内で右下隅のセルを選択する

シート

ショートカットキー	操作内容
Ctrl + Page Up	左のシートに切り替える
Ctrl + Page Down	右のシートに切り替える
Shift + F11	新しいワークシートを挿入する
F11	グラフシートを挿入して標準グラフを作成する

範囲選択

ショートカットキー	操作内容
Ctrl + Shift + :	アクティブセル領域を選択する
Shift + Space	ワークシートの行全体を選択する
Ctrl + Space	ワークシートの列全体を選択する
Shift + ↑、↓、→、←	選択範囲を上下左右に拡大、縮小する
Ctrl + Shift + ↓	データが入力された範囲の下端のセルまでを選択する
Ctrl + Shift + ↑	データが入力された範囲の上端のセルまでを選択する
Ctrl + Shift + →	データが入力された範囲の右端のセルまでを選択する
Ctrl + Shift + ←	データが入力された範囲の左端のセルまでを選択する
Ctrl + A	表全体、ワークシート全体を選択する

入力

ショートカットキー	操作内容
F2	セルの末尾にカーソルを表示する
Alt + Enter	セル内で改行する
Ctrl + ;	今日の日付を入力する
Ctrl + :	現在の時刻を入力する
Ctrl + D	上のセルと同じ内容を入力する
Ctrl + R	左のセルと同じ内容を入力する
Ctrl + Enter	複数のセルに同じデータを入力する
F4	数式入力中にセル参照を絶対参照、複合参照、相対参照に切り替える

数式入力

ショートカットキー	操作内容
F3	［名前の貼り付け］ダイアログを表示する
F9	再計算実行、式の検証（数式バー上で使用の場合）
Alt + Shift + =	オート SUM の数式を入力する
Shift + F3	［関数の挿入］ダイアログを表示する

書式設定

ショートカットキー	操作内容
Ctrl + C	選択した内容をクリップボードにコピーする
Ctrl + X	選択した内容をクリップボードに切り取る
Ctrl + V	クリップボードの内容を貼り付ける
Ctrl + Alt + V	［形式を選択して貼り付け］ダイアログを表示する
Ctrl + Shift + ~	表示形式を標準に戻す
Ctrl + Shift + #	日付の表示形式を設定する
Ctrl + @	時刻の表示形式を設定する
Ctrl + Shift + &	外枠罫線を設定する
Ctrl + Shift + _	罫線を削除する

その他の操作

ショートカットキー	操作内容
Ctrl + F	［検索と置換］ダイアログの［検索］タブを表示する
Ctrl + H	［検索と置換］ダイアログの［置換］タブを表示する
Ctrl + G / F5	［ジャンプ］ダイアログを表示する
F7	スペルチェックを実行する
Shift + F2	コメントの挿入

» 互換性関数

Excel2010 以降に新しい関数が追加され、もともとあった関数で、新しい関数と同じ機能の関数は、下位互換性のために互換性関数として残されています。

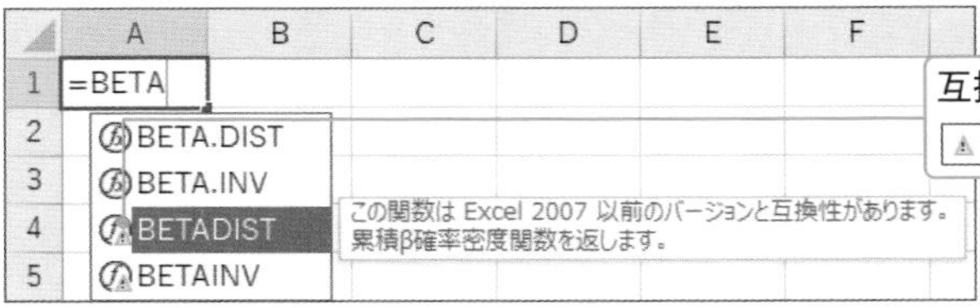

=BETA
BETA.DIST
BETA.INV
BETADIST
BETAINV
この関数は Excel 2007 以前のバージョンと互換性があります。
累積β確率密度関数を返します。

互換性関数には、関数名にマークがついています。

互換性関数一覧

互換性関数	分類	説明	現行の関数
CEILING	数学 / 三角	基準値の倍数に切り上げられた数値を返す	CEILING.PRECISE
FLOOR	数学 / 三角	基準値の倍数に切り捨てられた数値を返す	FLOOR.PRECISE
FDIST	統計	2 組のデータの (右側)F 分布の確率関数の値を返す	F.DIST.RT
FINV	統計	(右側)F 分布の確率関数の逆関数値を返す	F.INV.RT
FTEST	統計	F 検定の結果を返す	F.TEST
TDIST	統計	t 分布の確率を返す	T.DIST.RT T.DIST.2T
TINV	統計	t 分布の両側逆関数の値を返す	T.INV.2T
TTEST	統計	t 検定の結果を返す	T.TEST
ZTEST	統計	z 検定の片側 P 値を返す	Z.TEST
CHIDIST	統計	カイ 2 乗分布の右側確率の値を返す	CHISQ.DIST.RT
CHIINV	統計	カイ 2 乗分布の右側確率の逆関数の値を返す	CHISQ.INV.RT
CHITEST	統計	カイ 2 乗検定を行う	CHISQ.TEST
FORECAST	統計	既存の値を使用し、将来の値を予測する	FORECAST.LINEAR
LOGNORMDIST	統計	対数正規分布の分布関数の値を返す	LOGNORM.DIST

互換性関数	分類	説明	現行の関数
LOGINV	統計	対数正規型の累積分布関数の逆関数を返す	LOGNORM.INV
BETADIST	統計	累積β確率密度関数の値を返す	BETA.DIST
BETAINV	統計	β分布の累積β確率密度関数の逆関数の値を返す	BETA.INV
GAMMADIST	統計	ガンマ分布関数の値を返す	GAMMA.DIST
GAMMAINV	統計	ガンマ分布の累積分布関数の逆関数の値を返す	GAMMA.INV
MODE	統計	範囲に含まれる最頻値の数値を返す	MODE.SNGL
EXPONDIST	統計	指数分布の確率密度、累積分布を返す	EXPON.DIST
RANK	統計	数値一覧の中で指定した数値の順位を返す	RANK.EQ
CONFIDENCE	統計	正規分布を使用し母集団に対する信頼区間を求める	CONFIDENCE.NORM
NORMDIST	統計	標準正規分布の確率や累積確率を返す	NORM.S.DIST
NORMINV	統計	正規分布の累積分布関数逆関数の値を返す	NORM.INV
NORMSDIST	統計	標準正規分布の累積分布関数の値を返す	NORM.S.DIST
NORMSINV	統計	標準正規分布の累積分布関数の逆関数の値を返す	NORM.S.INV
STDEVP	統計	母集団の標準偏差を返す	STDEV.P
STDEV	統計	母集団の不偏標準偏差を返す	STDEV.S
COVAR	統計	共分散を返す	COVARIANCE.P
BINOMDIST	統計	二項分布の確率や累積確率を返す	BINOM.DIST
CRITBINOM	統計	累積二項分布が基準値以上になる最小値を返す	BINOM.INV
NEGBINOMDIST	統計	負の二項分布の確率関数の値を返す	NEGBINOM.DIST

互換性関数	分類	説明	現行の関数
PERCENTRANK	統計	配列内での値の順位を百分率で返す	PERCENTRANK.INC
PERCENTILE	統計	数値の百分位数を返す	PERCENTILE.INC
QUARTILE	統計	数値の四分位数を返す	QUARTILE.INC
VARP	統計	母集団全体の分散を返す	VAR.P
VAR	統計	母集団の不偏分散を返す	VAR.S
POISSON	統計	ポアソン確率の値を返す	POISSON.DIST
WEIBULL	統計	ワイブル分布の値を返す	WEIBULL.DIST
HYPGEOMDIST	統計	超幾何分布を返す	HYPGEOM.DIST
CONCATENATE	文字列	複数の文字列を 1 つの文字列に結合する	CONCAT

INDEX ▶ 目的別関数索引

さ

た

な

ま

INDEX ▶ 関数索引（アルファベット順）

C

D

著者紹介

国本 温子（くにもと あつこ）

テクニカルライター。企業内でワープロ、パソコンなどのOA教育担当後、Office、VB、VBAなどのインストラクターや実務経験を経て、現在はフリーのITライターとして書籍の執筆を中心に活動中。

本書のサポートページ

https://isbn2.sbcr.jp/17547/

- 本書をお読みいただいたご感想を上記URLからお寄せください。
- 上記URLに正誤情報、サンプルダウンロードなど、本書の関連情報を掲載しておりますので、あわせてご利用ください。

注意事項

- 本書の内容の実行については、すべて自己責任のもとで行ってください。内容の実行により発生した、直接・間接的被害について、著者およびSBクリエイティブ株式会社、製品メーカー、購入された書店、ショップはその責を負いません。
- お電話による、本書の内容に関するお問い合わせはご遠慮ください。
- お問い合わせに関しては、上記サポートページ内にあります「お問い合わせ」をクリックしていただき、「書籍の内容について」のメールフォームからお送り頂くか、郵送でお願いいたします。回答に関しては多少のお時間を頂戴するか、返答できない場合もありますので、あらかじめご了承ください。また、本書の内容を逸脱したお問い合わせに関しては、ご返答しかねますのでご了承ください。

いちばん詳しい Excel 関数大事典 増補改訂版

2023年 6月 8日 初版第 1 刷発行

著　者……………………国本 温子
発行者……………………小川 淳
発行所……………………SBクリエイティブ株式会社
〒106-0032 東京都港区六本木2-4-5
https://www.sbcr.jp/
装　幀……………………米倉 英弘（株式会社 細山田デザイン事務所）
本文デザイン・組版………クニメディア株式会社
印　刷……………………株式会社シナノ
編　集……………………荻原 尚人

落丁本、乱丁本は小社営業部（03-5549-1201）にてお取り替えいたします。
定価はカバーに記載されております。

Printed in Japan　ISBN 978-4-8156-1754-7